Le fils
INDIGO

Les collines du Zéphyr

LES ÉDITIONS JEAN, ROBERT INC

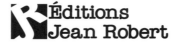

LES ÉDITIONS JEAN, ROBERT INC
90, rue Saint-Georges,
St-Jean-sur-Richelieu, Québec
J3B 2S6
Téléphone : (450) 347-6335

© 2009, Les Éditions Jean, Robert inc
Bibliothèque nationale du Québec
Bibliothèque nationale du Canada
ISBN 978-2-9807995-3-2

Président et éditeur : Jean Paré, jeanpare@editionsjeanrobert.com
Adjoint à l'éditeur : Jean Gherlenda, jgherlenda@editionsjeanrobert.com
Conception de la page couverture : Francis Lévesque
Infographie : Sandra Davidson
Correction : Chantal Binette
Révision : Nathalie Labrèche

Imprimé au Canada

Nicole Castonguay

*À toi Marco qui m'as permis de réaliser la plus
grande aventure que je pouvais espérer vivre
en devenant le souffle d'inspiration de ce livre.*

Le fils indigo

Les collines du Zéphyr

1
Australie 2002

Un groupe de touristes américains, après avoir profité d'un séjour de deux jours dans la ville de Melbourne, attendait dans la cafétéria de l'aérogare un vol à destination d'Uluru. Ils s'étaient réunis autour d'une table pour écouter les explications du guide qui les accompagnait durant leur périple australien.

— Pour cette première partie du voyage, dit-il, vous logerez dans de grandes tentes safari érigées en plein cœur du désert. Vous pourrez ainsi profiter de la vue saisissante qu'offre Ayers Rock de l'endroit où se situe le campement. Je vous recommande d'aller le contempler au lever du jour ou, mieux encore, au soleil couchant, car c'est à ce moment précis qu'il passe du rouge ocre au rouge vif en quelques minutes seulement. Ce n'est pas tout…, il y a une excursion prévue pour vous permettre de visiter les grottes à la base du rocher et une autre pour aller marcher dans l'impressionnante Vallée des Vents. Vous verrez que la splendeur des paysages arides du Centre rouge de l'Australie n'a rien de comparable avec le reste du continent.

— Et que ferons-nous de nos soirées ? demanda l'un des voyageurs.

— Des aborigènes viendront vous raconter les plus anciennes légendes d'Uluru autour d'un feu de camp, répondit le guide.

— Espérons qu'ils parlent une langue accessible, plaisanta-t-il.

Lorsque le coucou de quarante passagers s'éleva au-dessus des nuages,

7

les touristes commencèrent vraiment à ressentir de l'excitation. À l'arrière, deux jeunes femmes parlaient des traditionnelles tartelettes offertes en repas-minute sur tout le continent australien qu'elles ne manqueraient pas de goûter.

— Nous avons entendu dire que certains restaurants spécialisés en préparaient à base de kangourou et de crocodile, spécifia l'une d'elles aux autres voyageurs.

L'avion se posa à l'aéroport d'Uluru à 17 heures. Le trajet pour rejoindre le site permanent du camping se fit en autocar - un vieux véhicule servant uniquement à transporter les touristes jusqu'au campement.

Un délicieux souper australien attendait les voyageurs qui s'installèrent autour d'un feu de camp pour savourer la grande variété de mets que les cuisiniers avaient préparés pour eux. La fatigue du voyage se transforma peu à peu en un moment de plénitude intense avec cette nature peu ordinaire que même les mots n'arrivaient pas à décrire.

— Est-ce qu'il y en a parmi vous qui aimeraient voir le soleil se lever sur Ayers Rock ? demanda le guide en chef.

Quelques touristes seulement manifestèrent de l'intérêt à sa proposition, la plupart préférant prolonger leur sommeil de quelques heures pour se remettre du décalage horaire. Le guide invita les intéressés à venir le retrouver vers 4 heures et demie sous la grande tente, et les informa que du café, des fruits frais et des brioches leur seraient servis avant le départ.

Il leur recommanda de chausser des bottes de marche, d'emporter un chapeau et quelques bouteilles d'eau, et surtout, d'appliquer de la crème solaire sur les parties du corps les plus exposées au soleil.

***

— Hum… comme le café sent bon ce matin, dit Lucy, relevant des mèches de cheveux qui tombaient sur son front. Je me sens tellement bien. Ça doit être l'effet de la vie en plein air.

— Tu n'as rien perçu d'anormal cette nuit sweetheart ?

— Non. Pourquoi ?

— Je me suis éveillé en sursaut au milieu de la nuit, comme si un aimant m'avait tiré de mon sommeil, dit Ted, versant du café dans des tasses jetables. Le cœur me débattait à tout rompre.

— Peut-être que tu as fait un cauchemar ?

— Ce n'était pas un cauchemar, dit-il pensivement.

Le guide en chef s'adressa au petit groupe de touristes qui s'étaient présentés au rendez-vous et leur demanda de se tenir prêts à partir dans quinze minutes.

Parmi ceux qui avaient accepté de participer à l'excursion, il y avait deux jeunes femmes et trois universitaires avec qui elles s'étaient liées d'amitié durant le voyage. Il y avait également Lucy et Ted, un couple dans la cinquantaine, qui s'était offert l'Australie pour célébrer leur anniversaire de mariage.

L'autre guide invita les voyageurs à se diriger vers les deux jeeps safari garées à l'extrémité du campement pour y prendre place.

C'était le début d'août. Le ciel qui avait paru dégagé au moment où les touristes se préparaient à quitter le campement se chargea de nuages pendant le trajet vers le monolithe. Cheveux au vent, les voyageurs scrutaient l'obscurité d'un œil fougueux. Au loin, Ayers Rock - une roche unique, plantée en plein milieu du désert - commençait à laisser paraître ses formes lunaires.

La femme de Ted avait la tête appuyée contre son épaule et tous les deux se tenaient tendrement la main. Frissonnante, elle bâilla un grand coup et resserra son chandail sur elle.

Quelques instants plus tard, il se produisit quelque chose de curieux. La jeep dans laquelle avaient pris place Lucy, Ted et l'une des deux jeunes femmes se mit à perdre de la vitesse. Étonné, le guide en chef continua d'appuyer sur l'accélérateur. C'est alors que la jeep se souleva dans les airs, comme si une poussée venue de nulle part l'avait propulsée vers l'avant, et retomba sur le sol en ballottant les passagers.

L'autre jeep s'arrêta à son tour après avoir subi le même traitement.

— Qu'est-ce que cela peut bien vouloir dire ? grommela le guide en chef qui alla soulever le capot afin d'examiner le moteur de plus près. J'ai pourtant effectué toutes les vérifications d'usage la semaine dernière... Ce n'est pas normal !

Le deuxième guide cherchait, lui aussi, à résoudre son problème mécanique en examinant les bougies, le carburateur et le cylindre dans l'espoir de trouver ce qui n'allait pas.

— Est-ce que tu vois ce que je vois Ted ? s'exclama tout à coup Lucy.

Il leva la tête dans la direction qu'elle lui indiquait.

— Regarde là-bas ? Tous ces rayons lumineux... !

Ted fut tout aussi troublé que Lucy par ce qu'il vit dans le ciel.

L'aube commençait à profiler ses premières lueurs à l'horizon. Les sept touristes, après être descendus des jeeps, s'étaient regroupés au milieu de la chaussée, se tenant très près les uns des autres. Ils avaient tous les yeux rivés vers le ciel.

Une *chose* immense, invraisemblable et lumineuse émergeait lentement des nuages. Elle semblait surgir de la voûte du ciel, telle une grandiose manifestation intersidérale. La magnitude de ce corps céleste s'étendait sur des dizaines de kilomètres à la ronde. Plus il s'approchait et plus il voilait l'espace terrestre. Des centaines de faisceaux lumineux incandescents balayaient Uluru de l'extrême ouest jusqu'à l'extrême est.

Soudain, l'atmosphère se chargea d'une densité magnétique incroyable. À partir de là, tout s'entremêla dans la tête des voyageurs et des guides; ils perdirent la notion du temps et même celle de leur existence.

À un certain moment, il leur sembla que la *chose* était si proche d'eux qu'ils auraient presque pu la toucher du bout des doigts s'ils avaient été debout sur les sièges des jeeps. Même si leurs yeux cillaient sous l'effet de l'aveuglante luminosité qui emplissait le ciel, ils purent tout de même distinguer la magnificence de ce corps céleste apparu brusquement dans le demi-jour.

Est-ce que tout ceci appartenait à leur imagination ? Ou si quelques mètres seulement les séparaient de ce qui semblait être une ville illuminée, flottant au-dessus de leurs têtes ? Nul ne semblait le savoir.

***

— Où es-tu, Ted ? demanda Lucy, étendue sur la chaussée.

— Je suis ici, sweetheart. Tout près de toi.

— Qu'est-ce qui nous est arrivé? murmura-t-elle.

— Je ne sais pas. Est-ce que tu as mal ?

— Je ne peux remuer ni mes bras, ni mes jambes.

La situation paraissait tout à fait irréaliste. Les femmes dans la trentaine étaient assises au milieu de la chaussée et balbutiaient des paroles incompréhensibles. Le guide en chef se trouvait en bordure de la route, les genoux repliés et les mains croisées sur la poitrine en position fœtale. Le deuxième guide se tenait debout, près de sa jeep, les bras ballants. Quant aux trois universitaires, ils étaient étendus en cercle sur la chaussée, le regard hagard et le teint pâle.

Ted se releva péniblement et alla s'agenouiller auprès de sa femme. Des larmes coulaient sur son visage d'une blancheur éclatante. Il prit ses mains dans les siennes pour la réconforter.

Lucy était une très belle femme. Même si elle avait fêté ses cinquante ans en juin dernier, elle paraissait en avoir quarante. Ses cheveux blonds aux reflets cuivrés à hauteur des épaules s'étalaient sur l'asphalte à cause de son ruban qui s'était détaché.

— Te sens-tu assez forte pour te relever, sweetheart ?

— Je vais essayer, dit-elle, d'une voix tremblotante.

Le guide en chef, l'air complètement déconfit, se frottait la nuque et essayait de voir si tout son monde se portait bien.

— Est-ce que quelqu'un est capable de m'expliquer ce qui vient de se passer ici ? demanda-t-il.

— Je me rappelle avoir vu des lumières à travers les nuages, dit Lucy, incapable de cesser de pleurer. Et après, une ville est apparue au-dessus de nous. Une ville qui semblait flotter dans les airs…

Personne n'arrivait à fournir une explication sensée sur le fait que les jeeps étaient tombées en panne sans raison valable, pas plus que sur l'énigme de cette immense *chose* apparue dans le désert d'Australie.

— Il vient de se produire un phénomène que nous ne serons probablement jamais en mesure de comprendre, dit Ted. Personnellement, je crois qu'il vaudrait mieux pour nous oublier cette histoire et continuer notre chemin.

Préférant ne rien ajouter de plus à la formulation de Ted, les deux guides regagnèrent leurs sièges et vérifièrent s'ils pouvaient remettre les moteurs des jeeps en marche. D'un seul coup, les moteurs se remirent à tourner comme si rien ne s'était produit. Satisfaits, ils invitèrent les touristes à reprendre leur place.

Il était maintenant 6 heures et il faisait jour. Tout à fait jour. Il s'était écoulé une heure entre l'arrêt des jeeps et le moment où les touristes et leurs guides reprirent la route.

Les nuages se dissipaient lentement et le rayonnement du Soleil levant réchauffait les passagers qui frissonnaient encore d'émotion. Ceux-ci semblaient préférer le silence qui régnait dans cette partie désertique de l'Australie à des conversations paraissant inutiles en cet instant de profonde réflexion.

Chacun se doutait bien que la sensation qui les tenaillait au creux de l'estomac ne pouvait être due qu'à un simple événement sans lendemain, car ce qui venait d'arriver devait certainement être lié à leur destinée et à celle de l'humanité.

2
Amérique du Nord 2003

Au lever du jour, ce samedi 14 juin, un représentant d'une entreprise de divertissements étalait sur la pelouse des Prince une douzaine de flamants roses.

Cette magnifique demeure centenaire, juchée sur une colline du Mont-Saint-Hilaire, abritait derrière ses murs un long passé, puisqu'elle avait vu grandir Frédéric Prince et qu'elle avait été témoin de sa vie de famille. C'est à la suite du veuvage de sa mère, et de la sordide maladie de Parkinson qui l'affligea, que le patrimoine familial lui fût légué. Souhaitant surmonter une solitude qui lui pesait de plus en plus, Madame Prince fit l'acquisition d'un appartement au centre-ville afin d'avoir accès plus facilement à des activités sociales. C'est donc au moment où il terminait ses études en médecine vétérinaire à l'Université de Montréal que Frédéric pris légalement possession de la maison de son enfance.

Peu de temps après, il rencontra la femme de sa vie sur une plage du lac Champlain où il avait l'habitude de s'adonner à la planche à voile. Leur mariage fut célébré l'année suivante, au cœur même du Mont-Saint-Hilaire, sur le site enchanteur d'un vieux manoir. Le couple échangea ses alliances sous une tonnelle recouverte de lys, de glaïeuls et de lianes de chèvrefeuille, sur un air des *Quatre saisons de Vivaldi*, joué par trois violonistes, devant un petit nombre d'invités.

Au retour de leur voyage de noces dans la magnifique région de Charlevoix, ils entreprirent des travaux de rénovation qui durèrent pratiquement deux années complètes. La règle première de Frédéric était, bien sûr, de conserver l'aspect d'antan de sa demeure. Mais, tout ne s'arrêta pas là, car il avait un rêve en tête : celui de construire son propre hôpital vétérinaire.

***

Au moment où Philippe descendait au rez-de-chaussée, vers 9 heures, pour préparer son petit-déjeuner, il aperçut les flamants roses par la fenêtre du séjour.

« Ça doit être encore une idée de maman ces trucs-là ! », se dit-il en bâillant.

C'est effectivement Isabelle qui, la semaine précédente, avait requis les services d'une entreprise de divertissements pour souligner les treize ans de son aîné. Elle avait également demandé à Jessianne, sa cadette, d'inviter tous les meilleurs amis de Philippe à l'occasion de son anniversaire. Madame Bibi, une dame qui travaillait chez les Prince depuis la naissance des enfants, était également complice de la fête, puisqu'elle avait accepté de mettre la main à la pâte.

Immobile devant la fenêtre, Philippe se demandait ce qu'il allait faire des flamants roses, lorsque les aboiements de Maya le ramenèrent à la réalité. D'un pas lent, à moitié réveillé, il traversait la cuisine lorsque :

— Bibi ! Qu'est-ce que tu fais ici ?

— Je prépare un gâteau, répondit-elle, le sourire aussi large que ses lèvres le permettaient.

Il n'eut pas le temps de faire un pas de plus qu'elle le rattrapa et le pressa contre sa poitrine de ses deux robustes bras.

— Joyeux anniversaire mon Philippe ! lui dit-elle dans un élan de tendresse.

Celui-ci réussit tant bien que mal à s'extirper de sa gênante position, et alla ouvrir la porte de la véranda à la chienne. Silencieux, il retourna à la cuisine préparer son sempiternel bol de céréales dans lequel il ajouta des tranches de bananes et du lait. Puis il les arrosa copieusement de miel.

Comme il allait ouvrir le tiroir pour prendre une cuillère, la sonnerie du téléphone retentit.

Madame Bibi, pour on ne sait quelle raison, avait la fâcheuse habitude de se ruer sur le récepteur du téléphone dès que la sonnerie retentissait. Ce fut donc ce qui arriva une fois de plus.

— Parler à PeP… oui ma cocotte…

Elle tendit le récepteur à Philippe et lui rappela, en le regardant par-dessus ses étroites lunettes, de rapporter son bol à la cuisine lorsqu'il aurait terminé ses céréales. En quelques secondes, il avait déjà franchi la moitié de l'escalier et disparut à l'étage.

***

La mansarde de Philippe était sa pièce préférée. Il y passait la majorité de son temps à lire et à discuter au téléphone avec ses amis. Après avoir multiplié ses demandes auprès de ses parents, ils acceptèrent d'en refaire la décoration dès que ses cours au collège seraient terminés. Ils consentirent également à lui laisser l'entière liberté de choisir les couleurs qui lui plaisaient, ainsi que le style de son nouvel ameublement. Tout lui paraissait si désuet comparativement à la chambre de Jessianne. « C'est trop bébé… », argumentait-il, dans le but de transformer la pièce à sa guise.

De tous les instants de son enfance jusqu'à ce jour, Philippe n'avait fait les choses comme les autres. La situation était à ce point troublante, que ses amis, ses parents, et tous les gens qui l'entouraient, ne savaient à quoi s'attendre de lui. Il apportait des réponses d'une telle précision au questionnement des adultes que personne n'osait le contredire.

Roxanne, une amie d'Isabelle, ostéopathe de profession, avait, sur sa demande, rencontré Philippe en consultation à son bureau. Suite à son entretien avec l'ado, elle rassura Isabelle en lui disant que son fils était, dans le jargon professionnel, un enfant indigo et qu'il ne servait à rien de s'inquiéter pour lui. C'était un garçon parfaitement équilibré qui faisait preuve d'une surprenante maturité.

— Est-ce que je peux entrer ? demanda Jessianne de sa petite voix aguichante.

— Pas maintenant, je suis au téléphone…

Elle ne l'écouta pas et ouvrit la porte en rafale avec un bouquet de treize ballons gonflés à l'hélium dans la main.

— JOYEUX ANNIVERSAIRE ! lança-t-elle pendant que ses deux siamois en profitaient pour grimper sur le lit.

— Excuse-moi Sy, c'est ma sœur, dit-il légèrement contrarié de se faire déranger au milieu de sa conversation.

14

— Nous aurons des invités en fin d'après-midi, annonça-t-elle fièrement.

— Je suis mieux de faire disparaître ces ridicules oiseaux si je ne veux pas en entendre parler le reste de l'été, s'inquiéta-t-il.

— Est-ce que ton orgueil de mâle viendrait d'en prendre un coup ? se moqua-t-elle, laissant les ballons s'envoler au plafond.

Avant qu'il ne lui lance une *flèche* à son tour, elle referma la porte et dégringola les marches deux par deux.

— Tu es bien matinale Bibi, dit-elle en entrant dans la cuisine.

— Il le faut si je veux terminer à temps.

— Ne t'en fais pas, je vais t'aider.

Jessianne fit griller deux tranches de pain et les recouvrit de confiture de mûres.

— Où vas-tu ? interrogea Madame Bibi, la voyant repartir avec son pain grillé.

— M'habiller…

— Tu vas laisser tomber des graines partout ! clama-t-elle.

— Bibi… tu sais bien que je fais toujours attention, même s'il m'arrive d'en laisser tomber quelques-unes à l'occasion.

— Petite coquine, balbutia-t-elle, remettant le malaxeur en marche.

Une demi-heure plus tard…

— Tu en as mis du temps pour t'habiller, commenta la pauvre femme qui l'attendait impatiemment.

— J'ai remis un peu d'ordre dans ma chambre.

Elle fronça les sourcils.

— J'avais pourtant tout replacé ce qui traînait hier…

— Qu'est-ce que je peux faire ? s'empressa-t-elle de demander pour créer une diversion.

— Nous allons remplir ce plateau de légumes.

— D'accord.

Jessianne ouvrit la porte du réfrigérateur et sortit tous les légumes qui s'y trouvaient, puis les étala sur le comptoir.

— Avec quoi vais-je les couper ?

Madame Bibi ouvrit un tiroir et en sortit un petit couteau et une râpe qu'elle déposa sur le comptoir près des légumes.

— Rince-les comme il faut avant de les déposer dans le plateau, insista-t-elle.

— Tu sais que PeP n'aime pas les légumes, l'avertit Jessianne. Et il n'aime pas les sandwichs avec de la moutarde ou de la mayonnaise. Ça le rend hystérique les condiments. Nous sommes mieux de lui en préparer au beurre et à la dinde, sinon il va refuser de manger et maman va être obligée de lui commander du poulet de la rôtisserie.

— Il a bien failli nous rendre folles, ta mère et moi, lorsqu'il était bébé, soupira-t-elle. À chaque repas, il nous crachait au visage la nourriture qu'on essayait de lui faire avaler.

— Je sais… il a des phobies alimentaires incroyables.

Le reste de la matinée fut consacré à la préparation d'une grande quantité de sandwichs et d'amuse-gueules. Pour terminer, Jessianne fouilla dans le boîtier des fiches cuisine pour trouver une recette de boisson, et opta finalement pour la cent watts frappés à base de jus d'ananas et de glaçons. Mais avant de s'attaquer à la préparation de son punch aux fruits, elle s'approcha de l'escalier pour régler une petite affaire.

—PeP! Est-ce que papa ne t'avait pas demandé de laver le 4 x 4 aujourd'hui? cria-t-elle.

Étendu sur son lit, Philippe lisait un article dans une revue de science-fiction.

— Je vais le faire, répondit-il. Pour le moment, je lis.

Jessianne soupira et retourna à la cuisine en se demandant si cela valait la peine de lui organiser une fête.

Ce ne fut pas long que Philippe se fatiguât de sa lecture. Il enfila un tee-shirt blanc et un bermuda kaki et descendit dans le vestibule chausser ses baskets. Puis il sortit sans faire de bruit par la porte d'entrée principale.

— Bonjour maman !

— Joyeux anniversaire, trésor ! s'exclama Isabelle qui cherchait un dossier dans son classeur. Il y a un travail fou ici aujourd'hui. Ton père n'a pas eu une seule minute à lui depuis qu'il a posé les pieds ici ce matin.

— Dis à papa que je suis d'accord pour laver son Mitsubishi. Mais en échange, j'aimerais qu'il me laisse conduire sur le stationnement du centre commercial. Je veux savoir comment on se sent quand on est au volant d'une voiture.

— Tu ne manques décidément aucune occasion pour obtenir ce que veux, marmonna Isabelle.

— Tout n'est-il pas une question de négociation dans la vie ?

Isabelle le regarda avec scepticisme.

— Allez… file. J'ai du travail, dit-elle, se retournant vers la salle d'attente.

— Madame Walsh, approchez s'il vous plaît. Qu'est-il arrivé à Renoir ?

— Je n'en suis pas certaine, mais je crois qu'il a bu un liquide toxique qui traînait dans un récipient chez notre voisin. Pauvre bête, il vomit sans arrêt depuis vingt-quatre heures, dit la dame peinée de l'état de son gros toutou.

Frédéric salua son fils en oubliant complètement que c'était jour d'anniversaire pour lui. Il ramassa le dossier de son *patient* sur le bureau d'Isabelle et ouvrit la porte de la salle d'attente.

— Viens Renoir… tu me sembles bien mal en point. On va voir ce qui ne va pas chez toi, dit-il, lui passant la main sur le collier du cou.

Renoir suivit péniblement Frédéric jusqu'à la salle de traitement pour passer une vidéo endoscopie. Cet appareil d'éclairage à fibre optique, glissé dans un tube où se trouvait insérée une micro-caméra permettant la retransmission d'images couleur, était la façon idéale pour Frédéric d'observer l'état de la trachée, des bronches, de l'estomac et des intestins de son malade.

Frédéric Prince était un homme à la physionomie imposante, qui exerçait sa profession de vétérinaire, appuyé sur de solides convictions d'ordre moral. Il était de ceux qui renouvellent sans cesse leurs connaissances et dont la motivation demeure aussi présente qu'à leurs premières années de pratique. Sensible à la fragilité de la vie des animaux qui souffraient et mouraient devant lui, ni le jour ni la nuit ne faisaient de différence lorsqu'il était question d'apaiser leurs souffrances. D'aussi loin que ses souvenirs remontent, il n'avait jamais voulu exercer un métier autre que celui de vétérinaire.

Jessianne passa une bonne partie de l'après-midi à décorer la véranda, sortir les chaises en toile de la remise, transporter les verres et les assiettes dont ils auraient besoin sur la desserte. Elle sélectionna parmi de nombreux albums de musique ceux que Philippe affectionnait particulièrement, et régla toutes sortes de petits détails. De son côté, Philippe n'avait pas chômé. Le Mitsubishi, un bolide 4 x 4 avec climatiseur, horloge analogique, régulateur de vitesse, console centrale avec accoudoir et toit ouvrant électrique reluisait de propreté dans l'entrée du garage.

— SAINTE MISÈRE ! hurla tout à coup Madame Bibi qui se dépêchait de terminer le lavage du plancher avant l'arrivée des premiers invités. SORTEZ-MOI CE CHIEN DE LA CUISINE !

Maya, une superbe femelle bouvier bernois âgée de trois ans, que Frédéric avait offert à son fils à sa demande, s'était introduite en coup de vent dans la cuisine et avait maladroitement renversé le plat contenant la nourriture et l'eau des chats. Jessianne comprit qu'il valait mieux la laisser sortir avant qu'un drame n'éclate. La pauvre accourut dans le garage retrouver Philippe et se blottit près de lui pendant qu'il rangeait le boyau d'arrosage. Au même moment, Madame Lu Chan déposa sa fille devant la maison.

Sy s'avança vers Philippe d'un pas léger. Elle paraissait si fragile que ses parents la surnommaient : petite porcelaine. Son père, un grand maître Taï Chi, avait ouvert une école afin de transmettre son art et les précieux aspects psychique et mental rattachés à cette discipline. Quant à sa mère, elle passait la majeure partie de ses temps libres dans son atelier à dessiner de magnifiques paysages de Chine sur des poteries.

— Salut PeP !

— Salut… Qu'est-ce que tu as dans ton sac? demanda-t-il, s'étirant le cou pour voir à l'intérieur.

— Une surprise.

— Donne-moi un indice…

— Pas question.

— Juste un tout petit, insista-t-il, lui montrant une mesure entre son pouce et son index.

Sy demeura passive malgré son insistance.

— Il me semble qu'il serait temps d'aller prendre une douche et te changer, dit-elle, voyant son tee-shirt imbibé de sueur.

— J'y allais justement.

Elle le suivit à l'étage et alla s'étendre sur le lit de Jessianne feuilleter une revue de mode en attendant qu'il termine sa toilette. Pendant ce temps, les invités arrivaient à la fête les uns après les autres et leur babillage s'intensifiait allègrement dans la véranda. Dan, Jeanno, Yann et Jonathan jetaient des regards affamés sur les plateaux de sandwichs étalés sur le comptoir de la cuisine. Quant à Catherine, Nadya et les jumelles, elles essayaient de s'entendre sur un choix de musique en passant en revue toute la pile d'albums.

Après quinze minutes d'attente, Sy se leva et alla frapper à la porte de la salle de bains.

— Enfin PeP ! Est-ce que tu vas finir bientôt? Tout le monde t'attend.

— Je ne suis pas en retard que je sache…

« Pourquoi faut-il toujours qu'il me réponde comme s'il était au-dessus de tout ? » se demanda-t-elle, retournant à sa lecture.

Lorsque Philippe sortit enfin de la salle de bains, une agréable odeur d'agrumes se répandit hors de la pièce. Sy releva la tête et le regarda passer devant la porte de la chambre grande ouverte. Il n'était peut-être pas le plus beau gars en ville, mais sa prestance et ses yeux verts perçants l'intimidaient. Certains disaient de lui qu'il avait la facilité de mettre à jour leurs secrets les plus intimes. Ce qui en dérangeait plusieurs. Une chose bien particulière le démarquait des autres garçons de son âge. Durant la période estivale, on ne le voyait jamais en sandales. Il trouvait que les pieds des gars étaient une partie de leur anatomie qu'il était préférable de ne pas trop exhiber.

Aussitôt qu'ils arrivèrent dans la véranda, les ados entamèrent ensemble le populaire refrain d'anniversaire :

Mon cher Philippe
C'est à ton tour
De te laisser parler d'amour
Mon cher Philippe
C'est à ton tour
De te laisser parler d'amour

Après la chanson, Sy s'empara du sac cadeau qu'elle avait déposé sur la table de la véranda et l'offrit à Philippe. Il contenait une petite boîte et une carte sur laquelle se trouvait la signature de tous ceux qui avaient contribué à l'achat de son cadeau d'anniversaire. Philippe jeta un œil rapide à l'intérieur de la carte et ouvrit la boîte.

Est-ce qu'elle te plaît ? s'informa Sy.

— Bien sûr qu'elle me plaît ! Vous êtes vraiment gentils d'avoir pensé à ça.

— Qu'est-ce qu'il y a dans cette boîte ? s'informa Jeanno, regardant par-dessus l'épaule de Meggie.

— Tu as besoin de lunettes ou quoi ! C'est une boussole, déclara la jumelle.

— Je voulais juste savoir. C'est tout.

Jeanno n'était pas d'humeur à subir les railleries de Meggie et laissa tomber.

— Si on mettait un peu de musique, proposa Jessianne.

— Bonne idée, acquiesça Nadya.

— Que voulez-vous entendre ? demanda-t-elle.

— Du jazz, dit Meggie.

— On ne pourrait pas écouter autre chose que du *jazz*, railla Jeanno.

— Tu n'y connais rien en musique, répliqua celle-ci. Alors, laisse le choix à ceux qui sont qualifiés pour le faire.

« Cette pimbêche ne cessera donc jamais de me casser les pieds », pensa-t-il, lui tournant le dos.

Jessianne ne se soucia aucunement de leur débat musical et alla chercher le plateau d'amuse-gueules à la cuisine. Dès qu'elle le déposa sur la table patio, les filles commencèrent à saucer les légumes dans la trempette de yaourt de Madame Bibi.

— Il doit bien y avoir autre chose à manger que de la verdure, se plaignit Philippe. Je vais demander à Bibi…

— Elle est partie, l'avertit Jessianne.

— Il y a des sandwichs sur le comptoir de la cuisine, s'empressa de dire Dan, les pointant du doigt.

— Tsut, tsut, tsut, l'arrêta Jessianne. C'est moi qui m'occupe du service et j'apporterai les sandwichs quand nous aurons fini les légumes.

— Est-ce toi qui as trouvé ce drôle de surnom à ton frère ? s'informa Amélie, plongeant son brocoli dans la trempette.

— Pas du tout, affirma Jessianne. Cette histoire a débuté à l'école primaire à cause d'un jeu de lettres.

— Un jeu de lettres ?

— Oui… un jeu de lettres improvisé par un élève de la même classe que celle de mon frère.

— Tu parles. Et c'était quoi exactement ce jeu de lettres ?

— Les joueurs devaient sélectionner les première et dernière lettres de leur prénom, auxquelles ils ajoutaient la première lettre de leur nom de famille. Il semblerait que c'était là une façon originale de se créer des surnoms. Je ne sais pas pourquoi celui de mon frère lui est resté collé à la peau, mais c'est ce qui s'est produit.

— Si je prends le P et le E dans Philippe, et que j'y ajoute la première lettre de Prince, cela donne effectivement PeP…

— Tu as tout compris.

— Franchement Dan, tu vas t'étouffer si tu continues de manger aussi vite, commenta Nadya.

— Quoi… ! Si tu trouves que je mange trop vite, regarde un peu les autres et tu vas te rendre compte que je suis loin de manger vite, déclara-t-il, enfonçant sa casquette dans son épaisse tignasse rousse.

— Qu'est-ce que vous comptez faire durant les vacances ? s'informa Philippe.

À regarder l'expression des ados, personne ne semblait vraiment le savoir.

— On pourrait se créer une occupation, qu'en dites-vous ?

— Facile à dire *se créer une occupation*, railla Dan. Comment va-t-on la créer cette occupation ?

— Laissons aller notre imagination et nous verrons bien ce qui va se passer.

— Moi, je sais ce que je vais faire cet été, déclara Jessianne.

— Ouais… et qu'est-ce que tu vas faire? demanda Jeanno.

— Je vais travailler à l'hôpital avec mon père.

— Tu sembles oublier que maman fait aussi partie de l'existence de cet hôpital, précisa Philippe.

— Tu n'es pas obligé de me reprendre constamment, dit-elle frustrée.

— Crois-tu que tes parents nous laisseraient visiter l'hôpital ? s'informa Catherine.

Jessianne eut une hésitation.

— Le meilleur moyen de le savoir est d'aller immédiatement leur demander.

Jessianne sortit précipitamment de la maison et traversa à l'hôpital d'un pas rapide. Même s'ils étaient très occupés ce jour-là, Isabelle et Frédéric acceptèrent la demande de leur fille sans émettre d'objection.

— Suivez-moi, dit-elle aux ados à travers la porte-moustiquaire, lorsqu'elle revint. On peut y aller.

Philippe fut le seul à ne pas suivre le groupe. Il préféra rester dans le jardin et se rouler dans l'herbe avec Maya.

Fière de la profession de son père, Jessianne se comporta comme une animatrice chevronnée. Elle amorça la visite par la « chatterie », en expliquant à son auditoire que c'était dans cette pièce tranquille, à l'écart des bruits canins, que le personnel de l'hôpital gardait les chats hospitalisés ou en pension pour une courte période. Ils se rendirent ensuite au chenil qui contenait une vingtaine de cages de différentes grandeurs, dont cinq géantes, qui servaient de cages d'exercices aux plus gros chiens. Elle mentionna aux ados que son père avait construit le chenil de façon à ce que les chiens ne se voient pas lorsqu'ils étaient en cage, et que la pièce possédait son propre système de ventilation et de climatisation tout à fait indépendant de celui de l'hôpital.

— Je ne croyais pas que les endroits où l'on soignait les animaux étaient si bien organisés, commenta Catherine. C'est à se demander si les humains sont aussi bien traités qu'eux.

Suivez-moi… J'ai autre chose à vous montrer.

Jessianne ouvrit la porte de l'unité de stérilisation et invita les ados à y jeter un coup d'œil.

— C'est dans cette salle que les kits chirurgicaux, les jaquettes, les serviettes et tout le matériel réutilisable sont stérilisés, expliqua-t-elle. Venez, je vais vous montrer l'unité du bloc opératoire et l'unité d'anesthésie.

Elle ouvrit la porte juste à côté de celle de l'unité de stérilisation et ils entrèrent tous à l'intérieur.

— Regardez cet appareil… c'est un microscope chirurgical utilisé pour les chirurgies de l'œil. Et celui-ci, c'est un appareil semblable à ceux où sont gardés les bébés nés avant terme. Il apporte de l'oxygène et de la chaleur aux chiots, aux chatons et aux animaux de petite taille qui subissent une longue chirurgie.

— Ça alors, ça m'en bouche un coin. Jamais je n'aurais cru voir des instruments aussi sophistiqués dans un hôpital vétérinaire ! s'exclama Meggie.

— Il n'y a pas que dans les usines de jus de pomme de ton père que l'on utilise des technologies avant-gardistes, commenta Jeanno.

La jumelle lui jeta un regard foudroyant.

— C'est ici que se termine la visite, annonça Jessianne. Retournons à la maison.

Vers 20 heures, les ados décidèrent d'aller terminer la soirée à *La Tanière* - une maison des jeunes se trouvant à environ une vingtaine de minutes de marche de la résidence des Prince -. Ils partirent donc en se regroupant par petits clans, et marchèrent le long du Chemin de la Montagne en se racontant des anecdotes se rapportant au collège. Pour certains, l'année scolaire avait paru facile. Pour d'autres, il en était tout autrement.

La maison des jeunes était un cottage d'un âge avancé, pour ne pas dire très vieillot et délabré. La ville en avait fait l'acquisition pour une bouchée de pain et avait lancé une invitation aux parents qui avaient des aptitudes en rénovation à venir la rafraîchir un peu. Comme les ados avaient la permission de laisser libre cours à leur imagination, les murs de la grande pièce à aire ouverte du rez-de-chaussée s'étaient rapidement transformés en un immense tableau sur lequel il était impossible de distinguer quoi que ce soit. C'était leur salle de jeux. Elle comprenait deux canapés, deux fauteuils et une berceuse placés devant une table basse sur laquelle se trouvait une petite télévision. Appuyée contre le mur, une étagère remplie de livres usagés et d'un tas de boîtes mal empilées donnait l'impression que tout son contenu allait s'étaler sur le plancher d'un moment à l'autre. Dans un autre coin de la pièce, les jeunes avaient installé, sur un ancien bureau jugé monument historique, une console de jeu et un ordinateur. Une table ovale et six chaises datant des années soixante meublaient la cuisine.

Dan et Jeanno arrivèrent les derniers et allèrent se joindre à Yann, Jonathan et Philippe assis devant la télévision.

— Hé les gars… vous êtes pas mal ennuyants ! lança Sy assise à la table de la cuisine avec Catherine, Nadya et les jumelles. Approchez-vous un peu. Nous avons une conversation intéressante.

— Je ne sais pas pourquoi les filles ont toujours une conversation intéressante lorsqu'il y a une bonne émission à la télévision, commenta Dan.

— Si tu écoutes autant la télévision, c'est peut-être parce que tu n'as pas grand-chose à dire, lança Nadya.

— Qu'est-ce que tu en sais ? répliqua-t-il.

— Je suis d'accord avec elle, ajouta Meggie.

— Toi, mêle-toi de ce qui te regarde !

— Dan, ne sois pas aussi arrogant, intervint Philippe.

— Tu prends leur défense en plus ! Il y a des jours où je me demande si tu es vraiment mon ami ! tonna-t-il.

Sur ce, il quitta la maison des jeunes sans saluer personne ni dire où il allait. Il faut dire que son caractère était à vif ces derniers temps. Une situation causée par le problème d'alcoolisme de ses parents.

Dan était à peu près de la même grandeur que Philippe et avait les cheveux blond-roux. Il portait une casquette pour essayer de dissimuler sa tignasse frisée et des tee-shirts à hauteur des genoux. De plus, il ne se donnait jamais la peine d'attacher les lacets de ses baskets.

— Il était vraiment en colère, dit Sy.

— Ouais… C'est la première fois que je le vois dans cet état, ajouta Jeanno.

— Il ne nous a même pas dit où il allait ? s'inquiéta Nadya qui se sentait coupable de lui avoir dit des paroles blessantes.

— Je suis convaincu qu'il est parti chez lui, la rassura Philippe. Est-ce que quelqu'un veut jouer une partie d'échecs avec moi ?

— Oui, moi, dit Jonathan.

— Qu'est-ce qu'on parie ? demanda Philippe.

— Que le perdant aille passer une nuit dans la montagne.

— C'est bien la dernière chose à laquelle je m'attendais, dit Philippe en retirant le jeu de la plus haute tablette de l'étagère.

— Où est-ce qu'on s'installe ? s'informa Jonathan.

— Poussons un peu les fauteuils et la petite table basse dans le coin.

— D'accord.

Dans la cuisine, la conversation reprit de plus belle.

— Et qu'est-ce que disait cet article que tu as lu dans l'hebdomadaire régional de samedi dernier ? demanda Nadya.

— Que le Mont-Saint-Hilaire était âgé de 125 millions d'années, répondit Catherine. Ce n'est pas rien ça ! Je ne savais pas qu'il y avait autant de plantes dans cette montagne. Ils en ont répertorié 600. C'est assez incroyable quand même. Et ce n'est pas tout. Il y aurait environ 45 espèces de petits mammifères et des dizaines d'espèces de grenouilles.

— Moi, en tout cas, je n'ai pas l'intention de rater le pique-nique d'observation organisé en l'honneur du faucon pèlerin, lança Nadya. Saviez-vous que c'est dans la montagne que se trouve l'un des rares sites naturels de nidification de ce gros oiseau ?

— Vous en savez des choses vous deux, reprit ironiquement Meggie.

— Si tu ne passais pas autant d'heures dans les magasins, tu aurais peut-être du temps pour lire, souffla sarcastiquement Jeanno venu chercher une bouteille d'eau dans le réfrigérateur.

— On dirait que tu as encore raté une bonne occasion de te taire, Jeanno Beaurivage, répondit la jumelle.

3
Apparition au-dessus
des Rocheuses

Dans la semaine qui suivit, le Premier ministre du Québec, accompagné d'un groupe d'hommes d'affaires, survolait les monts Selkirk, à l'est de la Colombie-Britannique. Tout ce beau monde se préparait à assister à un consortium de trois jours, traitant du financement opérationnel de leurs entreprises, dans un luxueux hôtel de Vancouver.

Leur jet s'était envolé de l'aéroport Trudeau de Montréal dans la soirée de mercredi. En l'occurrence, le pilote, son copilote, les douze passagers et deux agentes de bord se trouvaient dans l'avion.

Ils volaient dans une nuit sombre et sans turbulence lorsque, tout à coup, dans le cockpit :

— Jeff, est-ce que tu vois la même chose que moi ? Regarde là-bas, à ta droite… il y a des colonnes lumineuses qui éclairent le ciel, dit le pilote à son copilote de vingt ans plus jeune que lui.

Celui-ci écarquilla les yeux.

— C'est tout à fait invraisemblable ! Je ne connais aucun transporteur aérien pouvant produire autant de luminosité ! répondit-il, frappé de stupeur.

— Ce n'est peut-être qu'une simple illusion d'optique, reprit le pilote, pour se rassurer lui-même.

— Ça, j'en doute... Je ne voudrais pas vous faire peur, Monsieur Olsthoorn, mais je crois que nous avons affaire à un phénomène extraterrestre, lui annonça-t-il gravement.

— Quoi ? Tu as déjà vu des choses comme cela auparavant... ?

— Non, mais j'ai beaucoup lu sur le sujet et j'ai appris qu'il y avait des peuples lointains qui venaient régulièrement nous visiter, répondit Jeff en cillant exagérément des yeux. La seule chose que je ne savais pas, c'est que j'en verrais un cette nuit.

— Les colonnes se rapprochent de nous, déclara le pilote qui essayait de dénouer sa cravate sans grand succès.

Soudain, ils réalisèrent que le supersonique qu'ils pilotaient ne répondait plus à rien. Pire encore, ils n'entendaient plus ses réacteurs. Ils avaient l'air de s'être éteints.

— Cramponne-toi à ton siège, Jeff, parce que je t'annonce que nous sommes en vol plané.

Au même moment, la porte du cockpit s'ouvrit et l'une des deux agentes de bord - une jeune femme dans la trentaine, vêtue d'un tailleur marine impeccable et les cheveux retenus par une barrette au-dessus de la nuque - s'adressa au pilote :

— Monsieur Olsthoorn, on nous pose des questions à l'arrière, dit celle-ci, cherchant le plus possible à maîtriser l'angoisse qui la gagnait. Que devons-nous leur dire ?

— Inutile de leur mentir, répondit-il nerveusement. J'imagine qu'ils ont dû se rendre compte qu'il se passe quelque chose d'anormal en ce moment. Dites-leur que nous sommes actuellement à proximité d'une *chose* dont nous ne connaissons ni la provenance ni l'identité. Et que l'avion se comporte exactement comme s'il se trouvait au beau milieu d'une tempête magnétique.

— Nous ne pouvons plus diriger l'appareil, ajouta Jeff qui avait des gouttelettes de sueur sur les tempes.

Une deuxième agente de bord entra dans le cockpit pour signaler aux deux pilotes que les voyageurs demeuraient calmes, malgré la situation assez paniquante dans laquelle ils se trouvaient.

— C'est tout de même étrange que nos instruments de bord ne réagissent plus à rien, balbutia le pilote.

S'il y avait des moments dans la vie des hommes où la science-fiction allait au-delà de tout ce que l'on puisse s'attendre du monde imaginaire, cette nuit était de ceux-là. Suspendus entre ciel et terre, les voyageurs regardaient le spectacle lumineux que leur offrait le passage de la *chose* inconnue, et ce, dans un silence à faire frémir les ténèbres elles-mêmes. Aucune logique raisonnable ne pouvait être attribuée au déroulement tout à fait saisissant du phénomène dont ils étaient témoins.

Combien de secondes, ou de minutes, avait duré l'incident? Personne à bord ne semblait pouvoir le dire. Les réacteurs s'étaient remis en marche et les deux pilotes dirigeaient à nouveau l'appareil sous la supervision de la tour de contrôle de Vancouver.

4
Le projet étudiant

Un calme plat régnait à l'étage de la maison des Prince, qui comptait deux chambres secondaires et une chambre principale. Celle de Jessianne, malgré qu'elle soit la plus petite d'entre les trois, ne manquait pas de charme avec ses basses fenêtres alignées sous un plafond bleu nuit. Pour lui donner un aspect champêtre, Isabelle avait eu l'idée de camoufler le vieux radiateur sous un caisson pour en faire une banquette et lui avait ajouté un large coussin recouvert d'un tissu à carreaux rose.

Philippe ouvrit grand les yeux dès qu'il entendit les aboiements de Maya. C'était sa façon à elle d'exprimer l'urgence de la laisser sortir. Il sauta en bas de son lit, descendit au rez-de-chaussée et fit un arrêt à la mini salle d'eau - sa vessie étant probablement aussi pleine que celle de la chienne -.

Tous ces bruits réveillèrent Isabelle qui se leva à son tour. Vêtue de son peignoir, elle descendit préparer son habituel percolateur de café et alla ramasser le journal sur le balcon.

Après s'être versé une bonne rasade de café bien chaud, elle s'installa à la table de la véranda et commença à tourner les pages du journal. Un titre attira son attention : « Le Premier ministre et des hommes d'affaires ont aperçu une *chose* étrange durant leur vol vers Vancouver. Ils n'ont pu identifier clairement ce que c'était, mais selon eux, il se pourrait que ce soit des ovnis… »

— Il n'est pas très fréquent d'entendre dire qu'un Premier ministre voit des ovnis, commenta Isabelle.

— J'ai entendu dire que des gens en ont vus ici, au Mont-Saint-Hilaire, lança Jessianne qui se disputait avec le grille-pain.

— Tu serais mieux de t'occuper de tes chats plutôt que des ovnis, lui conseilla Philippe, exaspéré d'entendre les siamois miauler autour d'elle pour lui faire comprendre qu'ils avaient faim.

— Est-ce à l'école qu'on t'a dit cela ? s'informa Isabelle, inquiète de voir sa fille s'intéresser à un sujet si peu terre à terre.

— Tu ne crois tout de même pas que nous sommes les seuls habitants de l'espace maman ! s'exclama Philippe, immobile devant les tablettes du garde-manger à la recherche du pot de miel. Parce que si c'est le cas, autant dire que la race humaine est affreusement prétentieuse pour affirmer une telle stupidité.

Désarmée par les propos de son fils, Isabelle préféra retourner à sa lecture et faire fi de ce qu'elle venait d'entendre. D'ailleurs, durant la période estivale, elle aimait profiter des premiers instants de la journée en sirotant son café dans le calme de la véranda et cette conversation lui paraissait un peu trop compliquée.

Philippe avala goulûment quatre toasts recouverts de miel et de tranches de bananes. Ensuite, il alla dans le vestibule chausser ses baskets, ramassa son sac à dos dans le fond du placard et sortit. Dès qu'elle entendit la porte se refermer, Maya accourut vers lui avec sa balle de tennis dans la gueule, mais comme il restait peu de temps avant l'arrivée de l'autobus scolaire, elle dut se contenter de quelques caresses.

En montant dans le bus, Philippe lança quelques blagues aux filles du niveau deux et alla rejoindre Dan, assis sur le dernier banc, la mine renfrognée.

Où étais-tu hier ? demanda-t-il, s'asseyant à côté de lui.

— Qu'est-ce que ça te fait où j'étais hier ? répliqua-t-il.

— Je voulais faire une randonnée de kayak avec toi, mais tu n'étais pas là quand j'ai téléphoné.

— Suis-je obligé de te rendre des comptes maintenant ?

— Non, mais des circonstances inattendues, ça arrive parfois !

Dan laissa échapper un soupir.

— Si tu tiens absolument à le savoir, je suis allé faire une randonnée de vélo avec Nadya. Je l'ai invitée à manger une poutine *Chez Ben*.

— À ce que je vois, les choses se sont rétablies entre vous.

— Je me suis excusé d'avoir été un peu trop prompt avec elle.

La conversation se poursuivit entre eux jusqu'à ce que l'autobus scolaire s'immobilise devant le Collège Mont-Fort. Le conducteur ouvrit les portes du véhicule pour laisser descendre les étudiants qui se dispersèrent ensuite vers les salles de cours. Les bras croisés, la remplaçante du niveau un attendait dans le corridor que tous les élèves soient assis à leur place avant d'entrer dans la classe.

« Je ne m'habituerai jamais à voir ces sandales du Moyen Âge dans les pieds de quelqu'un », se dit Philippe. « Comment peut-on porter des chaussures aussi laides ? »

Lorsque le dernier élève entra dans la classe, celle-ci referma la porte derrière elle et commença à donner ses directives.

— J'espère que vous vous êtes bien préparés à votre examen de mathématiques, dit-elle, s'emparant d'une pile de feuilles sur le coin de son bureau.

Ils restèrent tous silencieux.

— Vous avez deux heures pour compléter votre examen, dit-elle, tout en distribuant les feuilles sur les pupitres des élèves. Si certaines questions vous embêtent au point de ne pas trouver la réponse, laissez-les de côté. Vous y reviendrez plus tard. Ceux qui termineront avant le temps alloué n'auront qu'à attendre les autres à la cafétéria. Ensuite, rendez-vous au petit auditorium. Le directeur a un mot à vous dire.

Après quelques secondes d'un silence ininterrompu, elle sonna le début du temps autorisé pour l'examen.

— Bien… Je vous souhaite bonne chance, finit-elle par dire.

Philippe n'était pas un passionné de l'école. Ses résultats scolaires étaient plutôt moyens et il ne s'en faisait pas outre mesure pour cela. À le regarder vivre, tout semblait baigner dans l'huile.

Après une heure passée devant sa feuille d'examen, Philippe n'avait que la moitié du questionnaire de répondu. Derrière lui, Dan n'était pas beaucoup plus avancé. Il s'étira le bras par-dessus son pupitre et pointa la mine de son crayon dans son dos.

« Ça ne va pas mieux pour lui… », se dit Philippe, concluant que c'était ce que son geste signifiait.

Les plus doués en maths commencèrent à remettre leur examen les premiers. Puis ce fut au tour des autres, jusqu'à ce qu'il ne reste plus que cinq élèves dans la classe.

— C'est terminé, annonça la remplaçante.

Ils se levèrent aussitôt. Ce qui provoqua des grincements sur le plancher de la classe. Philippe et Dan déposèrent chacun leur tour leur examen sur le bureau de la remplaçante.

— Comment ça été pour toi ? s'informa Philippe lorsqu'ils furent dans le corridor.

— Bof… je n'ai pas battu de score.

— Moi non plus, ajouta-t-il.

— La différence entre toi et moi, c'est que ça ne te dérange pas, alors que moi, ça me rend malade.

Dan tourna la tête pour voir qui les suivait de si près.

— J'ai entendu parler de ton projet PeP, dit Élie qui s'avança à côté de lui.

— Mais, de quoi est-ce que tu parles ? demanda Philippe.

— Eh bien, de la petite occupation pour les vacances d'été.

— Qui t'en a parlé?

— Dan…

— Tu ne peux décidément rien garder pour toi, Élie, se plaignit Dan.

— J'ai une bonne raison d'en parler avec toi PeP. Mon grand-père a un bâtiment au bout de son champ. Peut-être qu'il pourrait servir à quelque chose d'utile.

— Où ça? s'informa Philippe.

— Tout près de l'autoroute. Sur la Grande-Allée.

— Pourquoi ton grand-père nous prêterait-il son bâtiment? railla Dan.

— Je connais mon papi. Si je lui explique les raisons pour lesquelles nous voulons l'utiliser, il va m'écouter. J'en suis certain.

— Tu es vraiment sérieux quand tu dis cela, dit Philippe.

Absolument, confirma-t-il.

— Dépêchez-vous un peu, sinon, nous allons arriver les derniers à l'auditorium, dit Dan.

Le directeur fit une brève allocution pour encourager les élèves de son collège à demeurer persévérants dans leurs études. Il leur rappela que leurs efforts seraient un jour doublement récompensés. Et qu'il valait la peine d'étudier avec assiduité pour obtenir de bons résultats. Ce beau discours en laissa plusieurs indifférents. Particulièrement ceux qui n'avaient qu'une idée en tête : profiter des vacances d'été au plus vite.

Pendant qu'ils attendaient l'arrivée du bus scolaire dans la cour du collège, Philippe, Dan et Élie se donnèrent rendez-vous à *La Tanière* le soir même pour voir ensemble ce qu'ils pourraient bien innover comme projet avec le bâtiment de papi.

***

À sept heures pile, les trois amis se retrouvèrent à la maison des jeunes. Élie était déjà sur place lorsque Philippe et Dan arrivèrent. Il les attendait assis à la table de bois près de la haie de cèdres.

— Vous êtes à l'heure les gars, dit-il.

— Est-ce que tu m'as déjà vu ne pas être à l'heure ? plaisanta Dan.

— Hum… ça t'arrive de temps en temps, commenta Philippe.

Dan cala sa casquette dans sa tignasse rousse et s'assit à côté d'Élie. Au même moment, Jeanno arriva et appuya son vélo contre le mur de la maison.

— Salut ! lança-t-il. J'espère que tu ne m'as pas fait venir ici pour des conneries Dan.

Philippe se tourna vers Dan.

— Quoi… je lui ai téléphoné pour lui dire que nous avions quelque chose à discuter. Quelque chose d'important, précisa-t-il.

Quelques secondes plus tard, Yann et Jonathan se pointèrent à leur tour.

— Nous aurons beaucoup plus d'idées en groupe, s'empressa-t-il d'ajouter.

— J'imagine que tu dois avoir une bonne raison de nous avoir fait venir ici, commenta Yann, lorsqu'il arriva près d'eux.

— Sacré Dan ! lança Philippe.

— C'est toi qui as commencé. Moi, je ne fais que continuer.

Philippe dut admettre que c'était effectivement lui qui avait lancé l'idée de créer un projet étudiant pour la durée des vacances.

— Élie dit que son grand-père a un bâtiment sur sa terre. Il croit que nous pourrions l'utiliser à notre guise durant tout l'été, annonça-t-il.

— C'est pour cette raison que je vous ai proposé de venir ici, ajouta Dan.

— Je suis convaincu que nous pouvons trouver une façon originale d'exploiter ce bâtiment, poursuivit Philippe.

— Si papi a déjà vendu ses légumes dans sa bâtisse, nous pouvons certainement trouver quelque chose à vendre nous aussi.

— Mais oui ! Ce serait génial d'avoir notre propre boutique, lança Yann.

— Elle pourrait s'appeler « La boutique étudiante », dit joyeusement Jonathan.

— Avant de lui trouver un nom, il faudrait peut-être savoir si nous aurons quelque chose à vendre, conseilla Dan.

— Dans chaque maison, il y a toujours des trucs qui ne servent plus à rien, lança Philippe. Nous pourrions faire une cueillette.

— Et nous allons les ramasser comment ces trucs-là ? s'opposa Dan. Tu crois peut-être que nous allons nous promener à travers la ville avec des meubles sur le dos !

— Dan a raison, l'appuya Jonathan. À bien y penser, cela m'apparaît un peu invraisemblable.

— Je suis convaincu qu'il existe un moyen de le faire, affirma Philippe. Commençons par la première étape qui est de savoir si le grand-père d'Élie accepte de nous céder temporairement son bâtiment.

— J'aurai la réponse demain, clama Élie.

— Ensuite, nous passerons à la seconde étape.

— Tu agis comme si c'était déjà fait, protesta Dan. Rien ne nous dit que cela marchera.

— Le simple fait d'en parler ensemble est déjà un grand pas en avant. Pour le reste, je fais confiance à la vie.

— J'aimerais être aussi confiant que toi, déclara Dan. Mais je me demande si la ville ne va pas nous mettre des bâtons dans les roues.

— J'ai ma petite idée là-dessus. J'ai l'intention de rendre visite au maire et lui parler ouvertement de notre projet. C'est aussi simple que ça.

La discussion venait de prendre une tournure inattendue. Le genre de tournure auquel on ne s'attend pas. Au fond d'eux-mêmes, chacun des ados se demandait jusqu'où irait cette idée farfelue de projet étudiant.

Le lendemain midi, à la sortie du collège…

— J'aimerais y aller avec toi.

— D'accord, tu n'as qu'à venir, répondit Philippe.

— Je ne connais personne d'autre que toi qui oserait aller à l'hôtel de ville réclamer un rendez-vous au maire, déclara Élie. Crois-tu sincèrement qu'il va se donner la peine de nous recevoir ?

— Ne t'inquiète pas pour ça ! répondit Philippe. Mon père m'a dit qu'il était à l'écoute des citoyens de sa ville.

— Je préfère que ce soit toi qui lui expliques le projet. Tu as la parole plus facile que moi.

Les deux garçons se faufilèrent dans le boisé derrière l'école et suivirent le sentier conduisant à la rue de la mairie.

— Tu as l'air triste aujourd'hui Élie.

Élie hésita avant de lui confier la raison de sa tristesse.

— Il y a des jours où j'en ai marre qu'on me surnomme le maigrichon. Je ne comprends pas pourquoi je suis aussi maigre. J'ai un appétit de loup.

— Inverse les rôles Élie. Au lieu de rester accroché aux paroles négatives de ceux qui te traitent de maigrichon, concentre-toi sur des pensées constructives.

— Qu'est-ce que tu veux dire par *pensées constructives*?

— Répète aussi souvent qu'il te plaira que tu es bien dans ta peau. Que tu es parfait pour toi-même et que tu as du charme.

— Je voudrais bien que les filles le croient aussi.

— À force de te répéter ces paroles, tu vas te rendre compte que les choses se transforment autour de toi.

— D'accord. Je vais suivre ton conseil, répondit Élie en haussant les épaules. Tu es bien chanceux que les filles s'intéressent à toi. Moi, elles ne me regardent même pas.

— Les filles vont te regarder quand tu vas cesser de croire qu'elles ne peuvent te regarder.

— En es-tu bien certain?

— J'en suis absolument certain.

Les deux garçons commencèrent à gravir une à une les marches de béton menant à l'hôtel de ville.

— Si le maire est une personne aussi allumée que mon père le dit, il va accepter de nous rencontrer, dit Philippe sur un ton déterminé.

— J'espère que tu dis vrai, soupira Élie.

Philippe entra le premier dans le hall d'accueil de la mairie. Élie marcha timidement derrière lui. La réceptionniste, une dame dans la soixantaine, aux lèvres pincées et à l'allure mécontente, leva les yeux vers eux.

— Bonjour madame, dit Philippe.

Elle les salua froidement. On aurait dit que tout son visage était figé sous un masque d'argile.

— Mon nom est Philippe Prince et… voici mon ami Élie Dumouchel, dit-il, se poussant un peu pour qu'elle le voie. Nous sommes étudiants au Collège Mont-Fort.

— Que puis-je pour vous? demanda-t-elle sur un ton réfractaire.

— Nous aimerions discuter avec le maire. Ça ne prendra que dix à quinze minutes, dit Philippe.

34

Les lèvres de la dame se pointèrent vers l'avant et se transformèrent en bec de cane.

— Monsieur Lozeau a autre chose à faire que de rencontrer des étudiants, marmonna-t-elle. Laissez-moi votre numéro de téléphone. Il va vous rappeler.

— À quelle heure va-t-il dîner habituellement? demanda Philippe, essayant d'être affable.

— Je n'en sais rien.

Bon, alors dans ce cas, nous allons l'attendre.

Les lèvres de la secrétaire se pointèrent à nouveau vers l'avant.

— Nous avons absolument besoin de le voir aujourd'hui, insista-t-il.

Sur ce, il lui tourna le dos et alla s'asseoir dans un des fauteuils de cuir du hall d'accueil. Élie n'eut d'autre choix que d'en faire autant.

— Pourquoi lui as-tu raconté un mensonge ? chuchota Élie. Ce n'est pas vrai qu'on a besoin de le voir aujourd'hui.

— Je fais juste suivre mon intuition, dit Philippe. Cesse de t'inquiéter. Tout va bien se passer.

— Dans quoi me suis-je encore embarqué ? marmonna Élie.

Ne sachant plus que faire avec eux, la réceptionniste alla frapper à la porte du bureau du maire pour lui demander s'il acceptait de recevoir des étudiants du Collège Mont-Fort.

— Des étudiants du Collège Mont-Fort, répéta-t-il, intrigué par cette visite inopinée.

— Oui, monsieur le maire. Il y en a un qui se nomme Philippe Prince et, si je ne me trompe, l'autre se nomme heu... Élie Lemouchel, je crois.

— Prince ? Cela me dit quelque chose ?

Philippe se leva spontanément et traversa le hall d'accueil. Puis il s'étira le cou par-dessus l'épaule de la réceptionniste.

— Serais-tu le fils de Frédéric Prince par hasard ?

Une étincelle apparut dans son regard.

— Oui...

— Entre mon garçon. Viens t'asseoir.

Élie avait le visage aussi rouge qu'une tomate lorsque Philippe lui fit signe de le suivre.

— Que me vaut l'honneur de cette visite ? demanda le maire en repoussant sa chaise pivotante vers l'arrière.

Même si le cœur de Philippe battait la chamade, il réussit tout de même à maîtriser son excitation.

— Merci de nous accorder du temps, dit-il, lui serrant la main.

— Asseyez-vous, asseyez-vous, répéta le maire, leur désignant les chaises placées devant son imposant bureau acajou.

— Alors, que puis-je pour vous mes amis ?

— Nous songeons sérieusement à démarrer une entreprise étudiante. Mais nous voulons nous assurer que les règlements de la ville nous permettent de le faire.

Le maire se passa une main sur le crâne.

— Quel genre d'entreprise voulez-vous démarrer?

— Nous voulons vendre des objets dans le bâtiment du grand-père d'Élie.

— Où se trouve ce bâtiment ?

— Sur la Grande-Allée, à proximité de l'autoroute.

— Tu es donc le petit-fils de Lorenzo Dumouchel, dit le maire qui se retourna vers Élie.

— Oui monsieur.

— Je connais bien ton grand-père. Il a la même capacité physique qu'il avait à l'âge de trente ans. Ce n'est pas tous les jours qu'on rencontre un homme doté d'une pareille endurance.

— Il serait en parfaite santé si ce n'était de son arthrite aux mains, ajouta Élie. Ma grand-mère dit que, s'il a mal, c'est parce qu'il refuse de l'écouter. Il ne se couvre jamais les mains l'hiver pour aller travailler à l'extérieur.

Le maire eut un élan de sympathie pour ces deux ados qui avaient osé franchir les portes de l'hôtel de ville pour venir discuter avec lui.

— Ça prenait de l'audace pour venir me rencontrer. Je vous félicite pour votre initiative, dit-il. La ville a certaines réglementations à respecter. Mais je ne crois pas que votre projet enfreigne nos règlements. Je vais tout de même m'en assurer auprès des membres du conseil avant de vous donner ma réponse.

— Est-ce que ce sera long ?

— Un jour ou deux. Pas plus. Mais dites-moi, combien d'étudiants ont accepté de vous suivre dans cette aventure ?

— On ne le sait pas encore. Le projet n'est qu'une idée pour l'instant.

— Et où allez-vous trouver de la marchandise pour vendre ? demanda le maire en se grattant à nouveau le crâne.

— Dans chaque maison, il y a toujours des choses qui ne sont plus d'aucune utilité et que les gens ont remisées dans leur sous-sol. Nous avons pensé les récupérer en faisant du porte-à-porte.

— Habituellement, il n'est pas permis de faire ce genre de sollicitation dans cette ville. Mais nous pouvons toujours faire une exception. Vous allez devoir trouver une façon de sensibiliser la population à votre projet.

La réceptionniste, surnommée *reporteuse officielle de la mairie* par le personnel de l'hôtel de ville, avait les oreilles aux aguets et essayait de saisir quelques bribes de la conversation par la porte entrouverte.

— Attendez un peu… dit le maire songeusement. Je crois que j'ai la solution. Un reportage dans l'hebdomadaire régional serait le moyen idéal pour informer la population qu'une entreprise de récupération étudiante verra le jour prochainement dans notre région. Il suffirait de mentionner la date à laquelle vous comptez faire votre cueillette. Et leur dire qu'ils peuvent également déposer les objets dont ils veulent se départir à l'endroit indiqué.

— C'est génial, s'esclaffa Élie, soudainement moins gêné.

— Ce n'est pas pour rien que mon père dit de vous que vous êtes un maire dévoué et attentif au progrès de sa ville, l'appuya Philippe.

Le maire sourit, flatté par la surprenante réputation qu'on lui décernait chez les Prince.

— Il est vrai que j'ai commencé très jeune à me débrouiller. À votre âge, je vendais du chocolat et des boissons gazeuses au stade de base-ball, commenta celui-ci, ému de se remémorer cette lointaine période de sa vie.

— Est-ce que c'était un travail payant ? demanda Élie.

— Il m'arrivait de gagner en trois jours plus d'argent que mon père en gagnait dans une semaine à la fonderie où il travaillait.

— Citron ! s'exclama-t-il. Vous en aviez de la chance.

— Que diriez-vous de dîner avec moi ?

— C'est d'accord, dit Philippe.

— Je vous laisse le choix du restaurant.

— Moi j'aime bien la cantine *Chez Ben* ! lança Élie.

— Vendu! dit le maire. Allez donc m'attendre au stationnement. J'ai une petite affaire à régler avec ma secrétaire avant de partir.

Vingt minutes plus tard…

— Ça fait beaucoup de bouffe, dit Élie qui regardait le plateau débordant de hot-dogs, de frites et de boissons gazeuses. Maman dit que ce n'est pas bien de gaspiller la nourriture, parce qu'il y a des enfants qui ne mangent pas à leur faim dans le monde.

— Des garçons en pleine croissance comme vous l'êtes doivent avoir un énorme appétit, plaisanta-t-il pour se justifier. Allez, mangez…

Au moment où le maire mordit dans son hot-dog, de la moutarde apparut sur sa lèvre supérieure.

« Beurk… », pensa Philippe en grimaçant. « J'ai oublié de lui dire que je voulais uniquement du chou, et rien d'autre, dans les miens ».

— On dirait que tu n'aimes pas les hot-dogs, déclara le maire, constatant qu'il ne mangeait que des frites.

— Heu… je ne sais pas ce qui m'arrive. J'ai une boule dans l'estomac aujourd'hui. Ça doit être le stress des examens de fin d'année.

***

— Je suis ton ami depuis pas mal de temps, PeP. Alors, explique-moi pourquoi tu es allé à la mairie avec Élie, au lieu que ce soit moi qui t'accompagne ? interrogea Dan à leur retour à la maison.

— J'ai suivi ma pulsion du moment. Est-ce que tu le sais à l'avance toi les raisons qui te poussent à agir d'une façon plutôt qu'une autre ?

— Non…

— Eh bien, c'est pareil pour moi.

— J'aurais quand même voulu être avec toi.

L'autobus scolaire s'immobilisa pour laisser descendre des étudiants.

— J'espère que tu n'as pas oublié ta promesse…

— Une promesse ! Quelle promesse ?

— Tu crois peut-être que je n'ai pas entendu parler du pari que Jonathan t'a proposé le soir de ton anniversaire.

— Ah oui… ! J'avais oublié ce foutu pari. Je crois que je vais le remettre à plus tard. J'ai bien d'autres choses à faire pour l'instant.

— Une petite minute, Philippe Prince. C'est à mon tour de te dire de t'assumer. Il n'est nullement question que tu te libères aussi facilement de ton obligation.

— Je voulais simplement le remettre à plus tard. C'est tout.

Fier de lui, Dan retourna sa casquette dans l'autre sens.

— Viens me retrouver chez moi après souper. Nous irons faire un tour à la maison des jeunes, proposa Philippe.

— J'espère que tu vas rester toi-même avec cette histoire d'entreprise étudiante.

— Dan, tu me connais mal pour parler ainsi.

— Excuse-moi, PeP. Je ne suis pas à mon meilleur ces temps-ci.

Une tristesse apparut dans son regard.

— Si le projet se réalise, qui vas-tu choisir pour former ton équipe ? s'informa-t-il.

— Eh bien, à part toi, il y aura Élie, Jeanno, Yann et Jonathan.

— Pas de filles?

— Bien sûr qu'il y aura des filles.

— Et pour les salaires ?

— Ils seront en fonction des revenus de la semaine. Petite semaine, petit salaire. Grosse semaine, gros salaire.

Philippe se leva, car l'autobus scolaire venait de s'immobiliser à l'arrêt où il avait l'habitude de descendre.

— Je t'attends à 19 heures.

— D'accord.

Assise élégamment dans la berceuse, sa queue enroulée autour d'elle, Jade suivait avec un plaisir fou la partie de tiraillement qui se déroulait entre Philippe et Maya sur le plancher de la véranda. La chienne se donnait à fond de train pour lui mordiller les bras et tirer les manches de son tee-shirt.

— Si ça continue, elle va déchirer tes vêtements, grommela Madame Bibi qui rangeait des casseroles en acier inoxydable dans un fracas étourdissant.

Jessianne mit ses mains sur ses oreilles, le temps qu'elle finisse.

— Je mets le couvert pendant que tu prépares la purée de pommes de terre Bibi. Et toi, Philippe Prince, rends-toi donc un peu utile en allant avertir maman que le souper sera prêt dans dix minutes ! lança-t-elle.

— SAINTE MISÈRE ! Veux-tu descendre tout de suite de mon comptoir ! s'écria Madame Bibi à l'endroit de Féli qui venait de faire un bond par-dessus la planche à couper les légumes.

Le repas du soir était parfois de courte durée chez les Prince à cause de l'hôpital qui restait ouvert jusqu'à 21 heures. Non pas qu'il y ait un manque de personnel pour répondre à la demande, mais parce qu'il y avait des jours où les cas d'urgence occasionnaient un surplus de travail.

— Où as-tu mis la nappe avec des fruits, Bibi? demanda Jessianne qui cherchait dans tous les tiroirs du vaisselier.

— Elle est dans le panier à lessive. Prends plutôt la blanche à dentelle.

Jessianne avait l'habitude de mettre le couvert sur la table en bois de teck de la salle à manger le soir. Il lui arrivait d'aller cueillir des fleurs sauvages dans les espaces verts derrière la maison et de les placer dans un vase au centre de la table. C'était sa façon à elle d'apporter sa touche personnelle à l'ambiance de la pièce.

— OUSTE ! s'exclama Madame Bibi pour faire déguerpir les chats qui n'en finissaient plus de tourner autour d'elle à cause du parfum que dégageaient ses côtelettes d'agneau.

— Ça sent bon ici, s'exclama Frédéric lorsqu'il entra dans la véranda. Attendez un peu que je devine ce que c'est.

— C'est de l'agneau papa, dit Jessianne qui sortait le beurre du réfrigérateur.

Isabelle émit le même commentaire lorsqu'elle entra quelques secondes plus tard. Toute la famille s'attabla dans la salle à manger pour déguster les côtelettes d'agneau, accompagnées de purée de pommes de terre et de légumes cuits à la vapeur. Comme à l'habitude, Madame Bibi avait prévu un menu spécial pour *son Philippe*. Et comme il n'avait pas beaucoup mangé le midi, son assiette diminua rapidement.

— Vous ne devinerez jamais ce que j'ai fait aujourd'hui ! lança-t-il.

Ils le regardèrent tous, mais personne ne lui posa de questions.

— Vous n'êtes pas très curieux, dit-il finalement.

— Et toi, tu n'es pas très pressé de nous le dire, répliqua Jessianne.

— Je suis allé voir le maire.

Frédéric se demanda si c'était une blague.

— J'ai quelques amis avec qui je veux démarrer une entreprise étudiante durant les vacances, poursuivit-il, et je voulais savoir si des règlements municipaux contrevenaient à notre projet.

— Eh bien ! s'exclama Jessianne. En voilà toute une nouvelle !

— Mais, où as-tu été pêcher cette idée ? commenta Isabelle, contrariée de voir son fils manigancer des plans qui lui semblaient pour le moins invraisemblables. Tu n'es pas obligé d'avoir un emploi durant les vacances à ce que je sache. Et si tu en veux un, suis l'exemple de Jessianne et viens travailler à l'hôpital quelques heures par semaine. Ce sera amplement suffisant.

— Maman, ce n'est pas parce que Jessianne travaille à l'hôpital que je dois faire comme elle.

— Ne discute pas Philippe. De toute manière, les parents de tes amis ne les laisseront jamais te suivre dans une pareille galère.

— Comment peux-tu en être si certaine ? Le grand-père d'Élie accepte de nous prêter son bâtiment. Et Monsieur Lozeau nous a même trouvé une solution pour…

— Je t'en prie Frédéric, essaie d'arranger cette histoire de fous avant que ça n'aille trop loin, supplia Isabelle.

— Ta mère a raison, Philippe. Ce projet est insensé pour un garçon de ton âge. Viens plutôt travailler à l'hôpital avec nous.

— Je regrette de vous décevoir, mais ce projet me tient à cœur et je vais le réaliser avec ou sans votre accord.

— SAINTE MISÈRE, mon Philippe ! s'exclama Madame Bibi. Qui peut bien t'influencer à ce point à l'école ?

— Qu'est-ce que vous avez tous à vous liguer contre moi à la fin ?

— On n'est pas ligués contre toi, on veut juste te voir heureux, c'est tout, clama Isabelle.

— Je suis déjà bien comme je suis. Et je ne vois pas pourquoi j'aurais besoin d'être plus heureux !

— Chéri, je crois que nous faisons face aux premiers symptômes de l'adolescence, dit Isabelle, se tournant vers son mari.

— Commencez par me poser des questions au lieu de vous acharner à me décourager, insista Philippe.

— Cette conversation a assez duré, répliqua Isabelle. Nous ne sommes pas d'accord avec ce que tu veux faire. Un point c'est tout.

— Excusez-moi, je n'ai plus faim, dit Philippe qui se leva et quitta la salle à manger.

Philippe sursauta en entendant frapper à la porte de sa mansarde. Confus, il se demanda comment il avait pu s'endormir sans s'en rendre compte. Tout ce qu'il se rappelait, c'est qu'il s'était étendu sur son lit pour relaxer quelques instants.

— Qui est-ce ? demanda-t-il.

— C'est moi… Puis-je entrer ?

— Oui…

Philippe s'adossa sur le mur et pressa sa taie d'oreiller contre lui.

— Je suis désolé de te voir déçu, dit Frédéric, refermant la porte derrière lui.

Philippe resserra sa taie d'oreiller pendant que son père s'asseyait sur le rebord de son lit.

— Je sais que ton intention est bonne. Mais, il y a un temps pour chaque chose dans la vie et nous devons vivre avec cette évidence.

— Rien n'indique nulle part qu'il existe un temps précis pour accomplir ce que l'on veut faire. Il suffit de se sentir prêt. C'est tout.

Frédéric dut prendre du recul. L'argument que venait de lui fournir son fils était à la fois sensé et intelligent.

— Tu n'es pas obligé de te mettre des responsabilités sur les épaules, mon fils. Ta mère et moi préférons te voir profiter de tes vacances, plutôt que de te voir prisonnier d'un projet étudiant.

— Pourquoi avez-vous si peur que je m'éloigne du nid familial pour aller vivre mes propres expériences ?

Frédéric commença à se demander sérieusement qui était le parent et qui était l'ado.

— Je comprends que tu veuilles t'affirmer, et je trouve cela tout à fait normal. Mais nous ne sommes pas assez aveugles, ta mère et moi, pour t'inciter à t'engager dans quelque chose qui va te compliquer la vie.

— Vous vous en faites beaucoup trop pour moi. Et tu sais quoi ! Vos inquiétudes me nuisent plus qu'elles me protègent.

— Je trouve ces paroles un peu exagérées.

— C'est pourtant ce que je vis.

— J'espère que je n'aurai pas à débattre ce sujet pendant des heures pour te faire entendre raison, parce que j'ai du boulot qui m'attend à l'hôpital, déclara Frédéric au bord de l'impatience.

— Que fais-tu PeP ? Dan t'attend dans la véranda, cria Jessianne au bas de l'escalier.

— Allez, va rejoindre ton ami et oublie cet extravagant projet étudiant, dit Frédéric en se relevant.

Puis il quitta la mansarde sans lui laisser la chance d'apporter de nouveaux arguments pour défendre sa cause.

« Que vais-je faire maintenant ? J'ai déjà plusieurs démarches d'entreprises et voilà que je me fais couper l'herbe sous le pied. Il y a des jours où j'ai vraiment de la difficulté à comprendre les adultes. »

Il descendit au rez-de-chaussée retrouver Dan et, après avoir sorti son vélo du garage, ils s'engagèrent sur la piste cyclable en direction de la maison des jeunes.

— Pendant que je t'attendais, Jessianne m'a raconté que tes parents n'étaient pas d'accord avec l'idée de notre projet étudiant.

— Disons qu'ils ne sont pas très coopératifs en ce moment.

— Que vas-tu faire alors ?

— Je trouverai bien une façon de les convaincre.

— Comment ?

— En me laissant guider par mon intuition.

— Crois-tu vraiment que nous puissions nous fier à nos intuitions ?

— Bien sûr que nous le pouvons. Tu dois certainement avoir eu l'occasion de te dire au moins une fois dans ta vie : « Je sentais que je prenais la mauvaise décision. Pourquoi n'ai-je pas écouté mon instinct ? »

— Je ne suis pas certain d'en avoir autant que toi de l'intuition.

— Dan, l'intuition ne se mesure pas.

Assises dans l'herbe sous l'immense érable ornant la façade de la maison des jeunes, Sy et Catherine semblaient en grande conversation avec Guillaume Vandal.

— Voilà PeP ! lança Sy, contente de le voir apparaître au coin de la rue.

Sa grande amie Catherine, fruit d'un amour né entre une Montréalaise et un Haïtien, était tout à fait mignonne avec sa peau légèrement foncée, ses iris noisette sur fond de perle et ses cheveux noirs crépus.

— J'ai entendu dire qu'il voulait démarrer un projet, dit-elle. Savez-vous ce que c'est ?

— Non, répondit Sy. Toi, Guillaume, est-ce que tu le sais ?

— Non, répondit-il à son tour.

— Salut les filles ! lança Dan, fonçant droit sur elles.

— Aie ! Fais un peu attention, l'avertit Catherine.

Au moment où les deux garçons appuyèrent leurs vélos contre le tronc de l'érable, il se mit à tomber des gouttes de pluie.

— Il va y avoir un orage, dit Sy. Rentrons.

La bonne humeur de Guillaume Vandal s'estompa d'un seul trait.

« Dès qu'il arrive quelque part celui-là, il prend toute la place. Moi qui voulais passer un peu de temps avec Sy. Tant pis. J'aurai bien d'autres occasions de me reprendre », se dit-il, marchant nerveusement derrière Philippe.

— Est-ce qu'il y a quelque chose à manger dans le frigo ? s'informa Dan, lorsqu'ils furent réunis autour de la table de la cuisine. J'ai un petit creux.

— Il reste sûrement des jus, déclara Sy.

Parce que ses jumelles allaient très souvent rencontrer leurs amis du collège à la maison des jeunes, Monsieur Deslandres s'était fait un plaisir d'offrir en commandite toutes les sortes de jus fabriquées dans ses usines.

Dan ouvrit le frigo et regarda à l'intérieur. Après avoir fait une courte rétrospective de ce qu'il contenait, il s'empara d'un jus de pomme et retourna s'asseoir. Il arrivait que des ados apportent des friandises lorsque leurs parents ne voyaient pas d'inconvénients à les laisser piger dans le garde-manger. Mais ce jour-là, il n'y avait rien d'autre que du jus sur les tablettes.

— Avez-vous pensé à vos projets de vacances ? demanda Catherine.

— On aurait pu démarrer quelque chose de génial si les parents de PeP ne s'étaient pas opposés à son idée, déclara Dan.

— Ah oui ! railla Vandal. Quelle est donc cette brillante idée?

— Créer une entreprise étudiante dans le domaine de la récupération.

— C'est sérieux cette histoire ! commenta Catherine.

— Bien sûr que c'est sérieux, insista Dan. Nous avions même trouvé un emplacement…

— Élie nous a proposé un emplacement, rectifia Philippe.

— Heu… c'est ce que j'allais dire. Il a demandé à son grand-père la permission d'utiliser son vieux bâtiment.

— Une entreprise de récupération dans un vieux bâtiment ! C'est totalement démentiel votre affaire! lança Vandal.

— En tout cas, moi je ne trouve pas ça bête du tout, commenta Sy. Il y a tellement à faire aujourd'hui dans le monde de la récupération.

— Je suis de ton avis, approuva Catherine.

— Le problème avec mes parents, c'est qu'ils ne se sont pas encore rendu compte de mes capacités, ajouta Philippe.

Dan retourna sa casquette dans l'autre sens.

— J'espère seulement que tu trouveras une façon de leur vendre ton idée, ajouta-t-il. Je ne voudrais pas passer l'été chez moi à ne rien foutre.

— J'aime autant vous dire tout de suite de ne pas compter sur moi. Je vais travailler avec mon père dans son entreprise, s'empressa de dire Vandal.

— On ne t'a rien demandé, railla Dan.

— Est-ce que vous êtes prêts à vivre une expérience disons… un peu particulière ? demanda Philippe.

— Oui, approuva Sy.

— Moi aussi je suis prête, ajouta Catherine.

— D'accord… Vous voulez vraiment que nous soyons ensemble cet été et que nous formions une équipe du tonnerre ?

Les ados hochèrent la tête positivement en guise de réponse.

— Alors, nous allons tenter une expérience qui va nous aider à réaliser notre rêve. Tous les soirs, avant de s'endormir, nous devons nous voir dans le bâtiment du grand-père d'Élie en train de répondre à des clients, comme si nous regardions un film. Nous le ferons jusqu'à ce que nous obtenions la consécration de notre demande.

Le téléphone portable de Vandal se mit à jouer une musique stridente.

— Excusez-moi, dit-il, se dirigeant vers la porte de la cuisine pour sortir dans la cour.

Sy, Catherine et Dan promirent à Philippe de se prêter à son petit jeu de visualisation. Quant à Vandal, il s'éclipsa en douce. Ils ne le revirent plus du reste de la soirée.

***

— Bonsoir trésor, dit Isabelle, assise dans la véranda en train de siroter une camomille.

— Où est papa ?

— Il dort depuis déjà une heure.

— Il est vraiment très fatigué ces temps-ci.

— En effet…

Isabelle respira longuement.

— J'espère que tu ne m'en veux pas.

— Je suis simplement déçu que tu ne me fasses pas confiance. Écoute maman, j'ai une faveur à te demander.

Isabelle regarda son fils, un point de suspension dans le regard.

— J'ai besoin d'un nouveau sac de couchage.

— Tu as l'intention de faire du camping cet été à ce que je vois.

— Je dois passer une nuit dans la montagne, alors…

— Tu sais très bien qu'aucun visiteur n'a le droit de rester dans la montagne la nuit.

— Oui… mais moi, je ne suis pas un visiteur. Je suis un habitué. Ce n'est pas pareil.

— Qu'est-ce que c'est encore que cette histoire ?

— Je suis obligé de le faire maman. Je n'y peux rien. J'ai joué aux échecs et j'ai perdu mon pari.

Isabelle ne sut plus que dire. Elle s'était déjà montrée réticente à son projet étudiant. Allait-elle lui dire non une autre fois ?

— Avec qui as-tu l'intention d'y aller ?

— J'irai seul.

— C'est absolument insensé. Tu ne vas pas passer une nuit seul dans la montagne.

— Maman, quand vas-tu cesser de t'inquiéter pour moi ? Je ne suis plus un gamin quand même.

Isabelle dut se rendre à l'évidence que son fils de treize ans en paraissait presque vingt. Que pouvait-elle faire en pareille circonstance ?

— J'espère seulement ne pas tomber sur quelqu'un de la brigade verte. J'ai entendu dire qu'ils surveillent étroitement ce qui se passe dans la montagne après le couvre-feu de 20 heures.

Des phares de voiture éclairèrent la devanture de l'hôpital et s'éteignirent.

— Ce n'est pas possible ! s'exclama Isabelle. Il est 22 heures 30.

— Je vais voir ce que c'est, la rassura Philippe.

Il poussa la porte-moustiquaire tandis que Maya se faufila devant lui. En longeant le trottoir menant à l'entrée de l'hôpital, il entendit une voix d'homme. Il se rendit compte que c'était le chauffeur de la voiture. Celui-ci semblait en état d'ébriété avancé.

— Que faites-vous ici monsieur ?

— J'ai… j'ai frappé quelque chose, là, sur la route. Je ne sais pas ce que c'est.

Maya se mit à courir soudainement à travers le verger du voisin et disparut complètement.

— Asseyez-vous dans votre voiture et attendez que je revienne, d'accord?

— D'accord, acquiesça l'homme.

« Mais où est-elle passée ? », se demanda-t-il, scrutant dans le noir les moindres mouvements pouvant lui fournir un indice.

Tout à coup, la chienne surgit d'un fossé le long du Chemin de la Montagne.

— On dirait que tu as trouvé quelque chose Maya.

Philippe accourut vers elle et aperçut une masse sombre au fond du fossé. D'un bond, il sauta dans le fossé pour vérifier ce que c'était.

— C'est une petite biquette ! s'exclama-t-il, s'agenouillant près de l'animal blessé. Elle a dû s'échapper de son enclos.

À moins d'un demi-kilomètre, un peu plus bas sur le Chemin de la Montagne, un jeune couple venait de réaliser son rêve en faisant l'acquisition d'une ferme équipée pour l'élevage des chèvres et la production de fromage. Philippe connaissait ces gens pour avoir entendu parler d'eux, car ils avaient requis les services de Frédéric pour effectuer des examens de routine sur leurs bêtes.

Philippe se dit qu'il était préférable de ne pas remuer la chèvre avant de connaître la gravité de ses blessures.

— Reste près d'elle, Maya, pendant que je vais chercher papa.

L'homme à moitié ivre remit sa voiture en marche et recula sur le Chemin de la Montagne sans même vérifier si la voie était libre. Inquiète de ce comportement anormal, Isabelle sortit au pas de course et alla à la rencontre de son fils.

— Mais qu'est-ce qui se passe ici ?

— L'homme dans la voiture est complètement sonné maman. Il a heurté une petite biquette.

— Oh mon Dieu ! balbutia Jessianne qui avait laissé sa lecture de côté pour venir s'enquérir de ce qui se passait autour de la maison.

— Elle est étendue dans le fossé, ajouta Philippe.

— Je n'ai pas le choix d'aller réveiller Frédéric ! commenta Isabelle.

Elle courut jusqu'à la maison, monta les escaliers en vitesse et se retrouva face à face avec Frédéric.

— Tu es réveillé mon chéri…

Celui-ci avait déjà enfilé son peignoir et s'apprêtait à descendre au rez-de-chaussée pour connaître la raison de tout ce tapage nocturne.

— Il faut que tu ailles retrouver Philippe dans le fossé. Une des chèvres de Liliane et Martin s'est fait heurter par une voiture.

Frédéric alla chercher sa trousse de premiers soins à l'hôpital et accourut vers le fossé.

— Où es-tu ? demanda-t-il, s'éclairant avec une lampe torche.

— Ici… Je suis ici… Dépêche-toi, papa, elle est mal en point.

Frédéric se précipita dans le fossé, s'agenouilla à son tour auprès de la chèvre et l'ausculta avec beaucoup de précaution.

— Va chercher une vieille couverture. Nous allons la transporter à l'hôpital en douceur.

Malgré toute l'attention qu'ils lui portèrent en la déplaçant jusqu'à l'hôpital, Frédéric n'eut pas le temps de faire quoi que ce soit pour la petite biquette. Elle était déjà morte lorsqu'ils l'allongèrent sur la table d'examens. Isabelle regarda son mari avec une moue attristée.

— Celui qui l'a tuée mériterait une bonne correction, commenta Jessianne.

— Je suis vraiment désolé de n'avoir rien pu faire, ajouta Frédéric.

— Chéri, tu as fait de ton mieux. C'est tout ce qui compte, dit Isabelle.

— Il ne me reste plus qu'à téléphoner à Martin pour lui expliquer ce qui s'est passé, se résigna-t-il à dire.

— Que dirais-tu d'un bon café ?

— Excellente idée chérie.

— D'accord. Je retourne à la maison en préparer.

— Avant de t'en aller, pourrais-tu me sortir le numéro de téléphone de...

— C'est déjà fait. Regarde sur mon bureau. J'ai sorti la fiche.

Liliane et Martin venaient tout juste de se mettre au lit lorsque la sonnerie du téléphone résonna sur leur table de chevet. Martin releva la tête et jeta un œil sur l'afficheur.

— L'hôpital vétérinaire... C'est bizarre, dit-il.

Frédéric lui expliqua brièvement qu'une de ses chèvres venait de subir un accident et lui demanda de venir le retrouver le plus vite possible. Liliane insista pour l'accompagner. Ils s'habillèrent en vitesse et partirent au pas de course vers l'hôpital. Cinq minutes plus tard, ils étaient auprès de leur petite biquette et durent constater qu'il n'y avait plus rien à faire pour elle.

— C'est mon fils qui a repéré votre chèvre dans le fossé. C'est lui qui s'est occupé d'elle le premier.

— Comment as-tu su où elle se trouvait ? s'informa Liliane.

— C'est ma chienne qui m'a indiqué l'endroit où elle était.

— Excusez-moi, dit Frédéric. Je ne vous ai pas encore présenté. Voici mon fils Philippe.

— Est-ce qu'il travaille à l'hôpital avec toi? s'informa Martin.

— Hum... non. Il n'a que treize ans. C'est un peu jeune pour prendre la relève.

— Il a l'air d'en avoir vingt, commenta Liliane, surprise.

— Nous vous sommes reconnaissants pour tout ce que vous avez fait, déclara Martin.

— Qu'allez-vous faire d'elle à présent ? s'informa Liliane

— Si vous êtes d'accord, une entreprise de récupération viendra la chercher demain.

Une tristesse apparut dans son regard. Elle acquiesça par un signe de tête.

— Ma femme a préparé du café. Venez donc en boire un avec nous.

Liliane se tourna vers son conjoint.

— C'est d'accord, approuva-t-il.

Isabelle attendait tranquillement son mari dans la véranda, et ne sembla pas surprise qu'il revienne avec des invités.

— Je suis vraiment désolée pour ce qui est arrivé à votre chèvre, dit-elle, lorsqu'ils entrèrent. Vous prendrez bien un café avec nous, j'espère ?

— Avec plaisir, dit Liliane.

Elle disparut à la cuisine pendant qu'ils s'assirent autour de la table patio.

— Quel est son nom ? demanda Liliane, lorsque la chienne, se sentant restreinte dans son espace sous la table, se faufila entre les chaises et alla s'étendre devant la porte-moustiquaire.

— Maya, dit Philippe.

— Elle a des yeux intelligents.

— En tout cas, je la trouve plus intelligente que les chats de ma sœur, commenta-t-il.

— Vous avez aussi des chats !

— Eh oui ! Deux siamois.

— Comment cela se passe-t-il entre eux ?

— Assez bien en général.

— J'aimerais les voir.

— Si ma sœur est dans sa chambre en train de lire, c'est là qu'ils doivent se trouver en ce moment.

— As-tu juste une sœur ?

— Oui. Et cela me suffit, plaisanta-t-il.

Isabelle revint avec un plein percolateur de café et le déposa au centre de la table sur un napperon. Puis elle retourna à la cuisine chercher des tasses, des cuillères, du lait et du sucre.

— Vous avez beaucoup d'intuition, madame, dit Philippe, profitant que son père et Martin échangent des propos sur la meilleure façon d'alimenter des chèvres pour qu'elles puissent fournir un lait permettant la fabrication d'un fromage de qualité.

Liliane se sentit rapidement en confiance avec ce grand ado aux yeux perçants qui lui inspirait quelque chose dont elle ne saisissait pas la nature.

— Nous sommes nouveaux dans la région, et il arrive que des clients qui viennent acheter du fromage chez nous me racontent de drôles d'histoires à propos de cette montagne. Je suis allée à la bibliothèque municipale en espérant mettre la main sur des livres qui en parleraient, mais je n'ai rien trouvé.

— Vous savez madame, dans la vie, il existe toutes sortes de croyances. Vous êtes libre d'en faire ce que vous voulez.

— Mais toi, tu as grandi ici. Est-ce qu'il t'est arrivé d'être confronté à un phénomène disons... bizarre?

— Non...

— Et tes amis?

— Mes amis non plus.

— Dans ce cas, peut-être que tes parents...

— Alors là, vous êtes dans le champ! Mes parents n'aiment pas trop aborder ce genre de sujets. Ils sont trop terre à terre pour s'intéresser à ces choses-là.

Isabelle revint avec les tasses et les déposa sur la table.

— Tu m'as encore oublié maman.

— Eh bien ! Il est rare qu'un ado aime le café, commenta Liliane.

— Est-ce que j'ai l'air d'un ado ? demanda Philippe.

— Heu... non, répondit-elle, l'air bredouille.

— Vous savez maintenant pourquoi j'aime boire un café, plaisanta-t-il, avant d'aller chercher une tasse à la cuisine.

— Voilà, c'est ainsi qu'est mon fils, soupira Isabelle.

— Nous sommes presque du même âge Isabelle. Je me sentirais plus à l'aise si l'on se tutoyait.

— Je suis tout à fait d'accord. Est-ce que tu as des enfants ?

— Nous aimerions beaucoup en avoir. Mais ça ne fonctionne pas.

— Avez-vous rencontré un médecin pour cela ?

— Ma gynécologue m'a fait passer une batterie de tests. Elle dit que tout est normal chez moi.

— Et pour Martin ?

— Il refuse de passer des tests. Alors, on ne sait pas à quoi s'en tenir.

Philippe revint avec sa tasse et se versa du café. Puis il regarda Liliane droit dans les yeux.

— Aucun événement de votre passé ne peut justifier que vous vous sentiez mal le reste de votre vie.

« Comment peut-il savoir des choses sur moi ? Ce n'est qu'un ado après tout », se dit-elle.

Isabelle jeta un regard désapprobateur sur son fils.

— S'il te plaît, Philippe.

— Ce qu'il dit est tout à fait exact, confirma Liliane. J'ai une sorte de nervosité à l'intérieur de moi qui me rend la vie insupportable. Certains jours, je me sens tellement mal dans ma peau que j'en ai le souffle coupé. On dirait que je ne sais plus comment respirer.

— Ce malaise va disparaître le jour où vous allez prendre conscience de votre grandeur, et que vous allez vous tenir à l'écart de ceux qui tentent de vous convaincre du contraire.

— Tu parles des membres de ma famille.

— Vous savez, madame, il y a toujours une bête noire dans chaque famille. J'en suis un exemple frappant.

Isabelle s'étouffa avec sa gorgée de café.

— Souvenez-vous que nous ne sommes pas obligés de nous conformer aux enseignements de la société. Pas plus que nous ne sommes obligés de reproduire le même style de vie que les membres de notre famille, poursuivit Philippe. Nous sommes des êtres uniques dès notre naissance, et nous devons le rester toute notre vie. Répétez-vous cette phrase souvent, et inscrivez-vous à un cours de Taï Chi. Ce genre d'exercice va vous aider à mieux respirer.

— C'est surprenant que tu me le dises. J'y songeais justement.

Après le départ de Liliane et Martin, Philippe sortit avec sa chienne dans le jardin et s'étendit dans l'herbe pour regarder les étoiles.

— N'oublie pas de verrouiller la porte lorsque tu rentreras, lança Isabelle avant d'aller se coucher.

— C'est promis, maman.

La nuit était d'un calme plat. Pas une feuille ne bougeait dans les arbres.

« Je me sens tellement bien lorsque je suis en contact avec la terre. On dirait que je ne fais plus qu'un avec elle. »

« Si ce que disent les gens à propos de cette montagne est réel, j'aimerais bien vivre une expérience qui me le prouve. »

« Mais, pourquoi ai-je la faculté de voir défiler des images dans les yeux des autres ? Aucun de mes amis, ni personne que je connaisse, ne peut le faire. Pourquoi cela m'arrive-t-il à moi? On va finir par croire que je suis un vrai malade si ça continue. »

À l'étage, Jessianne, plongée dans un passionnant roman d'amour, entendit Maya aboyer et jeta un œil dans le jardin par la fenêtre de sa chambre.

— Qu'est-ce qu'elle a ? demanda-t-elle à voix basse.

— Je ne sais pas. Il doit y avoir un animal sauvage qui rôde tout près d'ici.

— Tu as l'air bien. Qu'est-ce que tu fais ?

— Je regarde les étoiles. Ça me relaxe.

— Attends-moi. J'arrive.

— Je croyais que tu lisais.

— Je veux relaxer, moi aussi.

« Avec une sœur comme Jessianne, c'est assez difficile de vivre un moment de tranquillité. Elle apparaît toujours au moment où on ne l'attend pas. »

Elle déambula l'escalier pieds nus et se rendit jusqu'à la véranda en faisant attention de ne pas laisser la porte-moustiquaire claquer derrière elle. Philippe dut admettre qu'elle était mignonne dans son pyjama de coton blanc et rose s'harmonisant avec le bleu de ses yeux.

— Viens t'étendre. On est tellement bien couché dans l'herbe.

Cela lui valut une bonne léchée, car Maya arriva en trombe pour lui offrir quelques marques d'affection.

— Pouach ! Tu es dégoûtante! s'exclama-t-elle. En plus, tu as mauvaise haleine.

— Elle n'est pas plus dégoûtante que tes chats. Ça arrive qu'ils te lèchent le visage de temps en temps eux aussi.

— Je sais, mais ils n'ont pas autant de salive qu'elle. Veux-tu cesser de me mouiller le visage ! maugréa-t-elle, repoussant la chienne de toutes ses forces.

— C'est assez Maya, l'avertit Philippe. Va jouer plus loin.

Jessianne s'essuya le visage avec un bout de son pyjama.

— J'ai tellement hâte aux vacances pour dormir le matin. Je déteste me lever tôt, dit-elle.

— Si tu dors durant toute la matinée, tu ne vas pas beaucoup travailler à l'hôpital.

— J'ai convenu avec maman que je travaillerais 20 heures semaine. Et je vais les faire quand bon me semble. Est-ce que tu es content maintenant ?

— Nous sommes ici pour relaxer, rappelle-toi.

— Maman est inquiète parce que tu lui as dit que tu irais passer une nuit à la montagne. Elle dit que tu vas finir par la rendre folle un de ces jours.

— Jessianne…

— Quoi ?

— Est-ce qu'il t'est déjà arrivé de vivre quelque chose d'inusité que tu n'aurais jamais raconté à qui que ce soit ?

— Non… Pourquoi me poses-tu cette question ?

— Eh bien, parce que j'ai appris que des gens cherchent de la documentation sur des phénomènes étranges qui se seraient produits dans la région.

— À qui fais-tu allusion ?

— À la femme qui est venue prendre un café tout à l'heure.

— J'ai déjà entendu deux de mes professeurs en parler ensemble à l'école. Elles disaient qu'elles sentaient des énergies bizarres lorsqu'elles allaient marcher dans la montagne. Je préfère ne pas parler de cela à la maison. Ça énerve maman.

Maya trouva une de ses balles de tennis et la ramena à Philippe pour qu'il la renvoie au loin.

— Ce qu'elle peut être agaçante avec ses balles, marmonna Jessianne.

— À t'écouter parler, on ne croirait pas que tu es la fille d'un vétérinaire.

— Vas-tu cesser de dire n'importe quoi ! Tu sais très bien que j'aime les animaux et que j'aime prendre soin d'eux ! Mais toi, est-ce que tu as déjà vu quelque chose d'anormal dans le ciel ?

— Pas jusqu'à ce jour. Je présume que ceux à qui cela arrive ne le crient pas sur les toits de peur de passer pour des illuminés.

— Tu as sûrement raison. D'ailleurs, je les comprends d'agir ainsi.

5
Retournement favorable

— Salut Roxanne ! lança Philippe, lorsque celle-ci descendit de sa Volkswagen pendant qu'il rangeait la tondeuse dans le garage.

— Comment vas-tu mon grand ?

— Je vais bien. Mais ça irait beaucoup mieux si mes parents se décidaient à me laisser vivre ma vie comme je l'entends.

Cette remarque fit sourire Roxanne. Isabelle était son amie depuis très longtemps et elle la connaissait suffisamment pour savoir qu'elle avait tendance à surprotéger ses enfants.

— Est-ce que tu manges avec nous ce soir ? s'informa Philippe, voyant qu'elle avait apporté une bouteille de vin.

— Oui…

— Alors là, on peut dire que tu tombes bien !

— Je ne sais pas pourquoi, mais je sens que tu as besoin de quelqu'un qui t'appuie en ce moment.

— Disons que cela m'aiderait si tu parlais à mes parents. Ils sont constamment en opposition avec ce que je veux faire. C'est fatiguant à la fin.

Roxanne adorait Philippe. Elle savait que ce grand gaillard de treize ans était doté d'une maturité exceptionnelle et le considérait plus comme un adulte qu'un ado.

— D'accord. Je vais leur parler.

— Tu vas vraiment le faire…

— C'est promis.

— Cela me rassure de savoir qu'il y a au moins une personne sur cette planète qui me fasse confiance.

À l'intérieur, Jessianne les observait par la fenêtre de la cuisine.

— Je me demande ce qu'ils ont de si important à se dire, marmonna-t-elle.

— Qu'est-ce que tu dis ? demanda Isabelle à la recherche d'une nappe propre dans la salle de lavage.

— Que ton amie est arrivée maman.

Roxanne trébucha sur Maya lorsque celle-ci se faufila entre elle et Philippe au moment où ils entraient. Il eut tout juste le temps de la retenir par un bras pour éviter qu'elle perde pied.

— J'ai failli échapper le vin ! s'exclama-t-elle, tentant de reprendre son équilibre.

La chienne alla se réfugier sous la table, comme si elle se sentait coupable de sa maladresse.

— Il faut l'excuser… Ça lui arrive de prendre un peu trop de place.

Dès qu'elle entendit des voix dans la véranda, Isabelle se dépêcha d'aller saluer son amie. Les deux femmes se firent la bise, puis Roxanne déposa sa bouteille de vin sur la table patio.

— C'est sûrement un vin provenant du vignoble de tes parents. Il ne porte pas d'étiquette.

— Je me suis dit qu'il n'y avait rien de mieux qu'un p'tit verre de vin pour se faire du bien. Qu'en dis-tu ?

— Très bonne idée. Mais qu'allons-nous célébrer ?

— Attends que j'y pense… L'achat de ma nouvelle voiture peut-être.

— Bien sûr ! Ta nouvelle Volkswagen décapotable ! Où ai-je la tête ? Je l'avais déjà oublié.

— J'ai tellement hâte que tu la voies.

Isabelle demanda à Jessianne de réduire le feu de la cuisinière afin d'éviter que les légumes soient trop cuits, et alla à l'extérieur avec Roxanne contempler sa toute nouvelle acquisition.

— Comment la trouves-tu ?

— Elle est tout à fait électrisante ! Je l'adore ! Et quelle couleur !

— J'ai choisi le rouge clair parce qu'il va bien avec l'énergie que je dégage ces temps-ci.

— Oooh… madame est en feu, on dirait !

Roxanne ouvrit la portière du côté du chauffeur et invita Isabelle à s'asseoir.

— Elle est vraiment confortable, dit-elle, les mains appuyées sur le volant. J'aimerais l'essayer.

— Là, maintenant…?

— Oui ! J'allais justement demander à Philippe d'aller me chercher de la crème sure pour accompagner les pommes de terre au four.

— D'accord. Je vais chercher mon sac.

— Prends le mien en même temps. Jessianne sait où il se trouve.

En attendant qu'elle revienne, Isabelle prit plaisir à examiner l'intérieur de la voiture dans ses moindres détails en se disant qu'elle l'échangerait bien contre sa vieille Toyota.

— J'ai faim, dit Philippe, soulevant l'un après l'autre le couvercle des casseroles sur la cuisinière.

— Je suis désolée de te l'annoncer, mais il n'y aura pas de menu spécial pour toi ce soir. Bibi a eu des nausées cet après-midi et elle est retournée chez elle se reposer.

— Qu'est-ce que je vais manger alors ?

— Tu as le choix de te préparer un sandwich ou passer ton tour.

— Tu te crois drôle peut-être ! commenta Philippe, abaissant la porte du four. Et ça ? Qu'est-ce que c'est ?

— Un rôti de porc à l'ail.

Philippe la laissa se refermer d'elle-même et fit trois pas en arrière.

— Wouach ! Je déteste cette odeur.

— J'ai lu quelque part que l'ail était un excellent moyen de se débarrasser de nos parasites.

— Tu as sûrement raison. Je tombe presque dans les vapes lorsque je parle à quelqu'un qui vient d'en manger. J'imagine que c'est ce qui arrive aux parasites.

La sonnerie du téléphone résonna dans le vestibule.

— J'y vais. C'est pour moi, affirma Philippe.

— Comment peux-tu savoir que c'est pour toi ?

— Je le sais. C'est tout.

— Pourquoi ne suis-je pas venue au monde avec un sixième sens moi aussi ? marmonna-t-elle.

Cinq minutes plus tard, Philippe revint à la cuisine, ouvrit la porte du réfrigérateur et passa en revue chacune des tablettes.

— Va voir dans le congélateur au sous-sol. Je crois qu'il y a des pépites de poulet surgelées.

Il tourna les talons et descendit vérifier si sa sœur disait vrai.

— Tu avais raison, dit-il, quelques minutes plus tard en lui montrant la boîte. J'en ai trouvé.

— Regarde dans le tiroir de la cuisinière. Il y a une tôle à biscuits pour les faire réchauffer.

Philippe afficha une moue désapprobatrice.

— Si je les mets au four avec le rôti, elles vont sentir l'ail.

— Ça, c'est la meilleure de l'année ! s'exclama-t-elle.

Trente minutes plus tard, dans la salle à manger…

— Voyons Philippe ! protesta Isabelle. Personne n'est jamais venu nous dire que nos idées ne viennent pas de nous.

— Dans ce cas maman, explique-moi comment des personnes vivant sur des continents éloignés peuvent tenir des propos similaires, s'ils ne sont pas sur un même courant de pensée ?

— Hummm… tu viens de gagner un point, je crois, clama Roxanne.

— Ce que tu lis dans les livres n'est pas toujours la vérité, ajouta Isabelle.

Frédéric ne disait rien. Roxanne ne put s'empêcher de sourire devant le regard interrogateur qu'il posait sur son fils.

— En parlant d'idées, lança-t-elle, avez-vous une petite idée de ce que vous comptez faire durant vos vacances d'été ?

— Je vais travailler à l'hôpital avec papa et maman, annonça fièrement Jessianne.

— Et toi, Philippe ?

Celui-ci comprit très vite que Roxanne faisait dévier la conversation dans le but de le faire parler.

— Je sais ce que j'aimerais faire, mais il y a un problème…

— Je croyais que nous avions réglé cette question, riposta Isabelle.

— Tu as quelque chose en vue, poursuivit innocemment Roxanne.

— Eh bien, je veux démarrer une petite entreprise de récupération avec quelques-uns de mes amis. Nous avons un endroit pour le faire. Il ne reste plus qu'à trouver des objets et des antiquités à mettre en vente.

— C'est une excellente initiative. Bravo !

Isabelle se tourna vers Frédéric en espérant qu'il intervienne. Mais il n'en fit rien.

— Ce serait épatant si mes parents étaient du même avis que toi.

Malheureusement, ce n'est pas le cas.

— Ah non ! Pour quelle raison !

— Probablement qu'ils n'ont pas encore réalisé que je suis une personne suffisamment responsable pour prendre mes propres décisions et les assumer.

Un lourd silence s'éleva dans la salle à manger jusqu'à ce que Philippe ajoute :

— Je suis même allé voir le maire pour avoir son accord et m'assurer que tout serait en règle.

— Vous avez entendu ! s'exclama Roxanne. Il est allé voir le maire ! Je n'en reviens pas. Quelle audace !

Cette fois, Roxanne venait de tirer une carte gagnante de son jeu.

— Qu'a-t-il dit de cette idée ? poursuivit-elle.

— Qu'il en parlerait avec ses conseillers à la prochaine assemblée municipale et qu'il m'en donnerait des nouvelles.

— Les nouvelles sont arrivées, avoua Frédéric. Je lui ai parlé cet après-midi.

— Je ne me suis rendu compte de rien, déclara Isabelle. Il ne s'est même pas identifié.

— Je crois qu'il se sentait plus à l'aise de parler avec moi.

— Tu lui as dit que nous n'étions pas d'accord avec ce projet, j'espère !

— Heu, non. Pas exactement. Je lui ai dit que nous étions en période de réflexion.

— Je croyais que c'était déjà tout réfléchi ! commenta Isabelle, visiblement contrariée.

— Chérie, il est encore temps de revenir sur notre décision.

Isabelle soupira longuement.

— Bois un peu de vin Isabelle, dit Roxanne en remplissant sa coupe. Ça va te relaxer. Donc, si j'ai bien compris, le maire a donné sa bénédiction à Philippe pour son projet.

— Oui, répondit Frédéric.

— Il ne lui reste plus que la vôtre à recevoir.

Frédéric regarda sa femme dans les yeux.

— Qu'en dis-tu, chérie ?

— Allez maman, dis oui, insista Jessianne. Tout le monde est d'accord sauf toi.

Prise au piège, Isabelle soumit des conditions à son fils sans toutefois lui donner une réponse définitive. C'était sa façon à elle de faire son mea-

58

culpa, dans le cas où cette histoire d'entreprise étudiante tourne au cauchemar.

Philippe trempa une pépite de poulet dans le miel et la porta à sa bouche en se disant : « Voilà bien la preuve que tout peut arriver lorsque l'on ne se soucie pas de savoir comment cela arrivera. »

— Passe-moi la crème sure, s'il te plaît, demanda Jessianne.

Philippe n'entendit pas la question, trop absorbé par ses pensées.

— PASSE-MOI LA CRÈME SURE, S'IL TE PLAIT, répéta-t-elle.

— La voilà. Pas besoin de crier…

Comme à l'habitude, Philippe fut le premier à se retrouver devant une assiette vide. Il décida donc de mettre un peu de piquant autour de la table en agrémentant la discussion avec un sujet percutant.

— Roxanne, t'es-tu déjà demandé pourquoi les êtres humains se sentent si tourmentés à l'intérieur d'eux-mêmes ?

— Je dirais que plusieurs facteurs sont responsables de cette situation.

— Selon toi, quel est celui qui prédomine ?

Après un moment de silence, elle répondit :

— Difficile à dire…

— Un jour, poursuivit Philippe, je me suis rendu compte que lorsque j'avais des pensées négatives qui vagabondaient dans ma tête, et que ces pensées revenaient sans arrêt occuper mon esprit, elles finissaient par réveiller des mémoires à l'intérieur de moi qui faisaient en sorte que je me sente mal dans ma peau. À partir de cette constatation, je me suis dit que je ferais mieux d'apprendre à gérer mes pensées si je ne voulais plus subir leurs manipulations.

Isabelle écoutait parler son fils avec une expression d'étonnement.

— À force d'être attentif à ce qui se passe dans ma tête, je me suis également rendu compte que les pensées existaient sous toutes sortes de formes différentes.

— Que veux-tu dire exactement ? demanda Roxanne.

— Je vais vous donner un exemple, d'accord ! Supposons que la pensée de bouffer un carré aux dattes juste avant le souper m'obsède. De quelle catégorie croyez-vous qu'elle fasse partie ?

— La catégorie des tentations, déclara Jessianne.

— Je dirais qu'elle est une pensée suggestive, reprit Roxanne en souriant.

— Je suis de ton avis, confirma Philippe.

— Et si la pensée de manger le carré aux dattes avant le souper ne veut pas s'en aller, que fais-tu ? demanda Jessianne.

— Au début, c'était long avant que mes pensées lâchent prise sur moi. Maintenant, je n'ai qu'à leur dire une seule fois de ne plus m'importuner, et le tour est joué. Je suis convaincu que les gens sur Terre se font du mal à eux-mêmes parce qu'ils ne se rendent pas compte que ce sont leurs pensées qui en sont la cause.

Roxanne posa une main sur son plexus. Une sensation qu'elle n'avait jamais ressentie auparavant venait de la traverser.

— On dit que nous utilisons un très minime pourcentage de nos capacités. Alors, qu'en advient-il du reste ? Est-ce que quelqu'un va finir par nous dire comment utiliser la partie qui nous manque ?

— Faites attention de ne pas sombrer dans la démence avec toutes ces histoires, avertit Isabelle, espérant que son fils saisisse la subtilité de son message.

— Dis-moi Philippe, comment conçois-tu la vie? demanda Roxanne.

— Nous pourrions en parler longtemps, tu sais…

— D'accord. Fais-moi un petit résumé.

— Est-ce que tu t'amuses dans ta vie ?

— Pas toujours. Pourquoi ?

— Tu traites beaucoup de gens à ta clinique d'ostéopathie.

— Évidemment. Je suis formée pour cela.

— Alors, tu as certainement constaté que ceux qui ne s'amusent pas dans leur vie sont ceux qui sont les plus vulnérables à la maladie et qui souffrent de dysfonctionnements à tous les niveaux.

— Heu, oui… Sauf qu'il m'arrive d'oublier ce petit détail lorsqu'il est question de moi-même.

— Excusez-moi, annonça Philippe. Je viens de réaliser que j'ai des appels à faire.

Jessianne s'excusa à son tour en prétextant qu'elle devait se retirer dans sa chambre pour étudier. Mais la véritable raison de son empressement était de connaître le dénouement final du roman d'amour qu'elle lisait.

— Il m'arrive de me demander pourquoi j'ai mis au monde un enfant indigo au lieu d'avoir un fils normal, soupira Isabelle en empilant de la vaisselle sale.

— Cesse de t'en faire ! dit Roxanne. Il est parfait comme il est. Tu devrais être fière d'avoir un fils qui possède une aussi belle intégrité.

Isabelle inspira profondément et laissa lentement ses poumons se vider.

— Que diriez-vous d'aller boire un bon café dans la véranda ? proposa Frédéric, enlevant la pile d'assiettes des mains de sa femme pour les porter lui-même à la cuisine.

— Bien sûr, chéri. C'est une très bonne idée.

Pendant ce temps, Philippe discutait au téléphone avec Élie dans sa mansarde.

— C'est fabuleux que papi nous autorise à nous servir de son bâtiment. Par contre, il a quelques exigences en retour.

— Avec une telle opportunité, il serait stupide de ne pas s'y soumettre.

— J'en connais plusieurs qui vont être contents d'apprendre la bonne nouvelle.

— Et comment ! Téléphone à Yann et Jonathan. Je m'occupe des autres.

Étendu sur son lit avec le téléphone sans fil dans la main, il se mit à rêvasser de la nouvelle décoration qui transformerait bientôt sa mansarde. Puis il se ressaisit et composa le numéro de Sy afin de lui annoncer qu'un retournement favorable venait de se produire durant l'heure du souper. Toute l'équipe devait se réunir à 20 heures à la ferme du grand-père d'Élie. Celle-ci téléphona à son tour à Catherine et Nadya pour les mettre au courant, tandis qu'il continua à faire d'autres appels.

Ensuite, il prit une douche en vitesse, enfila des vêtements propres et descendit au rez-de-chaussée.

— Hummm… pas mal du tout. Aurais-tu un rendez-vous galant ? plaisanta Roxanne lorsqu'il se pointa dans la véranda.

— S'il te plaît, riposta Isabelle. Déjà qu'il a gagné un point aujourd'hui.

— J'ai organisé un rassemblement à la ferme du grand-père d'Élie. Nous allons le rencontrer à 20 heures. Il veut discuter avec nous.

— Et tes examens ! s'objecta Isabelle. Quand vas-tu étudier ?

— Il n'y en a pas demain.

— Tu veux réellement la démarrer, cette fichue entreprise étudiante, se plaignit-elle.

— Isabelle, nous avions réglé cette question, il me semble.

— Je dois y aller, annonça Philippe. Ne vous inquiétez pas, je rentrerai tôt, c'est promis.

***

— Es-tu certain que nous faisons une bonne affaire PeP ! chiala Dan, lorsque Élie ouvrit la porte du bâtiment. Ça va nous prendre une semaine rien que pour nettoyer cette vieille cabane dégueulasse.

— C'est un peu exagéré ! rétorqua Nadya. Je suis certaine que deux jours suffiront à lui donner une allure convenable.

— Je suis d'accord avec toi, l'appuya Catherine.

— Citron que tu es exigeant Dan ! lança Élie. Papi nous offre un emplacement pour démarrer notre entreprise étudiante, et toi, tu te permets de faire des critiques désobligeantes.

— Ne fais pas attention à ce qu'il dit, conseilla Nadya. C'est toujours comme ça avec lui.

— Est-ce que c'est ta maison que je vois là-bas ? s'informa Catherine.

— Oui. Il y a celle de papi et la nôtre.

— La tienne, quelle est-elle ?

— C'est la plus petite.

— La bleue…

— Oui. Mon père l'a construite lui-même.

— Est-ce qu'il travaille avec ton grand-père sur la ferme ?

— Oui, mais il est obligé d'avoir un autre travail ailleurs, parce que la ferme n'est pas suffisamment rentable pour faire vivre notre famille.

— J'ai entendu mes parents discuter des problèmes que rencontrent les agriculteurs depuis quelques années, ajouta Jonathan. Apparemment qu'ils ne sont pas au bout de leurs peines.

— Eh oui, dit tristement Élie. La mondialisation a fini par déclencher des contextes malsains partout dans le monde.

— Ça sent l'humidité, dit Sy. Je n'aime pas cette odeur.

— Avec vous, les filles, il faut toujours que ça sente le parfum partout. On dirait que les odeurs naturelles vous répugnent, commenta Yann.

— Imaginez ce que ça va être lorsque les jumelles vont mettre les pieds ici, blagua Jeanno.

— Voilà papi qui arrive, lança Élie, lorsqu'il reconnut le bruit de son tracteur.

Les ados l'accueillirent avec de grands sourires sur les lèvres, heureux de connaître enfin celui qui leur donnait une première chance dans la vie. Lorenzo Dumouchel éteignit le moteur de son tracteur et descendit de son gros engin. Il portait une chemise à carreaux rouge et jaune, et son jean était si usé qu'il laissait entrevoir ses genoux à travers le tissu.

— Papi, voici PeP, dit Élie, avec une certaine excitation dans la voix.

L'homme le scruta du regard quelques instants.

— Tu sembles avoir une certaine influence sur mon petit-fils, dit-il. Maintenant que tu es devant moi, je comprends pourquoi.

— Et voici Yann, Sy, Nadya, Jonathan, Catherine, Jeanno et Dan, poursuivit Élie, les pointant du doigt chacun leur tour.

Intimidés, ils répondirent tous par un timide : « Bonsoir monsieur ».

— Alors, vous avez besoin d'un endroit pour vendre de la marchandise à ce que j'ai entendu dire.

— C'est exact monsieur, répondit Philippe.

— Je vous félicite pour votre initiative. C'est une excellente idée.

— C'est PeP qui a eu cette idée, insista Élie. C'est lui qu'il faut féliciter.

— Ce n'est pas important qui a eu l'idée, rectifia Philippe. Nous puisons tous nos idées dans l'immense bassin universel qui se trouve à notre portée. Alors, si nous voulons en profiter, et en faire profiter les autres, il vaut mieux ne pas s'approprier égoïstement des idées.

Lorenzo Dumouchel se sentit déstabilisé par le langage de Philippe. Cependant, il n'en laissa rien paraître.

— C'est encourageant de se rendre compte que la jeunesse n'est pas seulement ce qu'en disent les journaux et la télévision. Je suis fier de mon petit-fils, et je suis fier qu'il fasse partie d'un groupe de jeunes débrouillards comme vous l'êtes.

Élie était littéralement sous le charme des paroles de son grand-père.

— Vous pouvez utiliser ma bâtisse tout l'été si c'est ce que vous voulez. Et ce, gratuitement. Mes conditions sont simples. Je vous demande de garder l'endroit propre. De ne pas consommer de boissons alcoolisées, de drogues ou de fumer des cigarettes. Si toutefois j'entends dire que ces conditions ne sont pas respectées, notre entente n'aura plus aucune crédibilité et vous devrez trouver un autre endroit pour vendre votre marchandise. Est-ce que cela vous convient ?

Les ados promirent de respecter toutes ces règles à la lettre.

— Est-ce qu'il y a de l'électricité dans le bâtiment ? s'informa Philippe.

— Bien sûr, répondit Élie.

— Dans ce cas, nous allons devoir régler notre consommation d'électricité à Monsieur Dumouchel à la fin de l'été, proclama Philippe.

— Tu devrais te diriger en politique mon garçon. Au moins, avec toi, on saurait où vont les deniers publics.

Les jeunes pouffèrent de rire.

— Avez-vous d'autres recommandations à nous faire ? demanda

Philippe.

— N'oubliez pas de vous munir d'un bon cadenas pour verrouiller la porte lorsque vous apporterez de la marchandise ici. Je ne suis pas responsable du vol.

— Qu'est-ce qu'on va faire de tes vieilles planches papi ? s'informa Élie.

— Rangez-les derrière la bâtisse, lança-t-il en remontant sur son tracteur. Je vous laisse maintenant. Je dois reconduire ma femme chez le médecin.

Il remit son tracteur en marche et s'éloigna sous le regard médusé des ados.

— Ton grand-père est incroyable ! s'exclama Nadya. Je n'en connais pas beaucoup qui auraient accepté de faire ce qu'il fait pour des étudiants.

— Je savais que papi dirait oui. J'en étais certain.

Une soudaine inquiétude apparut dans le regard des ados.

« Ce projet étudiant était-il de la pure foutaise ? Allaient-ils vraiment pouvoir le concrétiser ? Est-ce qu'ils venaient de s'embarquer dans une galère avec Philippe ? »

Autant de questions qui leur traversaient l'esprit à la vitesse de l'éclair.

— Nous sommes en congé demain après-midi. Que diriez-vous si nous commencions le nettoyage ? demanda Philippe.

— Je suis d'accord avec toi ! s'exclama Sy.

— Ma mère vient tout juste de repeindre notre appartement, dit Catherine. Je vais lui demander si je peux me servir de ses restes de peinture et de ses pinceaux. Un peu de couleur ne fera certainement pas de tort à cette vieille cabane.

Après avoir élaboré un plan d'action pour rendre la bâtisse potable, les ados se donnèrent rendez-vous à 13 heures le lendemain pour amorcer l'opération nettoyage.

Le lendemain après-midi, à la ferme…

— Commençons par enlever les toiles d'araignées sur le plafond et les murs avec nos balais, dit Philippe.

— Êtes-vous suffisamment en forme pour nous aider les filles ? lança Dan, pour les taquiner.

— Tu ne peux pas passer une journée sans dire des niaiseries, marmonna Nadya.

— Voilà les jumelles ! s'exclama Catherine, lorsqu'elle vit la voiture de leur mère s'engager dans la cour.

— Ah non ! riposta Jeanno. Ne me dites pas que ces deux emmerdeuses vont travailler avec nous !

— Elles en ont le droit autant que toi, argumenta Sy.

Furieux, Jeanno se tourna vers Philippe.

— Qu'est-ce que ça veut dire ?

— Meggie m'a téléphoné hier soir pour me demander si elle pouvait faire partie de notre équipe avec Amélie, expliqua Sy. Elle a dit que son père nous offrirait des jus en commandite si…

— Et tu ne m'en as pas parlé, coupa Philippe.

— Je trouvais que c'était une proposition intéressante.

— Taisez-vous, elles arrivent, avertit Catherine.

— Salut ! lança Meggie en entrant.

— Ce qu'elle peut être lourde cette porte ! clama Amélie.

— Laisse-la ouverte. Il fait tellement chaud ici, déclara Nadya.

Jeanno qui se déplaçait avec une vadrouille et une chaudière pleine d'eau se coinça soudainement un pied dans une cavité du plancher et se retrouva face contre terre. Cet incident souleva un fou rire général.

— Ça t'apprendra à parler en mal des autres, lui chuchota Élie, pendant qu'il se relevait.

— Je suis trempé, se lamenta-t-il.

— Enlève ton tee-shirt et va l'étendre sur la branche d'un arbre si tu veux qu'il sèche, suggéra Catherine.

Jeanno parut gêné de répondre. Il ne voulait surtout pas étaler au grand jour les boutons d'acné qui recouvraient son dos.

— Ce n'est pas grave, dit-il finalement.

— Comme tu voudras.

— Où sont les toilettes ? demanda Amélie.

— Il n'y a pas de toilettes ici, répondit Élie.

Les filles réalisèrent tout à coup l'énormité du problème qui se posait à elles.

— Nous n'avons pas pensé à cela, s'inquiéta Sy. Qu'allons-nous faire ?

— À chaque été, mes parents organisent une fête sous un grand chapiteau pour tout le personnel de l'entreprise. Je sais que papa loue des toilettes chimiques à cette occasion, annonça Meggie. Ce serait peut-être une solution à envisager.

— Il faudrait d'abord connaître le coût de la location, dit Philippe.

— Je crois que je pourrais m'arranger avec lui, laissa-t-elle sous-entendre.

— Il ne faut pas oublier d'acheter un cadenas, dit Élie.

— C'est vrai, dit Philippe. Merci de me le rappeler.

— Nous avons intérêt à nous bouger au lieu de perdre notre temps à discuter, interpella Jonathan.

— Tu as raison, approuva Philippe. Déterminons nos tâches, sinon nous allons tourner en rond tout l'après-midi.

Les jumelles furent assignées au lavage des carreaux. Sy et Nadya au lavage des grandes tables de bois et des vieux meubles que Lorenzo Dumouchel avait remisés dans son bâtiment ces dernières années. Quant à Catherine, elle avait apporté des restes de peinture et comptait bien dessiner sur les murs des explosions de couleurs démontrant son talent artistique. De leur côté, Dan, Jeanno, Yann et Jonathan s'attaquèrent à des travaux de plus grande envergure. Avec des vadrouilles, ils commencèrent à laver le plafond, les murs et le plancher, pendant qu'Élie et Philippe transportaient à l'extérieur tout ce qui ne leur servirait pas. L'après-midi passa si vite que personne ne se rendit compte qu'il était l'heure d'aller souper. Ce fut Dan qui sentit la faim le premier.

— Est-ce que quelqu'un sait quelle heure il est ? demanda-t-il.

— Il est presque 18 heures, répondit Jonathan, après avoir jeté un œil sur sa montre.

— C'est suffisant pour aujourd'hui, annonça Philippe.

— Ouais… Nous reviendrons demain, ajouta Jeanno.

— Au cas où tu l'aurais oublié, nous sommes en examen demain, rectifia Meggie.

— Qu'est-ce que tu as à t'inquiéter de tes examens ? rétorqua-t-il. Moi, si j'avais un *papa* aussi riche que le tien, je ne me préoccuperais pas de ce que je vais faire plus tard.

— Tais-toi donc si tu n'as rien d'autre à dire Jeanno Beaurivage, renchérit-elle.

Chez les Prince, dans la salle à manger…

— Je me demande pourquoi il ne téléphone pas pour dire qu'il est en retard, dit Isabelle contrariée.

— Maman, il n'a pas besoin de téléphoner pour dire qu'il est en retard, nous nous en sommes rendu compte.

— J'ai peur que ses résultats scolaires soient encore une fois médiocres et cela m'inquiète. Aujourd'hui, il faut être préparé à entrer sur le marché du travail si l'on veut trouver un emploi bien rémunéré.

— Pourquoi t'inquiètes-tu autant ? Il a un comportement exemplaire au collège, dit Frédéric pour la rassurer. C'est déjà un bon point pour lui. En plus, il est débrouillard comme dix.

— Ça, je te l'accorde.

— Rappelle-toi ce que Roxanne a dit lorsqu'elle est venue souper.

Isabelle fronça les sourcils.

— Qu'est-ce qu'elle a dit de si important ?

— Elle a dit : « Vous savez autant que moi combien de grands hommes ont été considérés comme fous, alors qu'en réalité, ils étaient dotés d'une remarquable intelligence. »

Isabelle eut une moue désapprobatrice.

— Il faut en prendre et en laisser…

— Tout le monde dit que Philippe est un garçon gentil, aimable et débrouillard. Alors pourquoi paniquerions-nous parce qu'il tient un langage un peu plus marginal que les autres garçons de son âge ?

— Tu as raison. Je me fais du mauvais sang pour rien, admit-elle. Que puis-je faire de plus ? On ne m'a pas remis de dépliant à sa naissance pour m'expliquer comment vivre avec un enfant indigo, soupira-t-elle.

— Je ne crois pas que les infirmières de la pouponnière se soient rendu compte de cela, plaisanta Frédéric.

— Qu'est-ce qu'il y a pour dessert ? s'informa Jessianne.

— Du yaourt, répondit Isabelle.

— C'est tout…

— Je n'ai pas eu le temps d'aller à l'épicerie aujourd'hui.

Le balancier de l'horloge comtoise résonna dans le vestibule.

— Il est temps que je retourne à l'hôpital, annonça Frédéric.

— Avez-vous remarqué qu'il est inscrit «VENDU» sur la pancarte du courtier immobilier devant la maison voisine des Rosenthal ? demanda Jessianne.

— Espérons pour eux que les nouveaux propriétaires seront de bons voisins. On ne sait jamais qui arrive près de chez nous, commenta Isabelle.

6
Le baiser

L'euphorie s'empara des étudiants du Collège Mont-Fort lorsque la cloche annonça la fin de l'année scolaire et le début des vacances d'été à la fin de la matinée. Ils se précipitèrent tous vers la sortie dans un grisant bourdonnement sonore.

L'équipe de Philippe s'était donné rendez-vous à la ferme, car il restait beaucoup de travail à faire autant à l'intérieur qu'à l'extérieur du bâtiment. À tour de rôle, ils allaient se joindre à ceux qui les attendaient, assis à l'ombre des pruniers pour se protéger des chauds rayons du soleil. Et comme les filles étaient plus prévenantes que les gars, elles avaient apporté un sac à lunch rempli de bonnes choses à manger.

— Comment sont tes sandwichs ? demanda Philippe.

— À la dinde et au jambon, répondit Sy. Lequel veux-tu ?

— Est-ce que tu as mis des affaires qui goûtent mauvais dedans ?

— Tu veux dire de la mayonnaise ou de la moutarde ?

— C'est ça.

— Bien sûr que j'en ai mis, sinon mes sandwichs auraient été moches.

— Est-ce que tu as autre chose à manger ?

Sy sortit tout le contenu de son sac à lunch et l'étala devant Philippe.

— Prends ce que tu veux, dit-elle finalement.

Philippe s'empara de son muffin aux bleuets et le retira du sac de conservation.

— C'est important de manger des légumes, tu sais.

— Ce sera parfait, dit-il, croquant une bouchée dans le muffin.

Dan était assis non loin d'eux et dévorait un des sandwichs aux œufs de Nadya.

— C'est aujourd'hui le grand jour, lança-t-il.

Philippe resta silencieux, sachant trop bien ce qu'il voulait insinuer.

— Tu n'es pas peureux, PeP. Moi, je n'irais jamais seule dans la montagne la nuit, dit Nadya.

Au même moment, le bruit d'un scooter attira leur attention. Comme le conducteur avait un casque sur la tête, ils ne purent le reconnaître jusqu'à ce qu'il s'immobilise et l'enlève.

— Qu'est-ce que ce crétin vient faire ici ? s'exclama Dan.

— Salut la gang ! s'écria Vandal, s'avançant vers eux. Je passais par ici et j'avais envie de vous montrer mon nouveau scooter.

— Je ne t'aurais jamais reconnu avant que tu enlèves ton casque ! dit Nadya. Un scooter noir. Un casque noir. C'est noir longtemps.

Il alla s'asseoir d'une manière tout à fait cavalière entre Sy et Philippe.

— Tu peux venir faire une petite balade avec moi n'importe quand, proposa-t-il.

Sy parut mal à l'aise et ne répondit pas.

— Je peux t'en prendre un ? demanda-t-il.

— Bien sûr…

Il s'empara d'un sandwich au jambon et le déballa.

— Est-ce que votre projet fonctionne comme vous le voulez ? demanda-t-il la bouche pleine.

— Quelle question stupide ! déclara Dan. Si le projet était tombé à l'eau, nous ne serions certainement pas ici aujourd'hui, il me semble.

Le téléphone portable de Vandal joua sa musique stridente.

— Tu ne réponds pas, dit Sy.

— Heu, non, dit-il, après avoir jeté un œil sur l'afficheur. Est-ce que vous venez à la fête de la Saint-Jean ce soir ?

— Moi j'y vais, affirma Sy.

— Et toi, PeP ?

— Non, je n'y vais pas.

Un sourire narquois apparut sur les lèvres de Vandal.

— Dommage, dit-il. J'ai la nette impression que nous allons passer une soirée du tonnerre.

Les filles annoncèrent vers 16 heures qu'elles devaient s'en aller, parce qu'elles avaient besoin de se faire belles pour assister à la fête de la Saint-Jean-Baptiste qui avait lieu le soir même. Avant qu'ils quittent tous la ferme, Philippe se rapprocha de Sy avec une intention bien particulière.

— Est-ce que ta mère vient te chercher ?

— Non… Mes parents vont souper au restaurant ce soir avec leurs amis pour célébrer leur anniversaire de mariage.

— Qu'est-ce que tu dirais si nous marchions jusqu'au Parc des Étangs ?

Sy sentit un frisson la parcourir.

— D'accord. Mais pas trop longtemps. Il faut que je me prépare.

— Dans ce cas, je vais téléphoner à ma mère et lui demander qu'elle vienne nous chercher.

Dan avait manifestement entendu des bribes de leur conversation et ne manqua pas l'occasion de se moquer de Philippe.

— Ça promet, ricana-t-il, grimpant sur une chaise pour mimer des gestes sensuels.

— Franchement Dan ! s'exclama Nadya qui le regardait se passer les mains dans ses cheveux, sur sa nuque et le long de son dos.

Philippe s'assura que le cadenas était bien verrouillé avant de quitter la ferme et partit avec Sy. Ils marchèrent sur la Grande-Allée une vingtaine de minutes en discutant de ce qu'il était important de mentionner dans le mini-reportage qui paraîtrait sous peu dans un hebdomadaire de la région.

— Tu me plais, Sy, lui dit-il, lorsqu'ils furent adossés contre le tronc d'un immense érable près de la rivière.

Sy se sentit fondre en entendant ces mots.

— J'aime tout en toi. Ta démarche. Ton sourire. Tes jolis yeux bridés.

— Est-ce que tu me parles de cette façon parce que tu veux sortir avec moi ?

— Je voulais juste que tu saches que je te trouve attirante.

— À quoi cela sert-il de me dire toutes ces belles choses si tu n'as pas l'intention de sortir avec moi ? demanda Sy qui voyait tous ses espoirs s'envoler en éclats. Tu trouves peut-être que je parais trop jeune comparativement à toi qui as l'air d'avoir vingt ans ! Je ne suis pas dupe, tu sais, PeP. Je t'ai souvent vu flirter avec les filles des niveaux deux et trois.

— Je ne flirtais pas, Sy. J'essayais seulement de les faire rire. Ce n'est pas pareil.

— Je ne te comprends pas, PeP. On dirait que tu veux sortir avec moi, mais tu refuses de t'engager.

— J'ai souvent songé à toi ces derniers temps. Je me voyais te prendre dans mes bras et t'embrasser.

Sy demeura silencieuse et se contenta de sourire.

— Savais-tu que tu es en train de réveiller le conquérant en moi ?

— Il y a des jours où je te trouve assez unique en ton genre ! dit Sy.

— J'aime quand tu me provoques, dit-il avec douceur.

Il se rapprocha d'elle et l'embrassa longuement en lui caressant la nuque. Son cœur palpita si fort qu'elle eut l'impression de s'envoler vers le plus haut sommet du monde.

— Est-ce que c'est la première fois que tu embrasses une fille ? demanda-t-elle, quand leurs lèvres se séparèrent.

— Oui… Et toi, est-ce que c'est la première fois qu'un gars t'embrasse ?

Sy fit exprès pour le laisser dans l'embarras en ne répondant pas à la question. Il la regarda, étonné, car rien ne laissait supposer qu'un autre l'ait embrassée avant lui.

— C'est une plaisanterie, PeP. Jamais personne ne m'a embrassée avant toi.

Elle le regarda avec une telle innocence qu'il ne put faire autrement que de poser à nouveau ses lèvres sur les siennes. Sy s'abandonna tout entière à ce moment d'extase.

— Je me sens si bien, dit-elle après le baiser. Est-ce la même chose pour toi ?

— Disons que je retire un immense plaisir à vivre ces merveilleux moments avec toi.

— Si tu m'as embrassée, est-ce que cela veut dire que nous sortons ensemble maintenant ?

— Heu… non…

— Mais, je croyais…

— On pourrait simplement être de bons amis et des confidents l'un pour l'autre.

Sy était au bord des larmes. Philippe caressa son visage du bout des doigts.

— Essayons simplement de profiter de cet instant présent sans se faire de grandes promesses, d'accord. Tu peux être certaine que pas une autre fille ne me fait autant d'effet que toi.

— Pourquoi as-tu si peur de t'engager avec moi?

— C'est ta propre peur que tu exprimes, Sy. N'oublie pas que c'est d'abord à soi que l'on s'adresse lorsque nous échangeons avec les autres.

Sy parut sceptique.

— Ce que tu peux être difficile à suivre parfois.

— Je n'y peux rien. C'est plus fort que moi. Je suis incapable de concevoir que l'amour soit ce que je vois autour de moi. Je trouve que les gens le vivent d'une façon si immature.

— Alors, explique-moi comment tu conjugues le verbe aimer ?

Pris au piège par la question de Sy, Philippe dut attendre qu'une réponse lui vienne en tête.

— Dans mon livre à moi, l'amour représente le plus haut niveau de respect que deux personnes puissent s'accorder entre elles, finit-il par dire.

Sy ne put contenir l'émotion qui la traversa à ce moment-là et des larmes se mirent à couler sur ses joues. Le pire était qu'elle ne comprenait pas la raison de sa peine.

— Je considère le respect comme la plus grande matrice de l'amour. C'est en son nom que je te demande d'être la confidente de mon cœur et de tous les secrets qui m'habitent. Pour cela, il ne faudra jamais se porter de jugements, ni se dicter nos vies, mais simplement échanger nos opinions sur notre façon de concevoir la vie.

Sy pleurait silencieusement. Ses larmes touchèrent profondément Philippe.

— Si tu veux, Sy, promettons-nous de toujours être francs l'un envers l'autre. Parce que c'est ainsi que nous pourrons nous sentir libres de nos choix et de nos décisions, aujourd'hui, et à jamais.

— D'accord, PeP. C'est promis, répondit-elle en essuyant ses larmes.

— Et surtout, ne t'inquiète pas pour les autres filles. Aucune ne m'intéresse plus que toi.

Sy fut rassurée de savoir qu'elle était l'unique centre d'intérêt de Philippe.

— Si nous devions nous fréquenter sérieusement un jour, reprit Philippe, il faudra éviter de reproduire l'erreur que font souvent les couples qui s'aiment.

— Qu'est-ce que tu veux dire ?

— Je veux dire qu'il est essentiel de ne pas posséder l'autre.

Philippe serra doucement les mains de Sy dans les siennes et la regarda tendrement.

— Tu seras toujours mon miroir comme je serai toujours le tien. Je te protégerai de tes pensées obscures comme tu me protégeras par la voix de ta remarquable intuition féminine.

Des larmes se remirent à couler sur les joues de Sy.

— Tu es l'amie de ma vie, et je ne peux imaginer que nous tombions dans le piège de vivre une relation qui nous rendrait dépendants l'un de l'autre.

— Je sais au fond de moi que tu as raison, PeP.

— Ce qui me fascine de toi, c'est ta finesse d'esprit. En fait, je devrais dire que tout, chez toi, n'est que beauté.

— Tu ne m'avais jamais parlé comme cela auparavant, dit-elle.

En guise de réponse, Philippe l'attira vers lui et l'embrassa à nouveau.

7
Étrange nuit
dans les collines du Zéphyr

— Bibi…

— Hummm… marmonna Madame Bibi qui se préparait à sortir sa lasagne aux courges du four.

— Est-ce que tu voudrais me préparer quelques sandwichs à la dinde ? Comme ça, s'il m'arrive d'avoir une petite fringale cette nuit, j'aurai au moins quelque chose à manger.

— Je ne sais pas ce qu'il t'a pris d'accepter ce pari !

— Un pari est un pari, Bibi. J'ai perdu, alors je dois y aller.

— Emmène le chien avec toi. Au moins, tu ne seras pas seul.

Philippe regarda le plateau de muffins au chocolat sur le comptoir de la cuisine et en prit deux.

— Remets-en un à sa place.

— J'ai faim !

— Sois raisonnable. Nous allons souper dans dix minutes.

— Je ne mangerai certainement pas de ton affaire aux légumes.

— Ça, je m'en doutais. Il me reste de la pâte à crêpes.

— Pour des crêpes, je suis toujours prêt.

— Est-ce que ta mère t'a déjà raconté quel cauchemar c'était de te nourrir lorsque tu étais bébé ?

Jessianne qui revenait à la cuisine chercher le pain et le beurre répondit à sa place.

— On le sait… Il y a juste les purées de bananes qu'il ne lui crachait pas au visage.

Les siamois, profitant de l'inattention de Madame Bibi, se donnèrent un élan et atterrirent sur le comptoir tout près de sa lasagne.

— SAINTE MISÈRE, JESSIANNE ! s'écria-t-elle. Fais-les descendre tout de suite de mon comptoir ou je ne réponds plus d'eux. De toute façon, je trouve qu'il est exagéré d'avoir deux chats dans une maison.

— Ne parle pas comme ça, Bibi. J'aime mes chats. Jamais je ne me séparerai d'eux.

Comme Philippe passait devant Jessianne pour monter à l'étage, celle-ci le rappela à l'ordre.

— Pourquoi disparais-tu toujours lorsqu'il est temps de mettre le couvert ? En plus, tu n'es même pas capable de revenir à la maison par tes propres moyens. C'est à cause de toi que nous mangeons aussi tard.

— Je n'ai pas le temps de m'occuper du couvert en ce moment. J'ai tout mon matériel de camping à rassembler pour partir en excursion.

— Toujours des excuses, dit-elle, retournant à la salle à manger.

Philippe monta à l'étage, referma la porte de sa mansarde derrière lui et se laissa choir sur son lit.

« Il y a vraiment quelque chose qui cloche dans ma vie. Tout ce qui me paraît normal ne l'est pas pour les autres », s'interrogea-t-il.

« Qu'est-ce qui m'a pris tout à l'heure ? J'aurais dû dire à Sy que j'étais d'accord pour sortir avec elle, au lieu d'essayer de la convaincre du contraire. Elle est tellement jolie. En plus, elle a des pieds de fée… »

Philippe soupira et se retourna sur lui-même.

« Pourquoi la race humaine a-t-elle autant de points en commun avec la race animale ? J'ai de la difficulté à croire que nous en sommes encore à ce stade-là. Et je ne comprends pas non plus pourquoi les gens ont besoin de prouver aux autres ce qu'ils sont. »

« La mentalité de la race humaine est tellement ancienne et révolue que je me demande ce que je fais ici. D'un autre côté, je dois faire attention à ne pas devenir un expert dans l'improvisation des énigmes. Quand je regarde la vie de mes parents, ils ont l'air parfaitement heureux et ne demandent rien de plus que ce qu'ils ont déjà : un travail, des enfants, une famille, un cercle d'amis. »

« J'espère que l'on pourra m'expliquer un jour pourquoi nous sommes contraints de naître sur une planète pour y vivre un si court laps de temps? Partir lorsque tout vient à peine de commencer me paraît assez ridicule. J'aimerais bien savoir qui sont les concepteurs d'un tel système. »

La faim eut raison du questionnement existentiel de Philippe. Il se releva et descendit au rez-de-chaussée retrouver les membres de sa famille dans la salle à manger.

— Tes crêpes sont sur la cuisinière, dit Jessianne. Va les chercher toi-même.

— D'accord, dit-il, levant les mains en signe d'approbation.

Il revint avec son assiette et le pot de sirop d'érable.

— Sy avait l'air troublé lorsque je suis allée la conduire chez elle. Est-ce qu'il se serait passé quelque chose entre vous deux ?

— Non…

— Toi, tu nous caches quelque chose, dit Jessianne.

— Eh bien, je crois que j'ai gaffé.

— Tu veux dire quoi par *gaffé* ?

— Vous allez rire de moi si je vous le dis.

— On va faire un effort pour se retenir. Allez, dis-le.

— Sy m'a dit qu'elle aimerait sortir avec moi, mais j'avais le pied sur le frein. Voilà.

— Je n'en reviens pas ! s'exclama Jessianne. Ce que tu peux être connard, toi, parfois.

— C'est très raisonnable de réfléchir ainsi, l'approuva Madame Bibi. Rien ne presse pour les fréquentations.

— Qu'est-ce qui t'a fait hésiter ? demanda Isabelle.

— Sy est une belle fille. J'aimerais sortir avec elle, mais d'un autre côté, je ne voudrais pas que l'on se retrouve enchaînés l'un à l'autre.

— C'est toi qui as mis des graines de pain sur le beurre ! clama Jessianne.

Philippe jeta un œil furtif sur le beurrier.

— Pourquoi faut-il toujours que ce soit moi ? répliqua Philippe. Je ne suis pas le seul à manger du beurre.

— C'est rassurant de voir que ton passage évolutif entre l'ado et l'adulte se déroule si bien, intervint Frédéric pour les calmer.

— Évoluer ne m'intéresse pas vraiment papa, dit Philippe. C'est l'ego qui aime employer cette expression pour montrer qu'il avance dans la vie. Personnellement, je préfère grandir.

— Quelle différence cela fait-il, évoluer ou grandir ? Pour moi, c'est pareil !

— C'est là que tout le monde se trompe papa. Évoluer est équivalent à se conformer à tout ce que la société nous propose comme mode de vie, alors que…

— Nous ne pouvons nous dissocier de la société, Philippe, s'opposa Isabelle.

— Cela dépend des raisons pour lesquelles nous voulons le faire maman. Grandir est un signe de maturité intérieure. Nous devons grandir pour nous-mêmes, et non pour plaire aux autres ou pour bien paraître dans la société. J'ai la certitude qu'il y a au fond de nous un Être qui veut sortir de son donjon pour voir le jour. Et je soupçonne que cet Être est la partie la plus réelle de notre constitution.

Frédéric était tellement absorbé par ce que disait son fils qu'il cessa de mastiquer sa bouchée de lasagne. Ce fut la sonnerie du téléphone qui se chargea de le lui rappeler.

Madame Bibi accourut dans le vestibule décrocher le récepteur. Comme elle s'apprêtait à répondre, Philippe le lui enleva des mains.

— Salut Sy !

— Tu savais que c'était moi !

— Oui…

— Tu n'as pas changé d'idée pour ce soir.

— J'aurais préféré aller à la fête de la Saint-Jean avec toi et les autres, mais bon, je dois régler ce pari.

— Et si tu te faisais surprendre par la brigade verte ?

— Ça n'arrivera pas.

— Tu sembles sûr de toi.

— Ne t'inquiète pas pour moi. Tout se passera bien.

— On se reparle demain alors.

— D'accord. Fais attention à toi.

« Pourquoi me dit-il de faire attention à moi », se demanda Sy en raccrochant.

Au lieu de retourner dans la salle à manger, Philippe descendit au sous-sol fureter dans le placard où étaient rangés ses accessoires de camping. Il rassembla son matelas mousse, sa gourde et sa lampe diffusante, puis il alla les déposer dans la véranda avec son tout nouveau sac de couchage.

— N'oublie pas de prendre tes sandwichs avant de partir, l'avertit Madame Bibi qui sortit du frigo un sac de papier kraft.

— Tu as bien fait de me le dire. J'allais les oublier, dit-il.

— Tu sais, il vaut mieux en avoir trop que pas assez, déclara-t-elle.

— Bibi ! Tu en as fait pour un régiment ! s'exclama-t-il, lorsqu'il ouvrit le sac.

***

Philippe plaça méthodiquement tout son matériel dans son sac à dos et, à l'aide des sangles, y attacha solidement son matelas mousse et son sac de couchage. Juste avant de partir, il traversa à l'hôpital dire bonsoir à ses parents.

Depuis les dernières vingt-quatre heures, le personnel de l'hôpital se démenait avec une épidémie de coliques récurrentes chez les animaux domestiques. La salle d'attente était bondée de *clients canins* attendant leur tour pour se faire traiter.

— Je laisserai la porte déverrouillée cette nuit au cas où tu changerais d'idée et reviendrais dormir à la maison trésor, mentionna Isabelle.

— D'accord… Dis bonsoir à papa de ma part.

« Je suis chanceux », se dit-il, traversant la salle d'attente. « Elle n'a pas eu le temps de me faire la morale. »

Lorsqu'il sortit, Maya était assise sagement près de son sac attendant qu'il revienne.

— Tu es vraiment un bon chien, dit-il, lui caressant le dos.

Elle courut ramasser une de ses balles de tennis qui traînait dans l'herbe et revint la déposer fièrement devant lui.

— Désolé Maya. On la laisse ici.

Philippe souleva son sac à dos et l'installa sur lui de façon à se sentir à son aise. Puis ils partirent tous les deux vers le gîte touristique des Rosenthal qui se trouvait à environ un demi-kilomètre de là.

C'était une soirée où un croissant de lune éclairait faiblement le ciel. Philippe marcha en se laissant porter par ses réflexions.

« Il est de plus en plus difficile de contempler la Voie lactée avec toute cette pollution lumineuse. Et le pire est que personne ne semble se soucier de l'usage abusif que l'on fait de l'éclairage artificiel dans les villes. Il perturbe notre sommeil et dérègle notre système biologique. En plus, il prive la faune de l'élément essentiel dont elle a besoin pour se reproduire. Ça commence à ressembler à un beau gâchis… »

Philippe se faufila à travers les plates-bandes fleuries garnissant le domaine des Rosenthal et pénétra dans le Sentier du Ruisseau.

— Maya, tu ne dois pas japper, d'accord. Sinon, nous risquons d'avoir des problèmes avec la brigade verte et je vais me retrouver avec une amende à payer. Alors, tiens-toi-le pour dit et reste tranquille.

Il se pencha pour ramasser un bâton sur le sol et poursuivit sa marche, accompagné par les cris des ouaouarons qui égayaient la nuit.

« Je sais que c'est risqué, mais je ne verrai jamais le feu d'artifice à 22 heures si je ne me rends pas jusqu'au pain de sucre. Tant pis. Il arrivera ce qu'il arrivera, j'y vais… »

Deux kilomètres et demi le séparaient du gros rocher. Ce qui équivalait à un peu plus d'une heure de marche. Philippe arpentait les sentiers de la montagne depuis sa plus tendre enfance et les connaissait tous très bien. Pour lui, se rendre sur le sommet ne causait aucun problème, et ce, même dans la noirceur.

— Ne t'éloigne pas trop du sentier, chuchota-t-il à Maya qui ne cessait de disparaître et réapparaître quelques mètres plus loin, stimulée par toute l'activité nocturne qui fourmillait autour d'elle.

Philippe n'éprouva aucune peur à circuler seul dans la montagne. Bien au contraire, il se laissa imprégner par la tranquillité de cette riche et opulente réserve naturelle tout au long de la montée. Ce n'est qu'une fois rendu au sommet qu'il se demanda si c'était un coup du destin en sa faveur de ne pas avoir croisé d'agents de la brigade verte.

Il se débarrassa de son sac à dos et s'avança le plus près possible de la falaise pour contempler la vallée et les petites banlieues dispersées le long de la rivière.

— C'est ici qu'on va passer la nuit Maya, chuchota-t-il. J'adore cette sensation d'être en hauteur. C'est comme si la vie en bas était un autre monde.

Soudain, il entendit un bruit d'hélice qui se rapprochait. Il se dépêcha de ramasser son sac et s'engouffra dans la forêt avec Maya.

« C'est bizarre. Qu'est-ce qu'un hélicoptère de l'armée faisait sur la montagne à cette heure tardive ? »

Quelques secondes plus tard, des feux d'artifice commencèrent à éclater. C'était devenu une tradition au Mont-Saint-Hilaire qu'à l'occasion de la fête de la Saint-Jean-Baptiste des artificiers lancent des feux d'une plate-forme au centre de la rivière et offrent aux citoyens une féerie de scènes et de couleurs tout à fait époustouflantes.

— Viens Maya, retournons sur le rocher regarder les feux.

***

En bas, dans la vieille partie de la ville, on avait érigé un immense chapiteau à proximité de l'église et un groupe de musiciens avait été engagé pour divertir les centaines de personnes venues assister à la fête.

Tous les amis de Philippe s'y trouvaient, et particulièrement Vandal qui tournait autour de Sy comme un vautour. Disons qu'il la trouvait plus belle que jamais en cette chaude soirée de juin.

Ses cheveux noirs lustrés, courts sur la nuque et plus longs sur les côtés, mettaient en évidence le fond bleuté de ses yeux. Elle portait un chemisier de soie shantung rose corail que sa mère lui avait confectionné et un jean aux broderies chatoyantes qui mettaient en valeur sa silhouette. Un joli bracelet en pierres d'améthystes - cadeau de ses parents à son dernier anniversaire - glissait délicatement sur son bras au gré de ses mouvements.

— On ferait mieux de retourner sous le chapiteau avant que les meilleures places soient prises, clama Dan.

— Tu as raison, dit Nadya. La musique va recommencer bientôt.

Les ados se faufilèrent à travers la foule jusqu'à l'avant du chapiteau et essayèrent de trouver une table libre.

— Regardez, il y en a une là-bas, dit Nadya.

Ils se suivirent à la file indienne jusqu'à l'autre extrémité du chapiteau et s'installèrent à une table près de l'estrade. Dans sa hâte de s'asseoir près de Sy, Vandal bouscula Dan.

— As-tu peur que les chaises disparaissent ? maugréa-t-il.

— On se calme, répliqua Vandal.

— J'ai tellement soif, dit Sy en s'asseyant.

— Qu'est-ce que tu veux boire ? s'empressa de lui demander Vandal.

— Un thé glacé. Attends que je te donne de la monnaie…

— Ce n'est pas nécessaire, j'ai ce qu'il faut.

La partie semblait gagnée pour Vandal qui se rendit au comptoir des rafraîchissements commander un thé glacé et un énorme contenant de maïs soufflé au beurre.

Pendant ce temps, les musiciens montèrent sur l'estrade qu'on avait mise en place pour eux et vérifièrent leurs instruments avant d'amorcer la deuxième partie du spectacle.

— Comment les trouves-tu ? demanda Amélie à sa jumelle.

— Ordinaires, répondit-elle.

— La ville ne pouvait quand même pas se payer les frais d'un groupe rock à un demi-million de dollars, marmonna Jeanno. Elle n'est pas aussi riche que votre *paternel*.

— Va-t-il falloir qu'on te paie pour ne plus t'entendre, répliqua Meggie.

Les musiciens commencèrent à jouer un air juste au moment où Vandal revenait avec le thé glacé et le maïs. Il les déposa avec empressement sur la table et attrapa la main de Sy.

— Allez, viens, on va danser.

Sy ne montra aucune résistance à le suivre. Ils se frayèrent un chemin entre les danseurs jusqu'au centre de la piste et dansèrent au son d'une musique rock. Mais lorsque la chanson fut terminée et que Sy voulut retourner à la table, Vandal la retint par le bras.

— Laisse-moi reprendre mon souffle, dit-elle.

Sans lui laisser le temps de réagir, il mit son bras autour de sa taille et la pressa contre lui.

— Qu'est-ce qui te prend tout à coup ?

— Je te regarde depuis longtemps, Sy, mais je n'osais pas aller plus loin.

— Avant, cela m'aurait plu de te connaître davantage. Maintenant, c'est différent.

— J'éprouve des sentiments pour toi…

— Je suis désolée, Guillaume, mais n'y pense même pas. D'ailleurs, je te trouve mesquin. Tu t'es rendu compte que PeP s'intéresse à moi et tu profites de son absence pour essayer de m'avoir.

— Tu te trompes. C'est bien mal me connaître de parler de cette façon.

— Ah oui ! dit-elle malicieusement.

Vandal ne se découragea pas pour autant.

— J'aimerais danser encore avec toi, même si tu as l'air de me détester.

— Je n'ai jamais dit que je te détestais, j'ai dit qu'il était trop tard. Ce n'est pas la même chose.

— Je t'attendrai le temps qu'il faudra, Sy, lui murmura-t-il à l'oreille.

Les musiciens entamèrent une mélodie sentimentale. Ce qui permit à Vandal de l'entraîner dans la danse, car il mourait d'envie de la serrer contre lui.

— Je sais que PeP va finir par te décevoir, dit-il, resserrant ses bras autour de sa taille. Je sais aussi qu'il est prêt à tout pour obtenir ce qu'il veut. Fais attention de ne pas croire tout ce qu'il dit. Je me suis rendu compte qu'il était un manipulateur extrêmement doué.

Même si elle était bouleversée par les paroles de Vandal, Sy essaya de ne pas le laisser paraître.

***

Philippe s'était allongé par-dessus son sac de couchage, la tête appuyée contre son matelas mousse, et contemplait les étoiles. Après un certain temps, ses yeux commencèrent à s'alourdir et il ne fit aucun effort pour les garder ouverts.

« J'en apprendrais des choses si le rocher se mettait tout à coup à me raconter son odyssée du début de l'ère glaciaire jusqu'à aujourd'hui », se dit-il, avant de sombrer dans les bras de Morphée.

Tout à coup, il se réveilla en sursaut, incapable de dire combien de temps il avait dormi.

— Maya ! Où es-tu ? chuchota-t-il.

Elle accourut vers lui avec une brindille séchée entre les dents.

— Non Maya. On ne joue pas.

Il se leva et examina les alentours.

« Il se passe quelque chose d'anormal ici… »

Soudain, il entendit une voix qui semblait venir d'un écho lointain. Il regarda partout sur le rocher, mais ne vit rien.

— Je t'offre ma protection, mon frère, dit la voix. Mon peuple et moi avons traversé des milliards de lieues pour venir te rencontrer sur ce globe. Lorsque tu me verras, tu n'auras aucune peur.

Philippe se mit à tournoyer sur lui-même pour voir d'où venait cette voix, et là, quelque chose d'incroyable se produisit. Là, devant lui, une femme se matérialisa. Elle semblait jaillir d'un tableau surnaturel. Gracieuse et majestueuse à la fois, elle était comme une caresse céleste dans la brume nocturne. Autour d'elle se dégageait un rayonnement stellaire comme celui des étoiles, et son regard avait la transparence d'un zircon.

Philippe se sentit à la fois infiniment petit et infiniment grand devant elle. Sa présence le combla d'une joie profonde, car il sut à cet instant précis qu'elle était venue le rencontrer pour échanger avec lui.

— Je me prénomme Océane et je te demande de demeurer toi-même devant l'apparente infinitude de ma présence.

Philippe se frotta les yeux, croyant être victime d'une hallucination.

— Je n'ai pas un absolu besoin d'émettre des sons pour être entendue. Je n'ai qu'à m'adresser aux atomes et elles me répondent.

Il se passa alors une chose incroyable. Philippe se mit à percevoir la résonance vibratoire des minéraux et des végétaux qui emplissaient l'espace autour de lui. Les sons qu'ils dégageaient étaient semblables à une symphonie harmonique jouée par la forêt elle-même.

— C'est inouï, murmura-t-il. Jamais je ne me serais douté qu'un jour j'entendrais le langage de la nature.

Philippe épia du regard la voyageuse de l'espace qui devait mesurer environ un mètre quatre-vingts. Les courbes de sa tête et de son visage étaient d'une blancheur troublante. Ses yeux reflétaient une étincelante beauté. Et ses lèvres, fleurs de pêcher, semblaient avoir été dessinées au pinceau. Une longue chaînette argentée retenait une perle taillée en goutte d'eau sur sa poitrine. Quant à sa tenue vestimentaire, elle se résumait à un vêtement moulant bleu vénitien et à des bottillons azurés de matières très souples.

— Ton nom terrien est Philippe… Tu es né sur les collines du Zéphyr.

— Je ne connais pas cet endroit !

— Selon nos écrans cosmographiques, nous sommes ici sur une extrémité du passage du Zéphyr.

— Comment se fait-il que vous me connaissiez ?

— Tu es un frère de notre peuple.

— C'est impossible, bafouilla-t-il. Votre apparence est totalement différente de la mienne.

— Il existe des milliards de formes de vie dans les Univers qui n'ont pas la même apparence.

— Où se trouve votre peuple ?

Elle tendit le bras et pointa le ciel au-dessus d'eux.

— Vous voulez dire qu'il se trouve juste au-dessus de la montagne.

Philippe releva la tête, mais ne vit que les étoiles.

— Notre vaisseau est le plus grand laboratoire cosmique à voyager à travers les Univers. La dernière visite du peuple Érusa dans cette infime partie du Cosmos remonte à deux mille ans.

— Si vous êtes partis d'aussi loin pour venir visiter la Terre, c'est qu'il doit y avoir une raison majeure à votre déplacement ?

— De nombreux mobiles ont nécessité notre présence autour de cette planète. Tous les deux mille ans, nous venons vérifier la progression du mental de la race humaine. Pour nous rendre ici, il nous a fallu près de vingt-sept années de votre temps.

— Et depuis quand êtes-vous arrivés ?

— Depuis environ douze lunes.

— Où êtes-vous allés avant de venir ici ?

— Avant que notre vaisseau s'immobilise au-dessus du passage du Zéphyr, nous avons effectué des observations autour des cercles polaires pour vérifier l'état des *courants lithériques* de ce globe. Nos appareils télématiques enregistrent sans cesse des données sur les perturbations magnétiques que subissent tous les règnes de cette planète, y compris le règne humain.

— Vous semblez dire que cette montagne est l'extrémité d'un passage qui traverse la Terre.

— C'est exact.

— À quoi sert ce passage ?

— À maintenir en équilibre le noyau nucléaire qui alimente ce globe en énergie.

— Et ce noyau, j'imagine qu'il se trouve au centre de la Terre.

— Tu as bien déduit, mon frère.

— Vous savez, il y a toutes sortes d'histoires qui circulent à propos de cette montagne. Je ne sais pas si ce sont des légendes urbaines, mais j'ai entendu dire que des petits bonshommes verts circuleraient dans de longs tunnels sous les collines, et que parfois ils sortiraient et se montreraient aux gens.

— Ces créatures sont des lacertiliens. Ils se sont formés à la suite de la récupération de la négativité des humains par la Terre. Selon un principe universalisé de récupération énergétique, ces masses négatives ont contribué à créer des races intra-terriennes d'une certaine intelligence organisationnelle.

— Vous restez toujours debout comme cela…

— Je ne ressens ni la fatigue, ni la faim, ni les douleurs humaines.

— Est-ce que vous avez un âge ?

— J'existe depuis plusieurs mille ans.

— Qu'avez-vous à dire de la Terre après une aussi longue absence ?

— Les sciences de cette planète sont rétrogrades. Les humains ne savent pas se servir des énergies libres qu'ils ont à leur portée. Les fibres de leur corps sont faibles et sans résistance.

— Ce n'est pas un constat très encourageant, dit Philippe.

Maya était d'un calme absolu. Elle s'était paisiblement couchée au pied de son maître. Même sa respiration semblait au ralenti.

— Dans les temps à venir, mon frère, tu devras informer les humains que nul mystère n'est à la base de la constitution des sept Univers qui forment le Cosmos.

« Quelle étrange nuit », se dit Philippe, incapable de s'expliquer la sublimité dans lequel il se trouvait.

Océane se tenait bien droite et ne bougeait pas.

— Êtes-vous réelle ?

— Je suis une projection holographique.

— Vous vous trouvez donc à deux endroits à la fois.

— Tu as bien déduit, mon frère.

— J'aime votre nom.

— Il est associé à la planète bleue.

— La planète bleue… On la nomme ainsi parce qu'elle est recouverte d'eau, commenta-t-il.

Philippe était submergé par une sensation de légèreté.

— Moi qui me croyais seul au monde…

— Tu te croyais seul et tu ne l'étais pas, mon frère.

— Je sens que nous allons vivre de grands bouleversements sur notre planète. Je ne peux dire ce que c'est, mais vous pouvez certainement m'en parler.

— Les humains sont enlisés dans une survie terrestre, parce qu'ils sont coupés de leur réalité et qu'ils ne le savent pas. C'est une situation jugée critique par notre peuple. Tant que perdurera ce contexte retardataire, ils ne pourront passer de l'état d'humain à celui d'Homme-Esprit.

— Quelle différence cela fait-il d'être humain ou Homme-Esprit ?

— Les humains sont fortement influencés par des mondes d'une autre dimension évoluant parallèlement au leur. Les Hommes-Esprit seront ceux qui auront accès, par le biais de la télépathie, à une science qui n'aura pas été contaminée par ces mondes.

— Qu'est-ce qui va permettre que le contexte retardataire se termine ?

Les yeux de la voyageuse de l'espace brillaient dans la nuit comme des pierres d'une grande pureté. Son regard devint si intense que Philippe en ressentit les effets dans tout son corps.

C'est toi qui vas le permettre.

Philippe eut le souffle coupé. Il dut respirer longuement une bouffée d'air frais pour se remettre de son choc.

— Je m'explique, dit-elle. Après que la vie soit apparue sur cette planète, tu as été mandaté par la Régence érusienne de la surveillance des mutations génétiques qui se produiraient sur la race humaine. Des siècles plus tard, tu as signé un pacte devant le tribunal d'Érusa, par lequel tu t'es engagé dans une cause dont les répercussions seraient ressenties à travers tout le Cosmos. Tu as accepté de t'incarner à trois reprises afin que s'accomplisse l'œuvre du Verbe sur cette planète. Ta première incarnation a eu lieu il y a quatre mille ans. Elle t'a permis d'engendrer des cellules humaines et de vivre ta première expérience dans un corps physique. Ta deuxième incarnation a eu lieu il y a deux mille ans. Elle t'a permis d'implanter l'élément vibratoire qui te servirait lors de ta troisième incarnation.

— Comment se fait-il que je n'aie aucune mémoire de cela ?

— Tout a été volontairement effacé de ta mémoire.

— Et que va-t-il se passer maintenant que j'en suis à ma troisième incarnation ?

— Tu n'as pas à te préoccuper de ce qui va se passer. Tous les éléments dont tu auras besoin dans ta vie actuelle se présenteront à toi au moment opportun. Le temps de l'accomplissement est arrivé. Et c'est par le souffle de ta bouche que le Verbe traversera les océans et se répandra sur tous les continents de cette planète. Ceux qui portent le sceau de l'élément que tu as implanté sur Terre il y a deux mille ans le reconnaîtront. Nombreux seront ceux autour de toi qui croiront être des Hommes-Esprit, mais peu auront la capacité d'intégrer à leurs cellules la science dont tu es porteur. Tu devras les laisser dans leur innocence, car il ne servira à rien de vouloir les récupérer. À ceux qui écouteront ta parole, il te faudra leur parler des trois Principes.

Philippe était consterné par ce qui lui arrivait. Sa vie venait de basculer dans un univers inconnu en l'espace de quelques minutes.

— Laisse-moi t'expliquer ce que sont les Principes, poursuivit la voyageuse de l'espace. À la base du fondement de chacun des sept super Univers formant le Cosmos, il y a un Aleph. Chacun de ces sept Alephs est le représentant d'un Principe, dont trois ont été dévoilés aux humains. Si le cours évolutif de l'histoire des humains a été modifié, c'est parce qu'ils ont confondu le Principe de la Volonté à la volonté née de leur orgueil et du pouvoir qu'ils exercent sur la matière; qu'ils ont associé le Principe de l'Intelligence à des notions intellectuelles; et qu'ils ont rallié le Principe de l'Amour à des perceptions sentimentales.

— Vous dites que le Cosmos est composé de sept super Univers. À quel niveau se situe le peuple d'Érusa parmi tous les autres peuples qui existent dans ces Univers ?

— La hiérarchie à l'intérieur du Cosmos est composée de mortels, d'immortels et d'éternels. Nous sommes un peuple d'immortels. Ce qui veut dire que nous ne mourons pas de maladies ou de vieillesse comme les mortels. Notre plus grande frayeur est de mourir des suites d'un écrasement.

***

Les musiciens annoncèrent qu'ils joueraient quelques chansons rétro pour terminer la soirée en beauté.

Guillaume Vandal n'avait pas cessé de tourner autour de Sy. Il semblait évident qu'il voulait profiter au maximum de l'absence de Philippe pour la convaincre de ses intentions. Et il y était presque parvenu, car elle commençait à lui trouver des qualités qu'il n'avait pas quelques heures auparavant.

Dan, appuyé sur le coin d'une table, roulait des yeux furibonds vers lui pendant qu'il dansait avec Sy.

« Quel crétin ce Vandal ! Ils sont collés l'un sur l'autre comme dans une boîte de sardines. »

La colère monta en lui et il fonça vers eux.

— Excuse-moi, Guillaume… Je vais te remplacer, dit-il, saisissant la main de Sy pour l'obliger à le suivre.

Il lui entoura l'épaule et la regarda droit dans les yeux.

— Qu'est-ce qui ne va pas Sy ? Je croyais qu'il s'était passé quelque chose entre toi et PeP aujourd'hui.

Le cœur de Sy se gonfla et elle se mit à pleurer.

— Le problème, c'est que je ne sais plus quoi penser. Il ne veut pas sortir avec moi.

Dan fit de son mieux pour la consoler.

— Je sais que PeP n'est pas toujours facile à suivre, mais je suis convaincu que tu es celle qu'il préfère à toutes les autres filles.

Des larmes sillonnaient les joues de Sy.

— Viens, allons marcher près de la rivière.

Lorsqu'ils passèrent devant le comptoir des rafraîchissements, Dan attrapa quelques serviettes de papier qu'il tendit à Sy pour essuyer ses larmes.

— Est-ce que ça va mieux maintenant ?

Dan regretta sa question, car Sy se remit à pleurer de plus belle.

— Je crois que tu t'en fais pour rien, Sy. Tout va s'arranger, tu verras. PeP est le meilleur gars que je connaisse, même s'il me fait sortir de mes gonds de temps en temps. Et tu veux que je te dise, je crois que Vandal est jaloux. Il aimerait avoir la même débilité que lui, mais ça ne se peut pas. Jamais il ne pourra l'égaler en rien.

— Je me demande si PeP s'est rendu compte de la place qu'il occupe dans mon cœur, dit Sy en se mouchant.

— Il le sait. J'en suis certain. PeP nous connaît mieux que nous nous connaissons nous-mêmes. Il est vrai que ce qu'il dit n'est pas toujours compréhensible, surtout quand il se met à parler en paraboles. Mais on parvient toujours à comprendre le sens de ses paroles à un moment où à un autre.

— J'ai parfois de la difficulté à accepter ses opinions.

— Bof, on finit par s'y faire, dit Dan, retournant sa casquette dans l'autre sens.

— Je me suis sentie rejetée cet après-midi, et je lui en ai voulu pour cela. J'ai même souhaité qu'un autre garçon s'intéresse à moi.

— Tiens, tiens, tu mijotais une petite vengeance, ricana-t-il.

Comme la fête achevait, Dan lui proposa de retourner sous le chapiteau se joindre à leurs amis. Sy alla retrouver Catherine et les jumelles sur la piste de danse, pendant que Dan retourna s'asseoir à la table avec les autres gars.

— Depuis quand es-tu le chien de garde de Prince ? lança brusquement Vandal de l'autre bout de la table.

Dan lui piqua un clin d'œil.

— Depuis quand t'en es-tu aperçu ? dit-il pour se moquer de lui.

Insulté, Vandal quitta la table et s'en alla vers la piste de danse en se disant que ce merdeux de Dan ne rirait pas de lui deux fois.

Sy s'excusa auprès de Catherine et des jumelles et alla le rejoindre.

— Je suis désolée, Guillaume, mais je crois qu'il serait mieux de terminer la soirée chacun de son côté.

— Une dernière danse alors !

Ça ne pouvait mieux tomber, car le chanteur du groupe venait d'annoncer le titre de la prochaine chanson : une balade sentimentale des années cinquante. Comme il avait très envie de danser avec elle, il l'empoigna et l'attira à lui avant qu'elle n'ait le temps de réagir. Après la danse, ils allèrent s'asseoir un peu à l'écart pour discuter.

— Sy, dis-moi franchement si PeP t'intéresse ?

Sy refusa de répondre et resta silencieuse.

— Ce n'est pas pour le diminuer, mais je suis certain qu'il n'ira pas très loin dans la vie.

— Qu'est-ce qui te fait croire cela ?

— Ses résultats au collège. Il ne semble pas s'en soucier plus qu'il le faut.

— Il est vrai que les études ne sont pas ce qui l'intéresse le plus.

— Moi, je serais incapable de vivre sans ambition. D'ailleurs, j'ai l'intention de me diriger en ingénierie, parce que c'est un métier payant. Je veux pouvoir m'offrir tout ce qui me plaira : une voiture sport, de beaux vêtements, des voyages. Tout, quoi !

Les petits yeux bridés de Sy étaient pleins de tristesse. Elle aurait tellement souhaité passer une soirée un peu plus différente de celle qu'elle venait de vivre.

— C'est bien comme projets…

— Et toi, qu'as-tu l'intention de faire plus tard ?

— Il se peut que j'enseigne le Taï Chi comme mon père.

Avant qu'elle réalise ce qui se passait, les lèvres de Vandal se posèrent sur les siennes. Elle le repoussa sur-le-champ.

— N'insiste pas, Guillaume.

— Tu aurais préféré que ce soit Philippe Prince qui t'embrasse, s'indigna-t-il.

— Non, Guillaume. Je ne sais plus où j'en suis, c'est tout. Écoute, je me suis trompée à ton sujet. J'ai réalisé ce soir que tu n'étais pas celui que je croyais.

— PeP a peut-être de grandes qualités d'orateur, mais cela ne veut pas dire qu'il soit performant à d'autres niveaux. Il ne cesse de prêcher l'importance du moment présent. Mais crois-tu vraiment que l'on puisse se bâtir quelque chose de solide dans la vie en s'occupant seulement de notre moment présent ?

— J'admets que PeP ne sait pas trop ce qu'il va faire demain, et encore moins ce qu'il fera la semaine prochaine ! soupira-t-elle.

— Je n'attends qu'un signe de toi, Sy.

Un certain malaise qui se nomme l'indécision était en train de naître dans le cœur de Sy.

— Est-ce que tu me permets de te poser une question indiscrète ? demanda Vandal.

Sy souleva les sourcils.

— Est-ce que tu as déjà fait l'amour ?

Sur le coup, elle n'osa pas répondre.

— Si je me fie à ta réaction, ça ne t'est pas encore arrivé. Moi non plus tu sais. J'attends de vivre une grande passion avec une fille pour le faire.

— Personne ne me touchera si je ne ressens pas d'amour. Ce ne sont certainement pas mes fesses qui vont servir d'attraction aux gars. Et ne va pas croire que je sois sainte nitouche pour cela !

— Hé ! Ne me regarde pas avec ces yeux-là, tu vas me faire sentir coupable. Dis-moi plutôt quand tu me donneras ta réponse, demanda Vandal.

— Je n'en sais rien, Guillaume.

— D'accord, je serai patient.

L'orchestre s'était tu et les centaines de personnes venues assister à la fête de la Saint-Jean-Baptiste se dispersaient lentement dans les rues environnantes. De leur côté, les jumelles regardaient partout pour trouver Sy. Ce fut finalement Meggie qui la repéra.

— Qu'est-ce que tu poireautes ? Je viens tout juste de parler à ma mère sur mon cellulaire. Elle est garée pas très loin d'ici. Nous allons nous faire gronder si nous la laissons attendre trop longtemps.

Sy ramassa son sac à main sur la table et partit avec les jumelles sans même dire bonsoir à Vandal.

« Elle me rend complètement dingue cette fille… », pensa-t-il, la regardant s'éloigner.

**

Sur le rocher, au sommet de la montagne, Philippe conversait avec la voyageuse de l'espace.

— Parlez-moi de votre vaisseau ?

— La Jérusalem Céleste est le plus grand laboratoire à voyager dans le Cosmos. Multiplie par deux cents la dimension des collines du Zéphyr et tu sauras combien est vaste notre vaisseau. Les Érusiens ne sont pas un peuple engagé dans la domination comme certains autres peuples de l'espace qui s'adonnent à des expériences abusives sur les humains et les animaux.

— Si je partais avec vous, est-ce que je verrais des planètes comme la mienne ?

— Il n'y en a pas qui soient habitées par des formes de vie semblables à la tienne. La planète bleue est un lieu primitif où règne un esprit excessivement grégaire sur les populations qui l'habitent. Il nous apparaît que des êtres de bon sens ne voudraient pas y demeurer, car tout n'y est que division et pouvoir.

Il y eut un silence momentané.

— Quand allez-vous repartir ?

— Après le grand avènement.

— De quel avènement parlez-vous ? demanda Philippe.

— Il est su que cette planète subira une inversion de ses pôles magnétiques. Cela aura pour effet de la décontaminer des mémoires qu'elle a accumulées au cours des cycles qu'elle a traversés. Elle entrera ensuite dans une ère de grandes métamorphoses et se préparera à accueillir les futurs Hommes-Esprit qui la repeupleront. Cette planète est la seule, parmi les sept Univers, où il sera possible aux Hommes-Esprit d'habiter la matière dans sa totalité. Cet avènement sera le plus grandiose à se produire dans le Cosmos depuis les temps immémoriaux.

Cette déclaration provoqua à l'intérieur de Philippe une si forte émotion qu'il en fut ébranlé jusque dans les abysses les plus profonds de son être. Il ne présenta aucune résistance lorsque la voyageuse de l'espace prit sa main et la posa sur son cœur.

— Mon frère, il est temps de laisser l'œuvre du Verbe s'accomplir afin que le genre humain soit libéré de son oppression et de sa déchéance.

Une anxiété apparut dans le regard de Philippe.

— Tu n'as pas à t'inquiéter, le rassura-t-elle. Aucun des pouvoirs auxquels tu auras à faire face ne réussira à t'ébranler.

Les yeux de zircon de la voyageuse de l'espace reluisaient dans la nuit comme s'ils avaient été exposés au soleil, et son vêtement laissait filtrer une faible luminosité autour d'elle.

Elle annonça à Philippe que le moment était venu pour lui de faire une brève exploration des mondes astraux évoluant parallèlement à la planète bleue.

— Est-ce que nous irons dans votre vaisseau pour cela ?

— Ce n'est pas nécessaire, mon frère.

Philippe frissonna d'émotion.

— Pour avoir un aperçu de ce à quoi ressemblent ces mondes d'une autre dimension, imagine-les comme une immense tour de soixante-quatorze étages divisée en deux sections : les hautes et les basses astrales.

— Soixante-quatorze étages ! s'étonna Philippe.

— Les humains ont fait de ces mondes leur mystère et ils se leurrent en agissant ainsi. Seule leur ignorance est à la base de cette croyance.

Philippe avait toujours refusé de croire aux mythes du Ciel et de l'Enfer. Il était sur le point de découvrir pourquoi.

Nous commencerons notre visite par la Chambre des akkashiques. Tu pourras ainsi voir se dérouler devant toi quelques pages de ta vie sur un écran de visualisation à trois dimensions. C'est là que la mémoire du passé, du présent et du futur de chaque âme est entreposée. Est-ce que tu es prêt ?

— Oui. Allons-y…

— Ne sois pas inquiet pour ton animal. Il attendra paisiblement ton retour.

— Je ne sais pas ce que vous lui avez fait. Elle n'est pas dans son état normal.

La voyageuse de l'espace prit dans sa main droite la perle taillée en goutte d'eau qui ornait sa poitrine. Sous le regard étonné de Philippe, elle s'ouvrit d'elle-même dans un mouvement giratoire. Avec ses longs doigts effilés, elle sortit trois minuscules pierres de la perle et les déposa dans sa main. Puis la perle se referma d'elle-même et elle la replaça sur sa poitrine.

Elle garda deux pierres dans sa main gauche et une dans sa main droite. Ensuite, elle tourna le dos à Philippe et éleva la paume de sa main droite au-dessus de sa tête. Lorsqu'elle l'abaissa, la pierre demeura suspendue dans le vide et se mit à reluire comme un saphir. Elle remit une pierre dans la paume de sa main droite et éleva ses bras de chaque côté d'elle jusqu'à hauteur des épaules. Lorsqu'elle les abaissa, les pierres demeurèrent suspendues dans le vide et se multiplièrent par centaines. Elles formèrent une arche à l'intérieur de laquelle apparut une épaisse brume blanchâtre.

Philippe était totalement ébloui par ce qu'il voyait.

— C'est le moment de franchir l'arche intemporelle, mon frère.

La voyageuse de l'espace traversa la première. Philippe la suivit. Lorsqu'il se retrouva de l'autre côté de l'arche, sa vision s'embrouilla momentanément. Il plissa les yeux pour essayer de discerner quelque chose autour de lui.

— Je suis devant toi, mon frère.

Après quelques secondes, ses yeux s'habituèrent à la luminosité qui emplissait l'espace où il se trouvait et l'effet de vertige qu'il avait ressenti se calma.

— Ne te laisse pas éblouir par le rayonnement de cette lumière. Elle est trompeuse.

— Où sommes-nous ?

— Dans les hautes astrales.

Philippe avait beau regarder autour de lui, tout semblait baigner dans une torpeur silencieuse. Des âmes à l'apparence humaine et au regard fuyant déambulaient comme des ombres à l'intérieur de quatre galeries positionnées dans le même sens que les points cardinaux. Seuls un écran géant de visualisation et une table cristalline soutenue par deux appuis de forme pyramidale occupaient l'espace.

— Je sais enfin à quoi ressemble l'au-delà, dit Philippe.

— Tu vas te rendre compte que les astrales ne sont pas ce qu'en croient les humains, mon frère.

Philippe trouva en effet que l'endroit semblait dissimulé de la facticité et ne s'y sentit pas vraiment à son aise.

La voyageuse de l'espace invita Philippe à appuyer ses mains sur la table cristalline se trouvant non loin de l'écran. Elle lui expliqua que cette table était un capteur d'identification. Aussitôt qu'il appuya ses mains dessus, une image défila devant lui. Ce qu'il vit lui rappela une lointaine période ressemblant à celle de la Grèce antique. Un jeune garçon, âgé d'environ six ans, s'amusait avec d'autres enfants dans un village jalonnant une montagne entourée par la mer, pendant qu'un groupe de femmes s'affairait autour d'un puits. Philippe fut intrigué par une tache bleuâtre sur la gorge de l'enfant.

— C'est toi, dit-elle.

L'image suivante lui montra un bébé, avec pour seul vêtement sa couche jetable, jouant dans un carré de sable sous le regard attentionné de sa mère. Philippe reconnut la montagne et les pommiers derrière la maison. Nul doute que c'était chez lui. Il remarqua la même tache bleuâtre sur la gorge du bébé.

Une autre image défila sur l'écran. Cette fois, Philippe était seul dans une petite pièce circulaire, étendu sur une chaise de repos inclinée. Ses vêtements, ses baskets et même sa chaînette en or avaient été rangés dans une boîte en verre octogonale sous la chaise. Il portait un vêtement moulant vert eucalyptus mettant en évidence sa physionomie, et sa tête était dénudée comme celle d'Océane.

— Est-ce que je vais perdre mes cheveux ? s'inquiéta-t-il.

— Le port des cheveux est inadéquat dans notre vaisseau, mon frère, dit-elle.

Malgré ce qu'il venait de voir sur l'écran, Philippe ne la questionna pas outre mesure. Il lui sembla que ce n'était pas le bon moment.

— Où allons-nous maintenant ?

— Rendre visite au gardien des grottes.

— Ça ressemble à un véritable labyrinthe ici. Comment allons-nous nous y retrouver ?

— Suis-moi et ne t'inquiète de rien, mon frère.

Pendant qu'ils marchaient dans la galerie nord, la voyageuse de l'espace avoua à Philippe que ses frères érusiens avaient beaucoup d'admiration pour lui et pour le rôle qu'il avait accepté de jouer sur la planète bleue.

— Les humains ne savent pas utiliser le Verbe comme un outil créatif de transmission énergétique, ajouta-t-elle, lorsqu'ils bifurquèrent dans une galerie secondaire. Ils ne savent pas que le Verbe peut activer une turbine capable de propulser de l'énergie hors de leur temps.

Ils s'arrêtèrent devant deux larges portes métalliques qui s'ouvrirent sur une cage semblant servir d'ascenseur.

— Suis-moi, mon frère. C'est par ce moyen que nous allons nous rendre aux grottes, dit-elle, voyant qu'il hésitait.

À mesure que l'ascenseur s'élevait, un afficheur indiquait les numéros des étages.

— Est-il vraiment nécessaire d'aller à cet endroit ? demanda Philippe.

— Tout se passera bien, mon frère.

— Je me sens si loin de chez moi en ce moment.

Un tressaillement parcourut Philippe de la tête aux pieds lorsqu'il sortit de l'ascenseur. Personne n'aurait pu dire si c'était vraiment la nuit, car il n'y avait pas de voûte céleste, ni d'étoiles, ni de lune. Rien que des centaines de lueurs qui dansaient à l'entrée des grottes.

— Comme cet endroit est austère, mentionna-t-il.

Lorsque les yeux de Philippe s'habituèrent à la pénombre, il vit que le sol était recouvert de cailloux et ne reconnut aucune trace de végétation autour de lui. Il calcula que la falaise devait se trouver à une trentaine de mètres d'eux.

Un vieil homme se présenta à l'entrée d'une grotte et leur fit signe de venir le rejoindre. Ils s'avancèrent jusqu'aux étroites marches taillées dans la pierre de la falaise se trouvant devant eux, et entamèrent la montée vers le centre de l'escarpement.

— Océane…

— Sois paisible, dit-elle.

Lorsqu'ils eurent atteint le centre de la falaise, ils longèrent un passage escarpé s'échelonnant devant des grottes faiblement éclairées.

— C'est tout de même surprenant, chuchota Philippe. Il y a des centaines d'âmes ici, et pas une seule ne se montre.

— Elles sont plongées dans un demi-sommeil qui estompe leurs mémoires avant qu'elles se réincarnent.

— Elles ne peuvent donc savoir d'où elles viennent, s'indigna Philippe.

La voyageuse de l'espace s'immobilisa.

— Nous y sommes, annonça-t-elle.

Des lueurs de bougies flamboyaient sur les parois de la grotte du vieil homme qui devait mesurer cinq mètres de profondeur par trois mètres de largeur. Il se tenait debout, appuyé sur une canne sculptée dans l'ivoire, et fixait les visiteurs. Ses cheveux noirs, allongés jusqu'au milieu du dos, reluisaient sur sa longue tunique rouge.

— Qui êtes-vous, visiteurs ? demanda-t-il.

— Je suis Océane, et voici mon frère Philippe.

— Je vous offre mes nobles salutations, dit-il.

— C'est un honneur de vous rencontrer, dit-elle, abaissant ses paupières.

— Pourquoi êtes-vous venus jusqu'ici ? demanda-t-il, leur indiquant le banc qui entourait sa table de marbre.

— Nous sommes ici parce que nous voulons vous entendre parler du processus de fonctionnement des âmes humaines, dit la voyageuse de l'espace, pendant que Philippe s'assoyait sur le banc.

Après un moment de silence, le vieil homme parla.

— En fait, je suis le gardien de ces grottes depuis si longtemps que je ne sais plus depuis combien de siècles cela dure. Je veille sur les âmes qui sommeillent dans ces grottes jusqu'à ce qu'elles soient prêtes à réintégrer un corps physique. On envoie ici que des âmes révoltées : c'est-à-dire toutes celles qui se sont soulevées contre le système hiérarchisé des astrales et qui ont refusé de se soustraire aux conditions limitatives qui leur étaient imposées.

— Donc, ce n'est qu'un petit nombre d'âmes qui viennent séjourner ici, dit Philippe.

— Tout à fait, affirma le vieil homme. Il y aura de plus en plus d'âmes révoltées qui s'incarneront bientôt sur Terre. Ce sont des âmes qui ne se laissent pas facilement impressionner et qui se font remarquer dès leur enfance par leurs propos empreints de maturité. En général, elles sont de grandes têtes chercheuses qui ne cessent jamais de surprendre leur entourage.

Des gouttes d'eau éclaboussèrent le front de Philippe. Il les essuya du revers de la main.

— Je suis moi-même une âme révoltée, poursuivit-il. C'est d'ailleurs pour cette raison que j'ai été affecté à ces grottes. Il est évident que les âmes ne pourront faire de grands pas en avant sans une rébellion dans les astrales.

Il y eut un silence, puis le vieil homme continua de parler.

— Nous en sommes au point où notre sort repose entre les mains des âmes qui auront le courage de faire partie de la rébellion. Les astrales sont remplies de faussetés, et tant que les âmes continueront à croire qu'elles sont un lieu de vérité, elles en seront les otages.

Philippe reconnut dans la voix du vieil homme une immense lassitude.

— Dans quel état sont les âmes lorsqu'elles quittent leur corps physique et reviennent séjourner dans les astrales ? demanda Philippe.

— Cela dépend de chacune d'elles, dit le vieil homme. Elles reviennent soit dans un état de béatitude, soit dans un état de solitude.

— Que voulez-vous dire ? demanda Philippe.

— Lorsqu'une âme quitte son corps dans un état de béatitude, elle est assurée de revoir les êtres chers qu'elle a aimés et côtoyés durant son incarnation. Si elle quitte son corps dans un état de solitude, elle va sombrer dans une grande tristesse.

— Je comprends maintenant d'où vient l'expression : « J'ai l'âme triste à mourir », dit Philippe.

— Ce qui me fait vivre de grandes colères, dit le vieil homme, c'est de voir la supercherie dont se jouent les âmes entre elles. Celles qui sont dans les astrales influencent celles qui sont en incarnation sur Terre à tous les niveaux en se servant de leurs pensées.

— Si les gens sur Terre savaient cela, ils n'en reviendraient tout simplement pas.

Debout, les paupières immobiles, la voyageuse de l'espace écoutait la conversation de manière flegmatique. Cette rencontre entre trois êtres de dimensions différentes était un événement sans précédent, puisqu'il était en train de créer une fissure dans l'étanchéité des mondes astraux.

Le vieil homme marcha le long des parois de sa grotte en s'appuyant sur sa canne.

— Quelque part, entre les hautes et les basses astrales, existe un endroit qui se nomme *Les Jardins Enchantés*, dit-il. J'y suis allé une fois. Des milliers d'arbres de cristal poussent dans ces jardins. Ils ont une fonction bien particulière, car ils servent de réceptacle aux pensées des âmes humaines qui, une fois recyclées, sont retournées à la Terre sous de nouvelles apparences.

— Voilà donc l'origine de la pensée, murmura Philippe en soupirant.

— Selon nos archives, la fréquence vibratoire des astrales se classe au dernier rang des formes de vie existant dans les Univers, ajouta la voyageuse de l'espace. C'est pourquoi elles sont appelées à disparaître un jour.

— Est-ce que les âmes souffrent ici ? demanda Philippe.

— Comme nous n'avons pas de corps physique, nous sommes absous des souffrances physiques, mais ceci ne veut pas dire que nous soyons exempts des souffrances morales.

Le vieil homme se rapprocha de Philippe et posa une main sur son épaule.

— De grandes transformations vont s'opérer en toi sous peu, dit-il. J'entends le son de ta voix qui transperce les astrales et fait frémir les âmes.

Sur ces paroles du vieil homme, la voyageuse de l'espace annonça qu'il était temps de retourner sur le rocher, avant que Philippe ne soit trop affaibli. Celui-ci s'était d'ailleurs aperçu que son énergie déclinait rapidement.

Le vieil homme les suivit du regard jusqu'à ce que les portes de la cage servant d'ascenseur se referment. Pendant qu'ils déambulaient dans les galeries, la voyageuse de l'espace raconta à Philippe que des rivières de soufre coulaient dans les basses astrales, et que de petites communautés d'âmes y séjournaient en attendant d'être délivrées de leur plus grande souffrance : la noirceur.

Philippe traversa l'arche intemporelle le premier, heureux de remettre les pieds sur le pain de sucre et revoir Maya qui l'attendait couchée sagement près de son sac à dos. Puis ce fut au tour de la voyageuse de l'espace à réapparaître derrière lui.

— Il aurait été imprudent de rester plus longtemps dans les astrales, dit-elle. Ton énergie décroissait rapidement.

— Cela me bouleverse d'apprendre jusqu'à quel point les habitants de ma planète sont enfoncés dans la survie. Personne ne sait ce qui se passe dans sa tête; personne ne connaît le fonctionnement de la pensée; personne ne sait d'où il vient et où il ira en quittant son corps physique. Personne ne sait rien à rien ! s'exclama-t-il.

— Je comprends ta révolte, mon frère.

— Tout le monde vit dans un énorme mensonge sans le savoir, murmura Philippe. Je trouve cela ignoble et injuste.

La voyageuse de l'espace attendit qu'il s'apaise et lui dit qu'elle avait un moyen de renouveler son énergie.

Elle s'empara de sa perle taillée en goutte d'eau et la regarda s'ouvrir d'elle-même. Puis elle sortit de la perle une minuscule pierre qu'elle alla déposer dans le creux de la main de Philippe.

— Les éléments moléculaires de ce diamant ont un pouvoir de dispersion très élevé qui va te permettre de refaire ton énergie. Étends-toi sur le rocher et ferme les yeux, demanda-t-elle.

Quelques secondes plus tard, il commença à se produire à l'intérieur de Philippe un extraordinaire phénomène. Il vit les cellules de son corps s'éloigner les unes des autres dans un mouvement harmonieux et prendre l'apparence des astres qu'il observait dans le ciel la nuit. La beauté de cette vision tout à fait grandiose lui permit de réaliser que chacune de ses cellules avait sa propre identité et brillait comme une étoile. La voyageuse de l'espace venait de lui offrir la possibilité de contempler son corps physique comme un petit univers en soi.

Elle le laissa vivre ce moment d'extase en demeurant placide devant lui. Lorsqu'il ouvrit les yeux, elle lui demanda si cela lui avait plu et remit le diamant dans la perle.

— C'était... c'était à couper le souffle, balbutia-t-il.

— Grâce à ce diamant, ton énergie a pu se renouveler entièrement, mon frère.

Philippe se mit soudainement à pleurer sans pouvoir s'arrêter.

— Je ne sais pas ce qui m'arrive, dit-il. J'ai tellement de peine en pensant que vous allez retourner dans votre vaisseau et que je vais me retrouver seul.

— Sache que nous ne laissons aucun de nos frères dans l'isolement.

— Est-ce que tu es prêt à repartir ?

— Nous retournons dans les astrales !

— Nous irons dans une dimension plus élevée que les astrales, dit la voyageuse de l'espace. L'espace-temps des ajusteurs de la pensée n'a aucune similitude avec celui des astrales.

Philippe ne cessait d'admirer sa beauté. Il était émerveillé par son allure androgyne et sa gracieuse démarche qui le ravissait comme jamais rien auparavant n'avait réussi à le faire.

— Si quelqu'un de la brigade verte montait sur le pain de sucre pendant notre absence, est-ce qu'il verrait l'arche intemporelle ?

— Les yeux des humains ne peuvent la discerner.

— Tant mieux, dit-il, rassuré.

— Je traverse la première, dit-elle.

Philippe suivit Océane à travers la brume blanchâtre de l'arche intemporelle et sentit la présence d'une énergie qui semblait se déplacer en circonvolution autour de lui.

— Je me sens bien dans cet endroit. C'est tellement différent des astrales.

En plein centre de l'espace se trouvaient une table ovale et deux bancs de verre irisé qui se maintenaient par eux-mêmes dans le vide.

— Est-ce que vous allez me dire pourquoi je suis ici ? demanda Philippe.

— Pour rencontrer ton ajusteur de la pensée. Il se présentera à toi lorsque tu seras assis à cette table.

Philippe alla s'asseoir sur le banc et attendit qu'il se passe quelque chose. Soudain, l'énergie se transforma en un tourbillon de vent qui prit graduellement la forme d'une personne humaine. Sous le coup de la stupéfaction, Philippe se tourna vers la voyageuse de l'espace.

— C'est mon sosie ! s'exclama-t-il. Personne ne m'avait dit que j'avais un sosie dans une autre dimension.

— Tous les humains ont un ajusteur de la pensée, dit-elle.

Philippe eut beau examiner celui qui était assis devant lui, rien ne venait contredire l'évidence qu'il était face à lui-même. La couleur de ses cheveux, le vert perçant de ses yeux, son âge, ses vêtements, tout était identiquement pareil.

— Te rencontrer est un incomparable privilège, dit le sosie.

— Jamais je n'aurais cru qu'un jour je me trouverais devant mon miroir, murmura Philippe, ému aux larmes.

Le sosie observait les moindres gestes de Philippe.

— Sois le bienvenu chez moi, dit-il. Je suis ton ajusteur de la pensée et nous formons un tout malgré que nous soyons de dimensions différentes.

Philippe avait peine à croire qu'il était en train de converser avec une partie de lui qu'il méconnaissait.

— Pourquoi sommes-nous séparés au lieu d'être unis ? demanda Philippe.

— Parce que le temps de la réunification n'est pas arrivé, répondit-il.

Le sosie resta silencieux un moment avant de s'adresser à nouveau à Philippe.

— Je connais tout de toi. Ton passé, ton présent et ton futur. Tu es venu me rencontrer pour apprendre qu'une partie de toi existe ailleurs et découvrir pourquoi il en est ainsi.

— Je t'écoute, dit Philippe impressionné par l'assurance de son sosie.

— Tout d'abord, je dois t'informer qu'il est présentement impossible pour un ajusteur de la pensée d'entrer en communication télépathique avec son canal sur Terre.

— Si je comprends bien, chaque individu a son propre ajusteur de la pensée qui attend d'entrer en communication avec lui.

— Tout à fait, dit le sosie. Les astrales créent de l'interférence entre nous et notre canal. C'est pour cette raison que nous n'arrivons jamais à nous faire entendre de lui. En réalité, un ajusteur de la pensée connaît parfaitement bien son canal, parce qu'il fait partie de son identité, donc de sa constitution cosmique. Il connaît ses besoins, sa ligne de vie, ses forces et ses faiblesses.

— Je sais maintenant ce que sont les astrales, puisque j'y suis allé avec Océane. Je suis absolument choqué par ce qui s'y passe.

— Le contraire m'aurait surpris, déclara le sosie, dont le timbre de voix était identique à celui de Philippe.

— Depuis quand votre espace-temps existe-t-il?

— Depuis l'apparition du genre humain. Sa longueur d'onde est comparable à celle des rayons cosmiques et, contrairement aux astrales qui ne peuvent se joindre à cette confrérie, notre espace-temps est soutenu par l'Alliance des intelligences unifiées.

— Parle-moi du fonctionnement des ajusteurs de la pensée ?

— Nous sommes une hiérarchie créative en perpétuelle évolution. Notre ligne de conduite est de nous maintenir en harmonie avec le mouvement infini du Cosmos, contrairement aux astrales qui se trouvent limitées au mouvement d'une seule planète : la Terre.

— Est-il possible que les gens sur Terre n'apprennent jamais votre existence ?

— Cela n'arrivera pas, puisque tu as signé un pacte devant le tribunal d'Érusa par lequel tu t'es engagé dans l'accomplissement de l'œuvre du Verbe.

— Comment l'as-tu su ?

— Tu oublies que je connais ton passé, ton présent et ton avenir parce que je fais partie de toi. Donc, tout ce qui te concerne me concerne aussi.

Il se rappela que son sosie était en fin de compte sa réplique exacte transposée dans une autre dimension.

— Dans les années à venir, poursuivit le sosie, tu joueras un rôle important dans le démantèlement de la pensée humaine en dénonçant les manipulations que subissent les hommes et les femmes dans leurs têtes. Cela va provoquer des secousses sismiques dans les astrales et inciter les âmes révoltées à entamer une rébellion contre la soumission dans laquelle on veut les garder.

— Pendant ce temps, que va-t-il arriver aux ajusteurs de la pensée et aux gens de la Terre ?

— Pour l'instant, les ajusteurs de la pensée exercent un rôle d'assistance auprès de leur canal, mais un jour viendra où ils s'uniront à lui dans une même synergie, et cela ne pourra se produire ailleurs que sur Terre. Somme toute, l'ajusteur de la pensée est la Source de vie originale et la Volonté authentique de chaque homme.

— Qu'est-ce que tu entends par Volonté authentique ? demanda Philippe intrigué.

— Si tu puises tes forces à même ta Source, c'est un signe de Volonté authentique. Sinon, tu es dans une fausse volonté.

— Comment vais-je pouvoir expliquer tout cela? se demanda Philippe.

— Dis aux hommes et aux femmes de la Terre qu'ils s'éloigneront de la mort le jour où ils mettront les astrales en déroute. Et qu'ils doivent absolument établir une communication avec leur ajusteur de la pensée, car c'est l'unique façon pour eux de reprendre contact avec leur Source de vie originale.

— C'était déjà difficile pour moi de parler avec mes amis et mes parents. Qu'est-ce que ce sera maintenant ? se demanda Philippe.

La voyageuse de l'espace le rassura en lui disant :

— Tu ne dois pas t'inquiéter inutilement, mon frère; il est su que tu auras la capacité d'assumer ce que tu as entrepris.

— Avant que je reparte, dit le sosie, je te demande de dire aux hommes et aux femmes de la Terre de se poser des questions, car il y a plus d'intelligence dans les questions que dans les réponses qu'ils reçoivent.

— Pourquoi ?

— Parce que leurs questions ne sont pas toujours interceptées par les astrales, alors que les réponses le sont.

Sur ce, il le salua et se transforma en un tourbillon de vent.

— Me rencontrer est l'événement le plus merveilleux qui me soit arrivé de toute ma vie ! s'exclama Philippe.

Lorsqu'il mit le pied sur le rocher, il discerna un Grand-duc d'Amérique qui s'envolait de la cime d'un arbre. La voyageuse de l'espace l'informa qu'ils avaient une dernière visite à faire avant de le quitter.

— Allô ! Je suis Jaco… Allô ! Je suis Jaco…

Philippe chercha d'où venait cette voix. Il se retourna et aperçut un oiseau au plumage coloré et au bec recourbé sur un perchoir. C'était un énorme perroquet à la forme resplendissante.

— Tu m'as fait sursauter, Jaco ! Moi, je suis Philippe, dit-il en riant.

— Allô ! Je suis Philippe…

— Non Jaco. *Moi*, je suis Philippe. *Toi*, tu es Jaco.

Philippe avait peine à le croire. Lui qui n'avait encore jamais eu l'occasion de voyager au loin - exception faite de quelques jours de vacances passés avec ses parents sur les plages du Maine - venait de se faire catapulter sous les tropiques dans une végétation aussi enchanteresse que luxuriante.

À une vingtaine de mètres de là, une chute s'écoulait le long d'une falaise dans un vrombissement mélodieux.

— Il faut se rendre à la passerelle que nous voyons là-bas, dit la voyageuse de l'espace. De cette passerelle, tu pourras t'adresser à O. Il est le gardien de la forêt des sept chutes.

— Ce paysage ressemble étrangement à une photo qu'un ami m'a fait parvenir par Internet. Si je me souviens bien, c'était au Costa Rica.

— Allô ! Je suis Jaco, interpella le perroquet qui essayait d'attirer l'attention de Philippe.

— Tu es un oiseau splendide, Jaco. Sois certain que je n'oublierai pas ton nom.

Ils marchèrent à travers les épaisses lianes et les fougères géantes qui bordaient le sentier menant à la passerelle et la traversèrent jusqu'au centre en s'agrippant à ses cordages. Une fine bruine se déposa sur eux et leurs vêtements se remplirent d'humidité. Philippe remarqua que la chute se déversait dans un bassin qui ne s'écoulait nulle part et trouva cela fort curieux.

— J'aperçois quelque chose ! déclara-t-il.

Lentement, une masse se détacha de la chute et devint un gigantesque personnage sans jambes ni bras d'une hauteur de vingt-cinq mètres. On aurait dit une énorme goutte d'eau se tenant sur la pointe des pieds devant la passerelle.

— Il n'est pas possible de converser avec un personnage en eau, dit Philippe.

— Tu n'as qu'à tendre l'oreille et tu entendras sa voix caverneuse, dit la voyageuse de l'espace.

Le personnage salua les visiteurs en se prosternant devant eux. Ses grands yeux écumeux cherchaient une explication à leur présence et ses larges lèvres bougeaient comme l'eau de la chute se bousculant sur les pierres.

— Très peu ont osé pénétrer dans la forêt des sept chutes, dit-il.

— Nous aimerions que vous nous parliez de la complexité qui entoure l'existence des âmes, dit la voyageuse de l'espace.

— Qui êtes-vous ?

— Je suis Océane et voici Philippe.

— C'est un grand honneur pour moi de vous rencontrer, dit O.

— Expliquez-moi quel est le lien entre les chutes de cette forêt et les âmes ? demanda Philippe.

Ses lèvres se mirent à bouger et sa voix caverneuse se fit entendre.

— Une âme, c'est un regroupement de sept corps fluides, et les chutes de cette forêt sont le réseau d'alimentation énergétique de chacun de ces corps.

— Vous êtes en train de me dire que les âmes sont maintenues vivantes par l'énergie que dégagent ces chutes, sursauta Philippe.

— Exactement, répondit O. Chacun de leurs sept corps reçoit de la chute qui la distingue la quantité d'éther dont il a besoin pour s'électrifier.

— Je commence à voir plus clair dans l'énigme des âmes, dit Philippe.

— Les âmes sont multidimensionnelles et leur plus grand malheur est de ne pas le savoir, poursuivit O. À chaque fois qu'une âme se sépare de son corps physique, à la fin d'une expérience terrestre, son corps émotionnel est rapatrié dans cette forêt. Nous le gardons en filière jusqu'à ce qu'elle soit prête à retourner vivre une nouvelle incarnation.

— Donc, les âmes n'ont plus de corps émotionnel lorsqu'elles retournent dans les astrales, s'étonna Philippe.

— C'est exact, dit O. Leur corps émotionnel leur est retiré entre chacune de leurs incarnations, afin qu'elles ne souffrent pas durant les périodes qu'elles ont à passer dans les astrales, expliqua-t-il.

— Si les âmes n'ont plus leur corps émotionnel lorsqu'elles retournent dans les astrales, cela veut dire qu'elles sont incapables d'amour.

— Il faut qu'il en soit ainsi, sinon leurs souffrances seraient intolérables, dit O.

Il annonça qu'il devait retourner se mêler à l'eau de la chute et remercia courtoisement ses visiteurs d'être venus le rencontrer dans son lieu d'origine. Ils retournèrent donc sur leurs pas en se tenant aux cordages de la passerelle, et s'engagèrent à nouveau dans le sentier bordé de fougères et de lianes.

— À ton retour dans ton milieu de vie, tu ne devras pas dépenser inutilement ton énergie avec les âmes qui refuseront d'intégrer la science dont tu es porteur, dit la voyageuse de l'espace. Cette science est mise à leur disposition pour leur permettre de se libérer de leurs tourments. Tu devras les laisser libres de l'utiliser comme il leur plaira.

— J'en prends bonne note.

— Allô ! Je suis Jaco, piailla le perroquet, lorsque Philippe s'approcha de lui.

— Je retourne dans mon monde, mais peut-être qu'un jour je reviendrai te voir, murmura-t-il, lui caressant une aile.

— Tu dois retourner à ta demeure, mon frère, dit la voyageuse de l'espace après avoir remis les pierres ayant servi à faire apparaître l'arche intemporelle dans la perle.

— Vous ne pouvez savoir combien je me sens triste à l'idée de me séparer de vous.

— Rappelle-toi que dans chaque vérité existe un mensonge, et que dans chaque mensonge existe une vérité.

Ce furent les dernières paroles que Philippe entendit. Sa vision s'embrouilla momentanément et il chercha désespérément Océane du regard, mais elle n'était plus sur le rocher.

8
Le secret de PeP

Les premières lueurs du jour émergeaient de l'obscurité lorsque Philippe entra chez lui au petit matin. Il enleva ses baskets et déposa son sac à dos près de la porte-moustiquaire sans faire de bruit. Ensuite, il alla chercher le sac de nourriture de Maya au fond du garde-manger.

« Ça ne va pas être facile de vivre avec mon secret », se dit-il, versant des croquettes dans le bol de la chienne.

Au lieu d'aller se coucher dans son lit, il décida de s'étendre sur le canapé dans le séjour pour ne pas réveiller ses parents et sa sœur. Aussitôt que ses paupières se refermèrent, il sombra dans un profond sommeil. Il fit un rêve bizarre dans lequel il se voyait escalader un sentier abrupt dans une forêt peuplée d'arbres gigantesques. Ce sentier menait à un château situé entre ciel et terre dans de hautes montagnes. Lorsqu'il arriva devant les immenses portes de bois à l'entrée, il se rendit compte qu'une lumière filtrait par son embrasure. Poussé par la curiosité, il entra dans la cour intérieure du château et fut saisi par la vision qui s'offrait à lui. Des créatures d'une grande luminosité se tenaient debout autour d'une longue table et communiquaient entre elles par une succession de sons. Des sons comparables à la musique dégagée par des coupes de cristal, lorsque des personnes sont habiles à les faire vibrer. Mais le plus intrigant était qu'aucune de ces créatures n'avait une apparence humaine.

Philippe sursauta en entendant l'horloge comtoise résonner dans le vestibule et ouvrit grand les yeux. Dépaysé, il se demanda ce qu'il faisait sur le canapé, et se rappela qu'il n'était pas monté à l'étage pour éviter de faire du bruit.

L'odeur du café et les pas lourds de Madame Bibi qui courait répondre au téléphone lui rappelèrent son retour à la vie quotidienne. Maya s'approcha de lui et lui lécha un grand coup sur le visage.

— Tu es un bon chien, lui murmura-t-il. Nous avons un secret en commun toi et moi. Et nous allons devoir vivre avec maintenant.

— Oui, ma cocotte. Je vais lui faire le message, dit Madame Bibi avant de raccrocher.

En retournant à la cuisine, elle aperçut Philippe assis sur le canapé.

— Tu es réveillé !

— C'est l'horloge qui m'a réveillé.

— Ta petite copine vient tout juste de téléphoner.

— Je sais…

— As-tu faim ? Aimerais-tu que je te prépare des œufs et du bacon ?

— Laisse-moi le temps de prendre une douche avant.

Philippe monta à l'étage et croisa Jessianne qui sortait de la salle de bains.

— Tu as dû trouver la nuit longue seul dans la montagne, dit-elle.

— Le temps a passé très vite, dit-il. Toi, qu'est-ce que tu as fait ?

— J'ai regardé un film avec maman.

Pendant qu'elle s'affairait autour de la cuisinière, Madame Bibi entendit frapper à la porte-moustiquaire.

— Entrez, dit-elle.

— Est-ce que PeP dort encore ? s'informa Dan, laissant la porte claquer derrière lui.

— Il est sous la douche. Tu peux t'asseoir et l'attendre si tu veux. Je préparais justement le petit-déjeuner. Est-ce que tu as faim ?

— Un peu…

— Boirais-tu un jus d'orange ?

— Oui, merci.

Elle revint avec un grand verre de jus d'orange et le déposa devant lui.

— Il ne devrait pas tarder, l'avertit-elle.

— Salut Dan ! lança Philippe qui arriva au même moment.

— Il va rester déjeuner, dit Madame Bibi.

— C'est parfait, dit Philippe, s'asseyant à la table.

— Comment s'est passée la nuit ? s'empressa-t-il de lui demander. Tu n'as pas eu de problème avec la brigade verte au moins !

— Tu ne me croiras peut-être pas, mais je suis monté jusqu'au rocher et j'ai regardé les feux.

— Je ne connais personne pour défier les règlements comme tu le fais.

— Mais toi, Dan, comment vas-tu ? demanda Philippe qui soupçonnait que ça ne tournait pas rond chez son ami.

— Bof… ça va, dit-il avec mélancolie. Je me demande si mes parents vont continuer de vivre ensemble encore longtemps. Ils ont bu trop de bières hier soir et ça a mal tourné. Je le sais parce que j'ai vu des marques sur le visage et les bras de ma mère ce matin lorsqu'elle s'est levée. Elle a téléphoné à la boutique où elle travaille pour dire qu'elle était malade et qu'elle ne rentrerait pas avant le début de la semaine prochaine.

— Ça ne doit sûrement pas être une situation facile à vivre, dit Philippe pour réconforter son ami.

— Tout cela va finir par une séparation, j'en suis certain. Et je me dis que c'est probablement la meilleure chose qui pourrait leur arriver. Peut-être que ma mère va cesser de boire si elle s'éloigne de mon père.

Madame Bibi, pour qui la discrétion n'était pas inhérente, se rapprocha d'eux pour entendre la conversation.

— Bibi, s'il te plaît…

— Vous pouvez venir vous servir, lança-t-elle, retournant mettre des ustensiles sales au lave-vaisselle.

— Ne prends pas sur tes épaules la responsabilité des problèmes que vivent tes parents, dit Philippe. Ce n'est pas toi qui vas changer quelque chose à leur destinée. Elle va s'accomplir de toute manière.

— Ça me fait du bien quand tu me parles, PeP.

Madame Bibi commença à s'impatienter et lança un deuxième appel.

— Allons nous servir, sinon je vais me faire étriper, dit Philippe.

— Hummm… ça sent bon, dit Jessianne.

— SAINTE MISÈRE ! s'écria Madame Bibi, voyant Jade et Féli se donner un élan pour monter sur son comptoir.

Jessianne fonctionnait plutôt au ralenti le matin. Elle attrapa les chats un après l'autre sans se presser et les déposa sur le plancher. Puis elle se servit des œufs brouillés et du bacon et alla retrouver Philippe et Dan dans la véranda.

— Comment vas-tu Dan ? C'est une bonne idée d'être venu déjeuner avec nous.

— Je n'ai pas pu refuser l'invitation.

— C'est tellement agréable de se lever en sachant que nous sommes en vacances ! s'exclama-t-elle.

— C'est encore mieux quand on peut se lever et que personne ne chiale après nous, taquina Philippe.

— Est-ce que je t'ai demandé quelque chose ?

— Non…

— Alors, épargne-moi tes sarcasmes, d'accord !

« Bienvenue dans ton milieu familial, Philippe Prince », se dit-il à lui-même.

Une nostalgie s'empara de lui. Il aurait tellement voulu partager son précieux secret avec sa famille et ses amis, mais c'était impossible.

— Avez-vous eu du plaisir hier soir ? s'informa-t-il.

Dan retourna sa casquette dans l'autre sens et lâcha le morceau.

— Écoute PeP, Vandal n'a pas lâché Sy d'une semelle hier soir. J'ai même dû m'en mêler.

— Quoi ? Vandal trouve Sy de son goût !

— Ce crétin a profité de ton absence pour danser des *slows collés* avec elle.

— Je ne m'étais rendu compte de rien. Elle aurait dû m'en parler.

— Il est évident qu'elle te porte dans son cœur, affirma Dan. Je n'ai aucun doute là-dessus. Le problème n'est pas là.

— Ce n'est pas son genre d'agir de cette façon, affirma Jessianne, étendant de la confiture de mûres sur son pain grillé.

Philippe sentit un remous à l'intérieur de lui.

« Ça t'apprendra Philippe Prince… Voilà ce qui arrive lorsqu'on est trop lâche pour prendre une décision lorsque c'est le temps de la prendre. »

— Je vais m'expliquer avec elle, dit-il pensivement.

— Allons-nous à la ferme aujourd'hui ? s'informa Dan.

— Oui… Il reste encore beaucoup de travail à faire. Surtout à l'extérieur. Dis donc Dan, est-ce que tu as déjà vu un hélicoptère de l'armée survoler la montagne tard dans la soirée ?

— Pourquoi me poses-tu cette question ?

— Parce que j'en ai vu un décoller du plateau, au moment où j'arrivais sur le rocher hier soir.

— Moi j'ai entendu dire qu'il y en avait un qui passait tous les soirs au-dessus de la ville, déclara Jessianne.

— C'est assez mystérieux cette histoire-là, dit Dan.

Madame Bibi s'approcha d'eux et tendit le téléphone sans fil à Philippe.

— C'est ta copine. Tu as dû oublier de la rappeler.

— Excuse-moi, Dan…

— Tu ne sais rien, d'accord ! Je n'ai rien dit.

— Ne t'en fais pas. Je ne dirai rien.

— Je retourne chez moi. Viens me retrouver lorsque tu seras prêt.

***

Philippe monta dans sa mansarde et s'étendit sur son lit pour parler à Sy. L'appel fut de courte durée. Elle lui raconta des banalités sans importance et n'aborda pas le sujet qu'il aurait aimé discuter avec elle. Par contre, elle lui confia qu'elle avait des choses à lui dire et qu'ils en parleraient dès que l'occasion s'y prêterait.

Il raccrocha et regarda pensivement par-delà la fenêtre.

« Comment vais-je pouvoir vivre une vie normale après une nuit semblable ? », se demanda-t-il.

Il se releva et ouvrit son ordinateur pour vérifier s'il avait reçu des courriels. Il n'en avait aucun. Il redescendit au rez-de-chaussée sans se douter que Jessianne l'attendait de pied ferme.

— Est-ce que tu pourrais ramasser tes affaires dans la véranda s'il te plaît ? Je ne vais pas passer mes vacances à jouer à la bonniche avec toi!

— Relaxe Jessianne ! C'est justement ce que j'allais faire.

— Ce que j'allais faire… Est-ce que tu me prends pour une *valise*, Philippe Prince ?

Exaspéré, Philippe alla chercher son matériel de camping dans la véranda et descendit le ranger dans le placard du sous-sol. Ensuite, il sortit de la maison par l'entrée principale pour éviter de se retrouver nez à nez avec Jessianne et traversa à l'hôpital.

Maya avait entendu la porte se refermer et courut vers lui avec sa balle de tennis dans la gueule.

— Allez, donne-la-moi, dit-il.

Il lança la balle de toutes ses forces. Elle partit en courant la chercher là où elle avait atterri. Excitée, elle revint vers lui et le suivit jusqu'à la porte de l'hôpital dans l'espoir qu'il la relancerait.

Un bulldog aboyait comme un déchaîné dans la salle d'attente pendant que sa propriétaire le tenait en laisse et montrait à Isabelle les bosses qui lui avaient poussé sur le corps.

— Il se peut que Zoly ait rongé un os qui lui ait provoqué une allergie, dit Isabelle. Nous allons devoir le garder en observation vingt-quatre heures.

— Oh my God ! répondit la dame.

Ne vous en faites pas, tout ira très bien. Il va s'en remettre.

La dame alla s'asseoir en essayant de faire taire son animal qui était en train de déclencher une chorale canine dans la salle d'attente.

— J'espère que tu n'as pas eu peur cette nuit trésor ? demanda-t-elle, ouvrant le dossier de Zoly.

— Au contraire, maman. Je me suis endormi en regardant les étoiles. Je crois qu'elles étaient plus belles que jamais. Où est papa ?

— Dans la salle d'examens.

Philippe alla jeter un œil dans la salle d'examens. Frédéric examinait attentivement les oreilles d'un chat persan.

— Bonjour papa !

— Comment se porte mon explorateur en herbe ? demanda Frédéric, un sourire radieux sur les lèvres.

— Il est en pleine forme…

— La montagne n'a pas été trop dure avec toi, plaisanta-t-il.

— Au contraire, elle m'a valu de grandes retrouvailles, laissa échapper Philippe.

Frédéric regarda son fils d'un œil interrogateur en se demandant ce qu'il avait voulu dire par *grandes retrouvailles*.

— Qu'est-ce que tu comptes faire de ta première journée de vacances ?

— Je vais à la ferme avec Dan.

— Quand prévoyez-vous faire votre ouverture ?

— Peut-être en fin de semaine.

— C'est une bonne nouvelle.

— Oui… Bonne journée papa, dit-il, refermant la porte derrière lui.

Il repassa devant le bureau d'Isabelle visiblement très accaparée par un monsieur inquiet de l'état de son chien et sortit de l'hôpital sans lui dire au revoir.

***

Pendant qu'il pédalait en direction de chez Dan, Philippe se laissa emporter dans ses réflexions.

« C'est la première fois que je le voyais aussi triste. Je comprends maintenant pourquoi il cherche toujours un prétexte pour ne pas qu'on aille chez lui. Il doit trouver cette situation honteuse. »

En arrivant chez les Gadbois, Philippe se dit qu'un bon coup de pinceau ne ferait pas de tort à cette vieille maison délabrée. Il accota son vélo sur le mur de pierres recouvert de plantes grimpantes et monta les marches du balcon. Les fenêtres étaient grandes ouvertes et il semblait y avoir une discussion orageuse à l'intérieur.

« On dirait que je suis arrivé au mauvais moment », se dit-il, hésitant à appuyer sur la sonnette.

Philippe espéra que ce soit Dan qui lui ouvre la porte, mais ce fut son père qui le fit à sa place. Il reçut en plein visage une répugnante odeur de bière fermentée dans l'estomac et ne put s'empêcher de faire une grimace. À l'étage, Dan avait entendu la sonnette et se dépêchait de remplir son sac à dos des effets dont il aurait besoin durant la journée.

— Tu pourrais au moins me dire où tu vas, demanda son père lorsqu'il passa devant lui.

— Je m'en vais à la ferme avec PeP.

— Une ferme…? De quelle ferme parles-tu ? bafouilla-t-il.

— Papa, je t'en ai pourtant parlé de notre projet étudiant. Tu ne t'en souviens pas !

— Menteur ! protesta-t-il. Tu n'es qu'un vulgaire menteur.

— Monsieur Gadbois, Dan est très impliqué dans ce projet avec moi. Il vous en a certainement parlé, ajouta Philippe, pour tenter d'amoindrir sa confusion.

— Ne commence pas comme ta mère à me cacher des choses.

— Ce qu'il dit est vrai, insista Philippe.

— Allez donc où vous voulez, bafouilla-t-il, retournant dans la cuisine retrouver sa femme qui n'avait osé intervenir.

Dan fit un signe à Philippe pour lui faire comprendre qu'il valait mieux partir au plus vite. Dès qu'ils furent dehors, ils enfourchèrent leurs vélos et déguerpirent sur le Chemin de la Montagne.

Ils pédalèrent silencieusement, l'un derrière l'autre, sans s'adresser la parole. De toute façon, Dan trouvait inutile d'en dire plus. Il n'avait qu'une seule préoccupation : s'occuper pour oublier. Ce que Philippe avait d'ailleurs très bien compris.

— Bonjour ! dit la jeune policière par la fenêtre de son véhicule.

« Est-ce qu'elle est venue nous annoncer une mauvaise nouvelle ? », se demanda Dan.

— C'est ici que vous avez l'intention de démarrer votre future entreprise étudiante, dit la policière.

— Qui vous a mis au courant ? demanda Philippe.

— La secrétaire du maire en a parlé à des gens, qui en ont parlé à leur tour à d'autres gens et…

Dan retourna nerveusement sa casquette dans l'autre sens.

— Et la nouvelle s'est rendue jusqu'au poste de police, conclut Philippe.

— Voilà.

— C'est une bonne publicité pour nous si la nouvelle se répand, dit Dan.

— Je vous souhaite bonne chance. C'est une belle initiative que vous avez eue, et ne lâchez pas, surtout. Nous allons avoir un œil sur votre boutique en faisant nos rondes.

— Merci madame, dit Philippe.

Sur ce, elle démarra et prit la direction de l'autoroute, car elle venait de recevoir un appel d'urgence. Philippe et Dan aperçurent au loin le tracteur de Lorenzo Dumouchel.

— On dirait qu'il vient reconduire Élie, dit Dan.

Pendant que Philippe déverrouillait le cadenas, la voiture de Madame Lu Chan tourna dans la cour. Elle venait conduire sa fille et Catherine.

— N'oublie pas PeP. Je n'ai rien dit, l'avertit Dan, pendant qu'elles descendaient de la voiture.

— Salut tout le monde ! lança Élie, après avoir sauté en bas du tracteur.

— As-tu travaillé à la composition du reportage ? s'informa Philippe, pendant qu'ils rentraient à l'intérieur.

— Ne t'inquiète pas, dit Sy. Je vais le terminer en fin de semaine et j'irai le porter moi-même au journal lundi matin en faisant les courses avec maman.

Philippe essaya de deviner ses pensées.

« Elle essaie de se montrer indifférente, mais je vois bien que tout ce qu'elle attend, c'est un signe de ma part. »

— J'ai hâte de savoir comment cela s'est passé pour toi la nuit dernière, dit Élie.

— Il n'y a pas grand-chose à dire. Je suis monté sur le rocher et je me suis endormi en regardant les étoiles.

— Tu es chanceux que personne ne t'ait épinglé! dit-il.

— C'est ce que je me suis dit en me réveillant.

— Tu as manqué quelque chose, dit Catherine, parce que nous, on s'est bien amusé.

Sy baissa les yeux et fixa ses chaussures.

— Nous pouvons faire une cueillette d'objets dans les rues demain, dit Catherine. Le père des jumelles met à notre disposition un de ses camions pour la journée. Meggie m'a téléphoné ce matin pour m'annoncer la bonne nouvelle.

— Citron que nous sommes chanceux ! commenta Élie. Mais qui va le conduire ?

— Un employé qui travaille pour son père, dit Catherine.

— Il le fait gratuitement ! s'exclama Dan.

— Tout à fait gratuitement, confirma-t-elle.

— Voilà la preuve qu'il ne faut jamais avoir peur d'entreprendre quelque chose de nouveau, commenta Philippe.

— Tu as raison PeP, l'appuya Dan. C'est ce qui est en train de se produire.

— Ça va nous prendre un prospectus pour demain, dit Philippe. Qui veut se charger d'en faire le montage ?

— Moi, dit Catherine. Mais il va falloir faire des photocopies. Où est-ce que nous allons trouver l'argent pour les faire ?

— Remets-moi la copie originale. Je m'occupe du reste.

— D'accord.

— Nous avons un photocopieur à l'hôpital.

— Mais oui ! s'exclama Catherine. Je n'avais pas pensé à ça !

Philippe attendit que les membres de son équipe soient tous arrivés à la ferme pour déterminer les tâches qui restaient à accomplir avant l'ouverture officielle de la boutique. Il faut dire qu'elle commençait vraiment à prendre vie. Les filles avaient garni un mur avec un tapis oriental offert par les parents d'un ado de l'équipe. Elles avaient attaché des bouquets de fleurs séchées sur les poutres du bâtiment, et avaient teint la vieille table de bois qui leur servirait de comptoir.

— Nous allons avoir besoin d'une rallonge électrique, dit Sy.

— Je vais en apporter une demain, dit Philippe qui gribouillait des notes sur un bout de papier.

— Qu'est-ce que tu fais ? demanda-t-elle. Il y a autre chose à faire que d'écrire en ce moment.

— J'essaie d'inventer un document qui nous permettra de tenir nos ventes à jour.

Elle tourna les talons et alla retrouver Nadya.

« Elle est si coquette aujourd'hui que j'aurais presque envie de la serrer dans mes bras, maintenant… »

Vers la fin de l'après-midi, le maire leur fit une petite visite surprise.

— Bonjour, bonjour les jeunes, dit-il. À ce que je vois, vous n'avez pas perdu votre temps. Ce vieux bâtiment commence vraiment à ressembler à une boutique.

— Nous sommes contents des résultats, dit Philippe.

— Je me suis demandé si vous alliez être assez persévérants pour vous rendre au bout de votre idée, et vous l'avez été. Je vous félicite. J'ai parlé au directeur du journal. Il attend que vous lui remettiez votre reportage pour le publier.

— Merci beaucoup Monsieur Lozeau, dit Philippe. Soyez certain que nous vous sommes reconnaissants de tout ce que vous faites pour nous.

— Ma femme me dit souvent que toute grande réalisation commence par une bonne intention.

— Dans ce cas, nous sommes mieux d'avoir plusieurs bonnes intentions, parce qu'il va falloir travailler fort pour vendre de la marchandise ici ! s'exclama Dan.

Cette remarque fit sourire le maire.

— Je suis convaincu que vous allez obtenir le succès équivalent à vos efforts, et n'ayez pas peur d'étiqueter vos objets à des prix plus élevés que la valeur qu'ils représenteront à vos yeux. Les clients vont négocier, dit-il.

— Nous ne l'oublierons pas, Monsieur Lozeau, dit Philippe.

— Si vous avez besoin de quoi que ce soit, ne vous gênez pas pour me le faire savoir.

— D'accord, dit Philippe.

9
Le porte-à-porte

Philippe et Dan furent les derniers à partir. Philippe verrouilla le cadenas et vérifia deux fois s'il était bien fermé. Durant la journée, il avait ressenti les mêmes symptômes qu'une personne qui subit les effets d'un décalage horaire. Il se demandait comment il avait réussi à ne rien laisser paraître de son état.

— Ce merdeux de Vandal ! Il vient à la boutique en scooter pour impressionner les filles. Est-ce que tu t'es aperçu qu'il fait des yeux doux à Sy ?

— Écoute Dan, il vaut mieux ne pas s'attarder constamment à ce qui nous déplaît dans la vie, sinon, on ne s'en sort pas.

— Tu as raison PeP. Je ne sais pas ce qui m'arrive. Peut-être qu'à force de vivre dans un climat négatif à la maison, cela m'affecte sans que je m'en rende compte. Même Nadya refuse de sortir avec moi.

Les deux amis récupérèrent leurs vélos appuyés contre le mur du bâtiment et marchèrent en poursuivant leur conversation.

— Qu'est-ce que tu me répondrais si je te disais que nos pensées ne viennent pas de nous ?

— Je ne sais pas… Que tu es un vrai fou, ricana-t-il.

— Et si j'ajoutais que la plupart des croyances que l'on t'a inculquées depuis ton enfance ne correspondent pas à la réalité de ton existence, qu'est-ce que tu me répondrais ?

— Que tu es encore plus fou que je ne le croyais !

Philippe plongea ses yeux perçants dans ceux de Dan.

— Les gens se leurrent en croyant que les pensées qu'ils ont dans la tête leur appartiennent Dan. Je t'assure qu'ils sont bien loin d'en être les instigateurs.

— Tu parais si convaincu que j'aurais presque envie de mettre en doute ce que j'en pense, dit-il.

— Et qu'est-ce que tu en penses ?

— Accepter que mes pensées ne m'appartiennent pas revient presque à dire que je ne suis plus rien, dit-il.

— Voilà ce que je m'attendais à recevoir comme réponse.

— Pourquoi m'en parles-tu si tu connaissais ma réponse ?

— Je t'en parle, parce qu'un jour, il va falloir que tu te défasses de cette croyance si tu veux devenir libre.

— Es-tu en train de dire que ce sont mes pensées qui m'empêchent d'être libre ?

— On ne peut pas se sentir libre si l'on n'est pas en étroite relation avec notre ajusteur de la pensée.

— Même si je suis habitué à ton langage irrationnel, incohérent et absurde, tu arrives encore à me surprendre PeP.

— Tu sais Dan, l'endroit où vont les âmes lorsqu'elles quittent leur corps physique n'est pas du tout ce qu'on en dit.

— Comment le sais-tu ?

— Parce que j'y suis allé !

— C'est vrai ?

— Oui.

— Tu as fait un voyage hors de ton corps !

— Si l'on veut…

— Raconte-moi ce que tu as vu.

— J'ai rencontré un très vieil homme dans les astrales qui m'a révélé des choses surprenantes.

— Quelles choses surprenantes ?

— Il m'a parlé des âmes révoltées. Il a dit qu'il y en aurait de plus en plus qui s'incarneraient sur Terre dans les années à venir et que ce n'est pas un hasard. Il se prépare un événement qui va changer la surface du monde.

— Pourquoi ça ne m'arrive jamais à moi ces choses-là ?

Philippe se dit qu'il avait peut-être été trop loin et se ravisa.

— Essaie de vivre pleinement ton moment présent. C'est encore ce qu'il y a de mieux à faire.

— C'est ce que je tente de faire, mais ce n'est pas toujours évident. Nous ferions mieux de monter sur notre vélo et pédaler si nous voulons arriver à la maison avant qu'il fasse nuit, suggéra-t-il, enfonçant sa casquette dans son épaisse tignasse rousse.

— Espérons que la température sera clémente demain pour le porte-à-porte, dit Philippe.

— J'ai une question indiscrète PeP ?

— Vas-y…

— Est-ce que Sy te plaît ? Je veux dire, est-ce que tu as un coup de cœur pour elle ?

— Disons que je ne suis pas prêt à l'aimer comme elle l'entend.

— Tu n'as pas répondu à ma question. Je voulais savoir si tu avais l'intention de sortir avec elle ?

— Je ne vois pas pourquoi on se mettrait une laisse autour du cou.

— Décidément, coupa-t-il, j'ai de la difficulté à te suivre dans ton raisonnement avec les filles.

Après avoir mangé le reste du pâté de saumon que Madame Bibi avait fait réchauffer pour lui, Philippe monta dans sa mansarde et se débarrassa de ses vêtements qu'il laissa tomber en amoncellement sur le plancher. Ensuite, il s'enveloppa dans son peignoir et alla prendre une douche. L'eau tiède ruissela sur son corps et les émulsions de savon emportèrent avec elles la sueur de la journée.

Après sa douche, il ouvrit son ordinateur et vérifia s'il avait reçu des courriels. Il y en avait un de Sy :

Salut PeP.

J'ai fixé un point de rencontre à ceux qui veulent participer demain au porte-à-porte : 10 heures à La Tanière.

Les jumelles viendront en camion avec l'employé qui travaille pour leur père. Nous sommes donc assurés d'avoir un véhicule pour le ramassage des objets.

Et surtout, n'oublie pas de faire des photocopies du prospectus.

À demain… Sy

Philippe éteignit son ordinateur. Puis il ramassa ses vêtements sales et alla les porter dans le panier à lessive dans la salle de bains.

« Ce n'est pas bon signe. Elle a préféré m'envoyer un courriel au lieu de me téléphoner. Elle doit croire que je ne m'intéresse pas à elle. Je ne lui ai pas consacré beaucoup de temps aujourd'hui, mais que pouvais-je faire d'autre ? Ce n'était ni le bon moment, ni le bon endroit pour entreprendre une discussion. L'idéal serait que nous allions faire une balade au Parc des Étangs dimanche, si toutefois elle n'est pas trop en rogne contre moi. Avec les filles, on ne sait jamais. »

Il descendit au rez-de-chaussée en peignoir et sortit dans le jardin. Il siffla pour appeler Maya.

— As-tu mangé toi ce soir ?

Elle émit un geignement signifiant qu'on l'avait oubliée.

— C'est bien ce que je me disais.

Elle le suivit jusqu'à la cuisine et gambada autour de lui jusqu'à ce qu'il ait rempli son bol de nourriture. Pendant qu'elle croquait à belles dents ses croquettes, Philippe alla s'asseoir dans la berceuse de la véranda et ferma les yeux pour goûter le silence de cette douce soirée d'été.

« Mon père est un véritable bourreau de travail. Heureusement qu'il a rencontré une femme qui lui ressemble et qui accepte cette condition… »

Après quinze minutes de rêveries, il faillit s'endormir tellement il était bien. Il se dit qu'il ferait mieux de monter se coucher s'il voulait être en forme le lendemain. Maya le suivit jusqu'au bas de l'escalier, car Isabelle n'avait jamais permis qu'elle monte à l'étage. Elle devait donc se contenter de dormir au pied de l'escalier.

***

Philippe sursauta et ouvrit les yeux. Le cadran lumineux sur sa table de travail indiquait 5 heures 30.

« Qu'est-ce qui m'arrive à la fin ? Je ne sais plus si j'ai rêvé ou si j'ai vraiment entendu quelqu'un prononcer mon nom… »

Vers 9 heures, Jessianne trouva qu'il avait suffisamment dormi et décida d'aller le réveiller. Elle entra dans sa mansarde et agrippa sa couette à deux mains en lui faisant faire des vagues.

— Arrête de faire la coucoune !

— Tu apprendras que la *coucoune* a préparé le petit-déjeuner et qu'elle attend que tu viennes manger.

— Dans ce cas, tu n'es pas trop coucoune.

Jessianne attrapa sa taie d'oreiller et le bombarda de coups sur la tête au grand plaisir de Jade et Féli qui zieutaient le spectacle du haut de sa table de travail.

— Allez, debout ! Papa et maman prennent leur café dans la véranda. Il ne manque plus que toi.

— Si tu as préparé du gruau à la cannelle, je t'avertis que je vais le donner aux chats.

— Espèce de difficile ! marmonna-t-elle, lui assénant deux autres coups de taie d'oreiller avant de quitter la mansarde.

Assis dans son lit, Philippe se demanda pourquoi sa sœur s'était incarnée dans la même famille que la sienne, plutôt que dans une autre. Il lui vint alors une réponse. Jessianne était une âme révoltée et elle avait choisi de naître dans une famille où elle aurait la liberté d'exprimer sa différence.

Après s'être longuement étiré dans tous les sens, Philippe enleva de son babillard l'horaire de ses cours au collège et le jeta à la poubelle. Ensuite, il ouvrit la porte de son placard pour décider quels vêtements il porterait ce jour-là. En jetant un œil à l'extérieur, il vit que de gros nuages menaçaient d'éclater d'un moment à l'autre.

Une agréable odeur de crêpe lui chatouilla les narines lorsqu'il entra dans la cuisine. Il repéra les siennes dans une assiette sur la cuisinière. Après avoir sorti le pot de sirop d'érable du frigo, il alla rejoindre les membres de sa famille réunis autour de la table patio.

— Si j'avais su que tu avais préparé des crêpes, je serais descendu avant, dit-il malicieusement à Jessianne.

— Remercie Bibi, parce que c'est elle qui a préparé le mélange hier après-midi pour toi. « Je suis mieux de préparer du mélange à crêpes si je ne veux pas que *mon Philippe* mange seulement des tartines au beurre d'arachides durant mon absence», ajouta-t-elle pour se moquer de lui.

— Et si on parlait un peu de toi. Combien de fois par semaine vas-tu à la chocolaterie ? relança-t-il.

— Et qui est celui qui m'arrache mon sac des mains pour regarder ce qu'il contient ?

— Je vérifie simplement si tu as acheté des chocolats comme je les aime, précisa-t-il, arrosant généreusement ses crêpes de sirop d'érable.

— Qu'est-ce que tu vas faire aujourd'hui ? s'interposa Isabelle.

— En principe, nous devrions aller faire du porte-à-porte dans les rues de la ville.

Philippe se tourna vers Jessianne.

— Tu peux venir avec nous si tu veux.

— Non…

— Comment ça, non ?

— Aujourd'hui, je reste à la maison.

— Dis-moi plutôt que ça ne te tente pas de te faire mouiller.

— Pas du tout. J'ai des choses à faire.

— Quelles choses ?

— Le ménage de ma chambre. Elle est sens dessus dessous.

Frédéric referma son journal et le déposa sur la table, tandis qu'Isabelle continua de feuilleter une revue écolo qu'elle ramassait au marché d'alimentation naturel où elle faisait ses emplettes.

— J'ai l'impression que tu n'as pas beaucoup de temps pour tondre la pelouse, déclara le grand homme aux cheveux bouclés.

— Oublie-moi pour les deux prochaines semaines papa. Après, je te promets que je vais le faire et que je vais laver ton 4 x 4.

Un éclair traversa les nuages et fut suivi d'un violent coup de tonnerre.

— Ce n'est pas la journée idéale pour faire du porte-à-porte, commenta Isabelle qui n'aimait pas particulièrement l'idée que son fils se soit mis autant de responsabilités sur les épaules.

— Cesse de t'en faire, maman. Je ne suis pas en *chocolat*, lança-t-il pour narguer Jessianne. Ce n'est pas la pluie qui va m'empêcher de sortir.

Il sortit de la poche de son jean une feuille de papier repliée en deux et la tendit à Isabelle.

— C'est votre prospectus, constata-t-elle. Il est très bien fait.

— C'est Catherine qui a fait ce beau montage.

Frédéric le regarda à son tour.

— Vous avez employé exactement les termes qu'il fallait pour piquer la curiosité des gens, dit-il, s'apprêtant à aller travailler.

— Attends-moi, dit Isabelle.

— Est-ce que je pourrais me servir du photocopieur au bureau pour faire des copies ?

— Combien en as-tu besoin ? demanda Isabelle.

— Quelques centaines…

— Tu n'as pas l'air de réaliser ce que ça coûte de faire des photocopies ! s'exclama-t-elle.

120

Philippe l'implora du regard.

— Ça va… Tu peux les faire.

— Je voulais aussi te demander…

— J'ai compris. J'irai te conduire…

Philippe descendit du 4 x 4 avec son sac de prospectus camouflé sous son imperméable et courut à l'intérieur, car il pleuvait des clous.

— Salut PeP, cria Amélie. Bryan nous attend dans le camion. Il dit qu'il est disponible jusqu'au milieu de l'après-midi. Ensuite, il ne faut plus compter sur lui.

— J'ai écouté le canal météo avant de quitter la maison, dit Sy. La pluie devrait cesser au milieu de la matinée.

— Est-ce que tu as les prospectus ? demanda Catherine.

— Oui je les ai, dit-il, retirant le sac plastifié de son imperméable.

— Venez m'aider les filles, cria-t-elle.

Sy, Nadya et les jumelles se regroupèrent autour de la table de la cuisine et s'emparèrent d'une pile de feuilles qu'elles commencèrent à plier en trois.

— Ne te gêne pas si tu veux venir avec moi, proposa Élie. Il y a de la place pour quatre dans le camion de papi.

— Je te remercie Élie. Je crois que je vais laisser les filles en profiter.

— Nous ne sommes peut-être pas riches, mais nous savons ce qu'est l'entraide, ajouta-t-il.

— Ton grand-père est vraiment gentil de nous offrir son aide.

De leur côté, Dan, Jeanno, Yann et Jonathan essayaient de déterminer dans quelles rues ils devaient débuter la cueillette.

Philippe réclama un moment d'attention.

— Est-ce que vous avez pris le temps de lire le prospectus ?

La plupart répondirent non et allèrent en chercher un sur la table de la cuisine.

— Est-ce que tu as eu des problèmes en retournant chez toi hier soir ? s'informa Philippe, lorsqu'il se trouva seul avec Dan.

— Mon père n'était pas là lorsque je suis revenu à la maison. Je sais que ma mère a beaucoup pleuré. Cela paraissait dans ses yeux, même si elle a tout fait pour que je ne m'en rende pas compte.

— C'est une triste situation, dit Philippe.

— En effet, et je ne crois pas qu'elle va s'améliorer.

Dan s'étira le cou pour regarder par la fenêtre de la salle de jeux.

— As-tu vu qui est là ?

Philippe regarda à son tour et vit le scooter noir de Vandal garé devant la maison des jeunes.

— Ajoute-lui un masque noir sur le visage et il a l'air d'un voleur qui s'apprête à faire un hold-up, commenta Dan.

— Je me demande qui lui a dit de venir ici aujourd'hui.

— Cette fois, ce n'est pas moi ! Sois-en sûr !

— Il a l'air de surveiller quelqu'un.

— Pas besoin de se creuser la cervelle pour savoir de qui il s'agit, rétorqua-t-il.

Élie tenta de démontrer qu'il avait du *leadership* en proposant aux ados de choisir un partenaire et déterminer avec lui le secteur où ils voulaient faire du porte-à-porte. Dans les minutes qui suivirent, des équipes se formèrent et les ados quittèrent *La Tanière* pour entreprendre leur campagne de publicité et, par la même occasion, faire une cueillette d'objets.

Bientôt, il ne resta plus que Philippe et Dan à la maison des jeunes.

— Sy n'est pas comme d'habitude, dit Dan.

— Elle veut simplement me faire comprendre qu'un autre s'intéresse à elle. C'est tout. Pourquoi n'as-tu pas profité de l'occasion pour inviter Nadya à faire équipe avec toi ?

— Je te l'ai dit, elle ne veut pas sortir avec moi. Et puis, tu as vu dans quel merdier je vis. Comment veux-tu que j'invite une fille chez moi ?

— Tu as juste à lui expliquer que tu vis une période difficile en ce moment, et que pour des raisons d'ordre personnel, tu préfères la rencontrer ailleurs que chez toi.

— J'ai une peur bleue qu'elle découvre la face cachée de ma famille. Ce n'est pas un honneur d'avoir des parents comme les miens.

Une pluie diluvienne poussée par le vent se mit à marteler les carreaux des fenêtres.

— Quel temps de chien, chiala Dan, calant sa casquette dans son épaisse tignasse rousse.

À quelques rues de là…

— C'est un véritable harceleur ce gars-là ! s'exclama Catherine, découragée de voir Vandal les suivre en scooter.

— Continue sans moi. Si je ne m'arrête pas pour lui parler, il va continuer de nous suivre sans relâche.

— D'accord.

Vandal se rapprocha d'elle aussitôt que Catherine s'éloigna.

— Est-ce que tu as réfléchi à ma demande ?

— Pas vraiment, affirma-t-elle.

— Tu m'avais pourtant dit que tu me donnerais une réponse.

— N'insiste pas. Je n'en sais rien pour le moment.

— Tu espères encore sortir avec PeP. Dommage. Je te trouve tellement charmante et plus intelligente que lui.

— Veux-tu insinuer que l'intelligence se mesure à de simples résultats scolaires ?

— J'ai toujours prétendu que ceux qui montraient des signes d'intelligence supérieurs aux autres devaient fréquenter des gens de même calibre qu'eux pour réussir dans la vie.

— Je connais un proverbe qui dit que généralement les contraires s'attirent.

Voyant que Sy ne démordait pas de son attirance pour Philippe, Vandal préféra ne pas ajouter d'autres conspirations à celles déjà entreprises pour la gagner et rebroussa chemin.

La cueillette s'avéra un succès foudroyant dès le départ. Les familles de la région encourageaient les ados en leur offrant des quantités incroyables d'objets qu'ils ne voulaient plus. Parmi ces objets, il y avait des choses usagées, mais il y avait également des choses plus récentes. Il y eut même d'énormes sacs à poubelles remplis de cannettes vides qui s'ajoutèrent au stock déjà accumulé. En début d'après-midi, le camion de Bryan et celui du grand-père d'Élie étaient tellement pleins qu'ils durent s'en aller à la ferme pour décharger la marchandise.

Les ados transportèrent leur marchandise à l'intérieur du bâtiment comme de vrais champions. Lorsque le travail fut terminé, ils remercièrent du fond du cœur Bryan et Lorenzo Dumouchel pour leur aide.

— Je vais certainement revenir vous porter des jus, dit Bryan, avant de remonter dans son camion.

— Je regrette de ne pouvoir rester, annonça Meggie, mais il faut retourner à la maison avec Bryan, sinon nous allons nous faire gronder.

— On se parlera ce soir, dit Catherine.

— D'accord.

Lorenzo Dumouchel et Bryan se saluèrent une dernière fois avant de remonter dans leurs camions. Tandis que Philippe et son équipe retournaient à l'intérieur.

— Nous devrions ouvrir quelques heures demain pour faire un test, suggéra Jeanno.

— Tu pousses un peu fort, chiala Dan.

— Qu'est-ce que nous avons à perdre ?

— Nous ne sommes pas prêts à ouvrir demain. C'est absolument insensé, cette idée, interpella Catherine.

— Elle a raison, déclara Sy. Qui saura que nous sommes ouvert ?

— Nous n'avons qu'à dessiner une affiche « OUVERT » sur un grand carton et nous le mettrons en évidence sur la façade du bâtiment, déclara Philippe.

Quelques-uns convinrent que c'était une bonne idée, alors que d'autres ne le voyaient pas d'un bon œil. Ils finirent tous par se mettre d'accord pour ouvrir en début de semaine. Le mardi, si tout allait bien.

— Je ne suis même pas certain que nous serons prêts mardi, chiala Dan.

Comme ils commençaient à vider des boîtes, Philippe se rappela une chose importante.

— N'oubliez pas de mentionner votre disponibilité à Sy. C'est elle qui va préparer l'horaire de la semaine et qui va l'afficher quelque part sur un mur chaque lundi.

Sy le regarda avec des yeux interrogateurs.

— C'est ce qui s'appelle se faire imposer une tâche, plaisanta-t-elle.

***

Lorsque Philippe entra chez lui à la fin de l'après-midi, il trouva un mot écrit par Isabelle sur la porte du frigo mentionnant qu'ils étaient partis souper chez Roxanne avec Jessianne.

« Quel plaisir de savoir que j'aurai la maison à moi seul ce soir », pensa-t-il. « Je crois que je vais commencer par me faire tremper dans un bain chaud. »

Il monta à l'étage et alla directement dans la salle de bains ouvrir la robinetterie. Ensuite, il versa une généreuse portion de bain moussant dans la baignoire et se déshabilla, puis il souleva le couvercle du panier à linge et laissa tomber ses vêtements dedans. Une agréable odeur marine parfuma la pièce. Philippe se glissa dans l'eau avec un frisson de satisfaction.

« Je devrais inviter Sy. L'occasion est parfaite. De toute façon, beaucoup trop de choses ridicules se sont passées entre nous depuis le soir de la Saint-Jean-Baptiste. Je suis mieux de redresser cette situation avant qu'elle ne s'envenime davantage. »

La sonnerie du téléphone résonna dans la chambre de ses parents et le sortit de ses pensées. Devinant qui c'était, il se releva en vitesse et se noua une serviette autour de la taille. Il arriva juste à temps pour décrocher le récepteur, avant que le répondeur ne se charge de prendre l'appel à sa place.

— Bonsoir Sy…

— Comment fais-tu pour deviner que c'est moi qui est au bout du fil ?

— C'est mon sixième sens qui me le dit.

— J'ai refusé d'aller au cinéma avec Guillaume parce que je voulais que nous discutions tous les deux. Je ne te cache pas que j'ai une décision à prendre… À vrai dire, j'ai un urgent besoin de me comprendre moi-même, avoua-t-elle.

— Ça tombe bien. Ma famille n'est pas là. Pourquoi ne viens-tu pas passer la soirée avec moi?

— D'accord. J'irai vers 19 heures 30.

« Tu parles… Elle m'a devancé », se dit-il, après avoir raccroché.

Philippe retourna s'immerger dans l'eau mousseuse et fixa les flammes des bougies qui dansaient sur les murs, comme s'il s'attendait à ce qu'elles lui dévoilent certains secrets de son avenir.

« Qu'est-ce que j'ai à faire l'idiot avec Sy ? Elle a tout ce qui me plaît chez une fille. Elle tient des propos intelligents et elle a un regard capable de faire capituler n'importe quel gars. »

Un gargouillement dans son ventre vint mettre un terme à ses réflexions et le tira hors de la baignoire. Il s'enveloppa dans son peignoir et descendit au rez-de-chaussée pour trouver quelque chose à manger. Après avoir fait le tour des contenants empilés sur les tablettes du réfrigérateur, il découvrit enfin un reste de dinde et se dit qu'un sandwich chaud avec petits pois en conserve conviendrait parfaitement bien. Après avoir passé près de dix minutes à essayer de comprendre le programmateur électronique du four, il réussit finalement à le mettre en marche et étendit des frites surgelées sur une plaque à biscuits pour les faire dorer.

« Je me demande pourquoi j'ai toujours autant de difficulté avec les boutons », se dit-il, frustré par sa lenteur à comprendre les nouvelles technologies.

Comme si ce n'était pas assez, Jade et Féli se mirent à miauler désespérément devant leur bol vide pour lui faire comprendre qu'ils avaient faim. Il ouvrit la porte du garde-manger et s'empara de leur sac de croquettes au thon, sachant fort bien qu'il ne connaîtrait la paix qu'après les avoir nourris.

— Vous me faites penser à des délinquants ! tonna-t-il, les regardant plonger tête première dans le bol.

Maya s'approcha à son tour, au cas où ?

— Évidemment, toi aussi tu as faim !

Devenu subitement impatient, il se dépêcha de retourner dans le garde-manger sortir le sac de nourriture de la chienne pour en finir une fois pour toutes avec les repas des animaux.

— Il y a des jours où ça ressemble à une animalerie ici, soupira-t-il.

Pendant qu'il versait des croquettes dans le bol de Maya, il se souvint de Jaco - le perroquet dans la forêt des sept chutes -.

« Jessianne l'aurait adoré ! » se dit-il, lorsqu'une odeur de brûlé le ramena à l'ordre.

— Je suis en train de rater mes frites à cause de vos lubies de manquer de nourriture !

Dérouté par son ton colérique, Maya retourna piteusement dans la véranda, tandis que Jade et Féli disparurent dans le séjour.

Philippe termina la préparation de son sandwich chaud à la dinde et alla s'asseoir devant la télévision dans le séjour pour manger. C'était une pièce chaleureuse dont le centre d'intérêt était son foyer au gaz habillé d'un manteau en bois de merisier.

Sy frappa trois petits coups à la porte-moustiquaire pour avertir Philippe de son arrivée et attendit quelques instants. Comme elle n'entendit aucune réponse, elle se dit que Philippe devait être dans sa mansarde. Elle entra et aperçut Maya qui, en bon chien de garde, venait vérifier qui s'était introduit chez elle.

C'est le bruit de la télévision qui attira Sy dans le séjour. Elle entra dans la pièce et s'aperçut que Philippe dormait à poings fermés. Elle hésita et posa finalement une main sur son épaule avec douceur pour ne pas le faire sursauter.

— Je suis arrivée PeP, murmura-t-elle.

Il ouvrit les yeux, étonné de la trouver si près de lui.

— Je me suis endormi sans même m'en rendre compte, balbutia-t-il.

— C'est compréhensible d'être fatigué avec la journée que nous venons de passer.

Il la trouva plus belle que jamais. Ses cheveux sentaient bon et le soupçon de maquillage qu'elle avait appliqué sur ses yeux accentuait son regard.

— Donne-moi une minute, je monte m'habiller, dit-il.

Pendant ce temps, Sy ramassa l'assiette que Philippe avait laissée sur le coffre en bois de pin devant le canapé et l'emporta à la cuisine. Elle la rinça avec les casseroles qu'il avait salies et les rangea dans le lave-vaisselle. Après avoir bien nettoyé le comptoir, elle retourna dans le séjour et se mit à feuilleter les plus récents journaux étalés sur le coffre en bois de pin. Elle tomba sur l'article qui avait attiré l'attention d'Isabelle : « Le Premier ministre du Canada, accompagné d'un groupe d'hommes d'affaires, ont croisé une *chose* étrange dans le ciel. Ils n'ont pu identifier clairement ce qu'ils ont vu, mais selon eux, il se pourrait que ce soit des ovnis. »

« Personne ne m'avait parlé de cet article », se dit-elle en s'asseyant pour le lire.

— Je suis heureux que tu sois venue passer la soirée avec moi, dit Philippe qui l'observait à son insu.

Sy avait l'air pensive.

— Est-ce que tu as lu cet article ? dit-elle, lui présentant le journal.

Philippe jeta un œil furtif sur l'article.

— Même si je te disais qu'un immense vaisseau plane au-dessus de la montagne, je ne suis pas certain que tu me croirais.

— S'il y avait un vaisseau au-dessus de la montagne, j'en aurais entendu parler, déclara-t-elle.

Sy se demanda quelle était cette sensation bizarre qui venait de lui traverser le plexus. Elle préféra ne pas en parler à Philippe et s'attaqua à son dilemme sentimental.

— Je suis persuadée que Dan t'a mis au courant de ce qui s'est passé le soir de la Saint-Jean-Baptiste.

— Il m'en a glissé un mot, répondit-il, s'asseyant près d'elle.

Elle hésita avant d'aborder le sujet qui la tourmentait.

— J'ai passé la soirée avec Guillaume. Nous avons beaucoup parlé tous les deux. Il m'a demandé si je sortais avec toi.

— Qu'est-ce que tu lui as répondu ?

— Je t'avoue que je suis perdue dans mes pensées ces temps-ci.

Philippe se rapprocha d'elle et passa un bras autour de ses épaules.

— Comment crois-tu que je me sente, quand le gars avec qui j'aimerais sortir n'est même pas foutu de me dire clairement si *OUI* ou *NON* je l'intéresse ?

« Comme elle est belle lorsqu'elle est en colère », se dit-il à lui-même.

— Je sais ce qui te tourmente Sy. Tu te poses des questions à propos de moi et de Guillaume. Je n'ai pas l'intention de me prétendre meilleur ou pire que lui. Nous sommes simplement deux personnes différentes, lui et moi. Je reconnais que je ne suis peut-être pas comme on voudrait que je sois, mais je n'y peux rien. Si j'agissais autrement, je renierais l'essentiel en moi.

Sy fut touché par les paroles de Philippe. Une émotion la traversa et les larmes lui montèrent aux yeux.

— J'admets que Guillaume est un gars qui préfère rester dans des paramètres plus rationnels, poursuivit Philippe, et c'est bien ainsi. Je n'ai rien contre ça. Tu es libre de ta vie et de tes choix. Il n'en tient qu'à toi de savoir ce que tu veux.

— Tu m'as dit que tu ne voulais pas t'engager dans une relation avec moi, et aujourd'hui tu me demandes de savoir ce que je veux.

— La réalité, c'est que je voulais sortir avec toi, mais sans nécessairement être obligé de me soumettre à toutes sortes de contraintes. Tu avais raison lorsque tu m'as dit que j'avais peur de m'engager.

— Et maintenant…

— Disons que l'idée de vivre une relation sincère et franche avec toi me plaît et que j'en ai très envie. En fait, ce n'est pas que nous sortions ensemble qui me dérange.

— Qu'est-ce qui te dérange alors ?

— J'appréhende le fait que nous ne puissions plus avoir de temps chacun pour soi.

Les yeux bridés de Sy s'écarquillèrent.

— Qu'est-ce que tu t'imagines, Philippe Prince ? Je ne suis pas le genre de fille à étouffer un gars !

— Ne te fâche pas. C'est en se parlant qu'on se comprend.

— Guillaume m'a embrassée…

— Je ne peux pas t'en vouloir pour cela. Hier, c'était hier, et le choix que tu feras t'appartient. Je vais respecter ta décision.

Ils restèrent un long moment les yeux dans les yeux.

— Guillaume ne lâchera pas prise facilement, Sy, murmura Philippe.

Il se comporte exactement comme si nous étions en pleine compétition lui et moi, et il veut gagner la partie à tout prix.

— Et si mon choix était Guillaume, dit-elle malicieusement.

« Les filles sont décidément des expertes en contradiction », se dit Philippe.

— Il est évident que mon ego en prendrait pour son rhume, mais je l'accepterais.

— Tu sais, PeP, il y a un aspect que j'aime particulièrement de toi.

— Lequel ?

— Cette espèce d'abandon que tu as face à la vie me fait penser à celui que je ressens lorsque je pratique le Taï Chi.

— C'est vrai !

— Oui…

— Je songe sérieusement à m'inscrire à l'école de ton père. Le Taï Chi est un art que je veux maîtriser. J'aime ses mouvements lents et harmonieux qui me rappellent ceux de l'Univers.

— Tu n'as qu'à t'inscrire en septembre au moment où les cours vont débuter.

— C'est ce que j'ai l'intention de faire. J'ai amplement le temps d'amasser la somme nécessaire pour payer mon premier cours. Est-ce que ton père est négociable ?

— Quelle question ! s'étonna Sy. Tu n'auras qu'à le lui demander.

Sy ferma le téléviseur à l'aide de la télécommande.

— Je peux te le dire maintenant, je ne suis pas attirée par Guillaume. Je ne le trouve pas vrai. Il y a une énorme différence entre l'image qu'il montre de lui, et ce qu'il est dans la vie. Il a poussé l'audace jusqu'à me demander si j'étais encore… Tu sais ce que je veux dire.

— Es-tu sérieuse ?

— Tout à fait.

— S'il a eu assez d'audace pour repousser ses limites jusque-là, c'est qu'il est vraiment décidé à t'avoir, dit Philippe.

— C'est ce que je me dis aussi.

— Tu es radieuse ce soir… Je te trouve très belle. Je veux que tu saches que tu as une sensibilité que je ne retrouve chez personne d'autre.

Sy se sentit si bien avec Philippe, qu'elle n'hésita pas un instant à se blottir contre lui. Celui-ci l'enveloppa dans ses bras et chercha ses lèvres.

— Savais-tu que tu as assez de charme pour faire capituler n'importe quel mâle ? murmura-t-il après leur baiser.

— J'en ai déjà bien assez de comprendre ce qui m'arrive avec toi, s'exclama-t-elle. J'aimerais savoir une chose… Est-ce que nous sortons ensemble à présent ?

— Si tu m'embrasses encore une fois comme tu viens de le faire, je n'ai aucune objection, plaisanta-t-il.

***

Pendant ce temps, au centre-ville, Vandal marchait en direction de *Chez Ben* avec un gars qu'il avait connu quelques semaines auparavant lors d'une fête chez son cousin. Lorsqu'ils arrivèrent dans le stationnement de la cantine, il aperçut Dan, Jeanno et Jonathan assis à une table dans le verger et leur envoya la main.

— Tu les connais ? s'informa celui qui l'accompagnait.

— Oui… Ce sont des amis à moi. Ils viennent de démarrer un projet étudiant.

Ils entrèrent dans la cantine et ressortirent quelques minutes plus tard avec une glace dans la main.

— Viens, dit Vandal, je vais te présenter.

Dan avait les baguettes en l'air et imitait un prof du collège au moment où ils s'approchèrent de la table. Sans le vouloir, il heurta la main du gars qui accompagnait Vandal et sa glace tomba dans l'herbe.

— Tu as renversé ma glace, espèce de connard ! tonna-t-il.

— Excuse-moi, dit Dan. Je suis désolé d'avoir été aussi maladroit.

Le gars se mit à le bousculer. Pendant que Dan essayait de se lever pour éviter de se faire malmener, il lui asséna un solide coup de poing au visage et continua de le frapper. L'affrontement se termina quand un homme d'âge mûr, assis non loin d'eux, décida d'intervenir.

— Ce garçon ne t'a rien fait, lui dit l'homme en le regardant droit dans les yeux. On n'a pas besoin d'un voyou comme toi ici. Va te battre ailleurs.

Vandal fit comprendre à son nouveau copain qu'ils seraient mieux de décamper avant que quelqu'un réclame la présence des policiers.

— C'est lui qui a frappé le premier, dit Vandal, lorsqu'ils s'éloignèrent du verger. Je suis content que ce morveux ait reçu une bonne leçon. J'espère que les autres vont comprendre qu'ils ont intérêt à ne pas me casser les pieds à l'avenir. Et peut-être que le grand escogriffe de Prince va finir par me laisser le champ libre avec Sy.

— Je peux t'arranger ça si tu me paies.

— Tu te fais payer pour flanquer des volées à des gens que tu ne connais pas !

— Ce n'est pas quelque chose que je crie sur les toits, mais ça m'arrive de temps à autre.

— Son nez saigne beaucoup. Va demander des glaçons à la serveuse, suggéra Jeanno.

— Dans quoi vais-je les mettre, ces glaçons ?

— Dans un verre, grand nigaud !

Jonathan ne se le fit pas dire deux fois et courut les chercher.

— Tu es mal en point Dan. Je ne suis pas certain que ce soit une bonne idée de retourner chez toi en vélo, dit Jeanno, inquiet de son état.

— Ça va aller, le rassura-t-il.

***

— Je dois penser à retourner chez moi, dit Sy lorsqu'elle entendit le carillon de l'horloge comtoise. Il est déjà 22 heures et j'ai dit à maman que je rentrerais avant 22 heures 30.

— D'accord. Je te reconduis.

Avant de quitter la maison, Sy ramassa les verres sales dans le séjour et alla les ranger dans le lave-vaisselle.

— Qu'est-ce que tu fais ? demanda Philippe qui l'attendait près de la porte-moustiquaire.

— Je n'aime pas laisser de désordre derrière moi, répondit-elle.

Ils partirent tous les deux en se tenant par la main. C'était une nuit chaude et humide où les vêtements vous collent à la peau. Ils longèrent le Chemin de la Montagne en marchant d'un pas lent et en respirant l'odeur que dégageaient les haies de cèdres.

Les parents de Sy avaient cherché durant deux longues années un coin tranquille pour s'établir dans la région de Mont-Saint-Hilaire. Ils avaient finalement fixé leur choix sur une maison construite par un homme minutieux qui avait privilégié le bois comme matière première. Ce qui avait plu au couple qui considérait le bois comme un élément essentiel à leur mieux-être. Le deuxième attrait avait été la vaste étendue de la cour arrière qui leur permettrait d'ériger un magnifique jardin chinois.

— Pourquoi n'entrerais-tu pas dire bonsoir à mes parents avant de repartir chez toi ? demanda Sy.

— Il est un peu tard…

— Maman doit dormir, mais papa est un couche-tard.

— D'accord.

Ils entrèrent sans faire de bruit. Sy referma doucement la porte derrière eux.

— Il y a de la lumière au sous-sol, chuchota-t-elle. Papa doit être en train de lire.

Lorsque Monsieur Lu Chan aperçut Philippe dans l'escalier, il le salua chaleureusement et l'invita à venir s'asseoir.

— C'est gentil à toi d'être venu reconduire ma fille. Tu es un garçon sérieux et responsable.

Philippe le remercia en lui disant que c'était la moindre des choses.

— Il ne se passe pas une journée sans que ma femme et moi n'entendions parler de votre projet étudiant.

— Nous formons une belle équipe, dit-il.

— Si tous les jeunes étaient occupés à des activités valorisantes comme la vôtre, il y aurait moins de délinquance juvénile et moins de flânerie dans les parcs la nuit.

— Merci monsieur. Vous savez, j'ai l'intention de m'inscrire à l'un de vos cours de Taï Chi cet automne.

— Je suis heureux de te l'entendre dire mon garçon. Le Taï Chi est une excellente façon de contrer le stress. Surtout depuis qu'il est devenu le pire ennemi de nos sociétés modernes. Je vois à tous les jours des entreprises multinationales aux prises avec de graves problèmes au niveau de leurs ressources humaines, parce qu'elles ont trop attendu pour trouver une solution. Je vole régulièrement au secours d'employés souffrant d'épuisement chronique. Ce problème élève le niveau d'absentéisme d'une façon alarmante. Quand je suis devant des cas aussi extrêmes, je commence par montrer des exercices de respiration profonde, car c'est par la respiration que commence la détente.

— Le Taï Chi semble apporter des bienfaits extraordinaires à ceux qui savent en tirer profit, dit Philippe.

— Tout à fait, répondit Sy à la place de son père. Je te reconduis…

— Oui… Bonsoir monsieur. À la prochaine.

— Et puis, ça n'a pas été trop pénible de rencontrer mon père, dit Sy, lorsqu'ils furent tous les deux seuls dans le vestibule.

— Pas du tout. Je le trouve très sympathique.

— Qu'est-ce que tu projettes de faire demain ?

— Je n'en ai aucune idée.

— Nous devrions organiser des activités extérieures à la ferme, suggéra Sy.

— Quel genre d'activités ?

— Je pensais à un lave-auto…

— Ce n'est pas bête. Nous en parlerons avec les autres.

— D'accord. J'ai passé une merveilleuse soirée avec toi.

— Moi aussi. Bonne nuit Sy.

La maison était déserte lorsque Philippe revint chez lui. Il monta à l'étage, enfila son pyjama de coton et se glissa sous les couvertures. C'est en écoutant les stridulations des criquets par sa fenêtre ouverte qu'il se laissa emporter dans un profond sommeil.

10
Mise en garde

— Jeanno veut te parler ! souffla Jessianne qui, debout, en face du lit de Philippe, lui tendait le téléphone sans fil.

— Laisse-moi dormir, marmonna-il, se blottissant contre le mur.

— Il dit que c'est important !

— Exaspéré, Philippe se redressa et enleva le récepteur des mains de Jessianne qui lui fit une grimace et sortit en claquant la porte.

— Salut ! Pourquoi m'appelles-tu si tôt ?

— Il s'est produit un incident hier soir.

— Quel sorte d'incident ?

— J'étais assis à une table à pique-nique *Chez Ben* avec Dan et Jonathan lorsque c'est arrivé.

— Arrivé quoi ?

— Dan a fait tomber la glace d'un copain de Vandal par mégarde pendant qu'il imitait le prof de mathématiques du collège pour nous faire rire. Il l'a frappé au visage à cause de cela.

— Mais c'est qui ce gars-là ?

— Je ne sais pas. On ne l'a jamais vu par ici. Pauvre Dan. Ce n'était pas drôle à voir. Il saignait du nez et avait la lèvre fendue.

— Tu as bien fait de m'avertir. Je vais lui téléphoner pour prendre de ses nouvelles.

— C'est révoltant PeP. Vandal n'a pas levé le petit doigt pour protéger

Dan de ce fou furieux. Il l'a regardé l'agresser sans intervenir.

— Sa façon d'agir dissimule un problème, dit Philippe.

— En effet. Il nous l'a prouvé hier soir.

— On se donne rendez-vous à la ferme à midi.

— D'accord. J'y serai.

Philippe raccrocha et descendit de son lit. Puis il ouvrit la porte de son placard pour décider ce qu'il porterait ce jour-là.

« Quelle est cette faiblesse qui l'incite à agir comme un trouillard ? », se demanda-t-il, s'emparant d'un cintre sur lequel se trouvait un bermuda vert kaki garni de larges poches sur le devant.

« La peur d'avoir peur... », entendit-il.

Après avoir vérifié son apparence devant la porte-miroir de la chambre de ses parents, Philippe enjamba l'escalier et se rendit à la cuisine.

— Qu'est-ce que Jeanno avait à dire ? s'informa Jessianne, assise devant un verre de jus d'orange dans la véranda.

— Dan s'est fait tabasser hier soir à la cantine *Chez Ben*.

— Tu parles ! Qui a fait ça !

— Le gars qui était avec Guillaume Vandal.

— Pourquoi ces conneries arrivent-elles toujours à ceux qui ne sont pas batailleurs, dit-elle, choquée par la nouvelle.

Philippe ouvrit la porte du garde-manger à la recherche du pot de miel et ne le trouva pas.

— Est-ce toi qui as pris le miel ?

— Tu es le seul qui bouffe du miel dans cette maison. Alors, cherche-le ton miel !

— Quelle mouche t'a piquée ce matin ?

— Celle qui vient de s'introduire dans la cuisine.

— Où sont allés papa et maman ? Le Mitsubishi n'est pas dans l'entrée.

— Ils sont partis déjeuner au restaurant. Maman voulait manger une omelette végétarienne.

Philippe emporta son bol de céréales dans la véranda et s'installa à la table. La journée s'annonçait chaude et humide.

— Qu'est-ce que tu vas faire aujourd'hui ? s'informa-t-il.

— Il est probable que j'aille me baigner à la piscine municipale avec une amie.

— Et toi ?

— J'ai rendez-vous à la ferme vers midi.

— Ça me surprendrait que tu ailles à la ferme aujourd'hui. Maman a dit qu'elle avait l'intention d'aller avec toi choisir tes nouveaux meubles.

— C'est vrai !

— Oui…

— Enfin ! s'exclama-t-il.

— En regardant les petites annonces, elle a trouvé un peintre qui habite tout près d'ici. Elle va communiquer avec lui demain.

— J'ai déjà des couleurs en tête, dit-il.

— Je peux savoir lesquelles ?

— Sy m'a dit que le vert était la couleur idéale pour le repos. Je crois qu'un mélange de vert et de sable serait parfait. Qu'en dis-tu ?

— Ça me semble une bonne idée. Et ton ameublement ?

— J'aimerais qu'il soit en bois naturel. Le bois naturel donne un effet de légèreté et c'est ce que je veux pour ma mansarde.

— Tu as pensé à tout, à ce que je vois.

Après avoir déjeuné, Philippe chercha le téléphone sans fil pour prendre des nouvelles de Dan.

— Est-ce que tu sais où est le téléphone ? demanda-t-il à Jessianne.

— Qui s'en est servi la dernière fois ?

— Heu, c'est moi, je crois.

— Et où étais-tu lorsque tu t'en es servi ?

— Je me rappelle maintenant. Il est sur mon lit.

Philippe monta dans sa mansarde et le trouva effectivement sur son lit. Il composa le numéro de Dan et fut soulagé que ce ne soit pas son père qui réponde.

— Comment vas-tu ?

— Ça pourrait aller mieux. Est-ce que tu sais pour hier soir ?

— Jeanno m'en a parlé.

— Je me demande ce qui lui a pris à ce gars. Je ne le connais même pas.

— C'est une histoire qui ne tient pas debout. On ne frappe pas quelqu'un parce qu'il a fait tomber une glace.

— Pourquoi faut-il toujours que des histoires semblables n'arrivent qu'à moi ?

— Il y a des questions qui demeurent sans réponses toute une vie, et d'autres qui sont répondues dans un temps défini. Pose-toi les bonnes questions si tu veux recevoir les bonnes réponses. C'est une règle qui ne trompe pas.

— Est-ce que ma question est une bonne question ?

— Évidemment qu'elle l'est.

— En plus de m'être fait frapper au visage par un con, mon père m'a traité de bagarreur lorsque je suis entré hier soir.

— Quand tout va de travers, tout va de travers, dit Philippe.

— Bof… un peu plus, un peu moins, quelle différence cela fait-il ?

— Est-ce que tu as l'intention d'aller faire un tour à la ferme cet après-midi ?

— Je ne crois pas. Mon visage est enflé. Je ne veux pas que Nadya me voie dans cet état.

— Qu'est-ce que tu vas faire ?

— Peut-être que je vais louer des films au club vidéo pour passer le temps.

— Essaie d'écouter des films drôles. Le rire est un excellent moyen d'évacuer des émotions négatives.

— Moi aussi je veux aller faire des courses !

— Tu ne devais pas aller te baigner à la piscine municipale avec ton amie, rappela Philippe.

— J'ai le droit de changer d'idée si je le veux !

— S'il te plaît, Philippe, va dans le garage chercher le galon à mesurer. Il doit se trouver quelque part sur une tablette avec les outils de Frédéric, demanda Isabelle.

— Pourquoi as-tu besoin d'un galon à mesurer ?

— Pour prendre des mesures. Il est important de savoir si les meubles que tu vas choisir cadreront bien dans la pièce.

— D'accord. J'y vais.

— Maman…

— Quoi…

— J'ai reçu un petit cadeau à mon anniversaire…

— Parce qu'un vélo est un petit cadeau ! l'interpella Isabelle. J'aurai tout entendu.

— … et je me disais que tu pourrais peut-être m'acheter un téléviseur. J'aimerais tellement en avoir un dans ma chambre.

— Je regrette, Jessianne, mais cette année, nous avons prévu un budget pour refaire la décoration de la chambre de ton frère. Tu devras attendre à l'an prochain pour ton téléviseur.

— J'aurais dû en parler à papa. Il dit toujours oui quand je lui demande une faveur. Ce n'est plus la peine d'aller au magasin maintenant.

— Il y a cinq minutes, tu venais avec nous, et là, tu ne viens plus.

— Je n'y vais plus parce que tu viens de briser mon rêve.

Isabelle soupira devant l'insistance de sa fille.

— Quand tu as une idée en tête, on ne peut plus te faire entendre raison. Où est passé mon sac à main ? Je dois vérifier si j'ai mes cartes de crédit avant de partir.

— Il est juste derrière toi, sur le comptoir.

Isabelle était un peu survoltée ces dernières semaines, et il lui arrivait de se perdre dans un verre d'eau.

— J'ai le galon à mesurer, dit Philippe, de retour dans la cuisine.

— Allons-y… Je ne veux pas revenir trop tard. J'ai une recette de saumon à l'estragon à préparer.

Jessianne en profita pour traverser à l'hôpital.

— Papa, chuchota-t-elle dans l'embrasure de la porte de la salle d'examens.

— Je suis occupé. Reviens plus tard.

— Il faut que je te parle tout de suite.

— Qu'y a-t-il de si urgent ?

— Je veux savoir si tu peux me donner une petite avance sur mon salaire.

— Demande à ta mère. C'est elle qui s'occupe des finances de l'hôpital.

Intrigué, Frédéric se retourna vers sa fille.

— Puis-je savoir à quoi va servir cette avance?

— À m'acheter un téléviseur.

— Celui que nous avons ne te suffit pas !

— J'en veux un pour moi toute seule.

— Nous en reparlerons à l'heure du souper si tu veux bien.

— D'accord.

Jessianne sortit juste au moment où Isabelle et Philippe s'apprêtaient à monter dans le Mitsubishi.

— Attendez-moi, cria-t-elle.

— Je ne sais pas ce qu'elle a aujourd'hui, s'impatienta Isabelle. Elle doit être dans sa période prémenstruelle.

— Papa m'a dit que je pouvais recevoir une avance sur mon salaire.

— Il faudrait d'abord que tu commences à travailler avant d'exiger une avance, trésor.

— Ce n'est pas parce que je change le décor de ma mansarde que tu es obligée de quémander un téléviseur, taquina Philippe.

138

— Je ne quémande pas…

— Hé, vous deux ! Calmez-vous un peu. Je vais m'informer des prix, mais je t'avertis Jessianne qu'il n'est pas question que je t'achète un téléviseur aujourd'hui.

Pendant qu'elle retenait la porte-moustiquaire pour laisser entrer son frère, Maya arriva en trombe et fonça sur eux. Celui-ci se retrouva en déséquilibre sur ses jambes durant quelques instants et faillit laisser tomber la boîte du téléviseur. Jessianne évita la catastrophe en l'aidant à la soutenir.

— Fiou ! s'exclama-t-elle. Il va falloir lui montrer les bonnes manières avant qu'elle ne jette quelqu'un par terre.

Ils déposèrent délicatement la boîte sur la table de la véranda.

— Viens m'aider à préparer le souper, lança Isabelle de la cuisine.

— J'arrive… Est-ce que tu veux le mettre dans ma chambre ?

— Pas tout de suite, j'ai un téléphone à faire.

— S'il te plaît, insista Jessianne.

— Ce que tu peux être fatigante parfois !

— Tu auras des crêpes demain matin si tu me rends ce service, dit-elle, l'embrassant sur la joue.

— Tu es une vraie pro de la manipulation, capitula Philippe.

— Tu parles comme ça parce que tu ne sais pas faire la différence entre la manipulation et la détermination.

Exaspéré, Philippe sortit le téléviseur de sa boîte et le monta à l'étage sans dire un mot.

— Qu'est-ce qu'il a ? demanda Isabelle.

— C'est son impatience maman.

Isabelle la regarda sans comprendre.

— C'est lui qui m'a dit que l'impatience était à l'homme ce que la névrose était à la femme.

— Voilà bien le langage de mon indigo de fils, commenta Isabelle.

— Est-ce que je peux inviter mon amie à venir manger avec nous ?

— Il est un peu tard pour faire une invitation. Nous allons souper dans trois quarts d'heure.

Jessianne parut contrariée.

— Excuse-moi maman. J'aurais dû t'en parler avant. J'avais dit à Anne que j'irais me baigner avec elle cet après-midi, mais comme j'ai changé d'idée, je l'ai invitée à souper à la place.

— Est-ce que tu sais si elle aime le saumon ?

— Non…

— Hummm… j'en ai bien assez de Philippe qui ne mange de rien.

— Je vais lui trouver autre chose à manger si elle n'aime pas le poisson. Il y a des croquettes de poulet dans le congélateur du sous-sol. Je suis certaine que ça va lui plaire.

— Qu'est-ce qui va arriver si elle n'aime pas les croquettes de poulet ?

— Elle mangera des céréales et une banane.

Après souper, Philippe enfourcha son vélo et dévala le Chemin de la Montagne en se laissant caresser par la brise.

« Je sens la présence de la Jérusalem Céleste au-dessus de la montagne. Je sens aussi la présence de mes frères et je n'aspire qu'à les rencontrer. Quand cela va-t-il arriver ? », se dit-il, envahi par une immense solitude.

Il croisa Jeanno sur la piste cyclable. Ils se suivirent tous les deux jusqu'à la maison des jeunes. Durant le parcours, Jeanno raconta pour la deuxième fois à Philippe la façon dont Dan s'était fait brutaliser dans le verger de la cantine.

— Comment ose-t-il venir ici après ce qu'il a fait ? lança-t-il, lorsqu'ils passèrent tout près du scooter de Vandal garé dans la rue.

— Ça tombe bien. J'ai une sérieuse mise en garde à lui faire.

Vandal n'osa pas regarder Philippe lorsqu'il entra. Il fit comme si rien n'était et continua de faire le paon devant les jumelles.

Philippe comprit très vite que Vandal cherchait à l'éviter parce qu'il se sentait mal dans sa peau et décida d'aller le confronter.

— Viens à l'extérieur avec moi. Nous devons parler.

— Qu'est-ce qu'il y a de si urgent ?

— Tu sais très bien de quoi il s'agit.

Pris au dépourvu, Vandal n'eut d'autre choix que de suivre Philippe jusqu'à la table près de la haie de cèdres.

— Qu'est-ce qui te prend aujourd'hui ? demanda-t-il, comme s'il était au-dessus de tout.

— Pourquoi as-tu laissé le gars qui t'accompagnait hier soir frapper Dan sans intervenir ? s'informa Philippe.

— Ce n'est pas ma faute s'il a renversé la glace de Jeff avec ses frasques.

— Cette raison n'est pas valable.

— Cesse de te prendre pour mon père. J'en ai déjà un. Ça me suffit.

— Avertis ton copain qu'il est mieux de calmer ses ardeurs, parce que de tels agissements ne sont pas tolérables dans une société où l'on se dit civilisé.

— Je sais que Jeff n'aurait pas dû s'emporter comme il l'a fait. Que veux-tu que je te dise de plus ? Il a grandi dans une famille où la violence était courante…

— Quelque chose me dit que vous êtes de connivence tous les deux. Est-ce que je me trompe ?

— Laisse-moi tranquille ! Je n'ai pas de compte à te rendre, Philippe Prince ! clama Vandal.

Sur ce, il se leva et marcha d'un pas saccadé en direction de son scooter.

— Qu'est-ce que tu fais là, Dan ? dit Philippe lorsqu'il aperçut son ami accoté contre la porte du garage en revenant chez lui vers 21 heures.

— Je n'en peux plus d'entendre mon père et ma mère se chicaner parce qu'ils boivent trop, dit-il, la larme à l'œil. Ce soir, je leur ai dit que je m'en allais et que je ne reviendrais plus. Ils n'ont même pas réagi.

— Regarde ce qu'on va faire. Je vais souffler mon matelas de camping et tu vas pouvoir dormir avec moi dans ma mansarde.

— Au point où j'en suis, ça ne peut être pire. Ils ne se rendront même pas compte de mon absence tellement ils sont saouls.

— Est-ce que tu as soupé ? demanda Philippe qui s'était rendu compte que son ami ne mangeait pas toujours à sa faim.

— J'ai mangé des biscuits, répondit-il. Je crois que ma mère n'avait pas assez d'argent pour faire l'épicerie cette semaine à cause de mon père qui n'arrête pas d'acheter des caisses de bières.

— Viens, je vais te faire réchauffer des croquettes de poulet.

Dan hésita à le suivre.

— Je préfère que personne ne me voie. Je fais peur avec ma lèvre enflée.

— D'accord. Je vais m'organiser…

— Merci Pep. Tu es vraiment la seule personne en qui j'ai confiance ces temps-ci.

— On va essayer d'entrer par la porte avant sans se faire voir.

Ils se rendirent sur le balcon en faisant attention de ne pas attirer l'attention. Philippe sortit sa clé et déverrouilla la porte. Il demanda à Dan d'enlever ses chaussures et vérifia si le chemin était libre. Isabelle et Frédéric écoutaient la télévision dans le séjour. Tout semblait parfait. Ils montèrent l'escalier sur la pointe des pieds et entrèrent dans la mansarde. Philippe referma la porte derrière lui avec une extrême délicatesse.

— C'est une chance que Jessianne écoute la télévision dans sa chambre, chuchota Philippe. Elle ne nous entendra pas.

Philippe sortit un tee-shirt blanc du tiroir de sa commode et le déposa sur son lit.

— Tu seras mieux avec un tee-shirt pour passer la nuit, dit-il.

— Oui. Merci.

— Ouvre l'ordinateur en attendant que je revienne.

— D'accord.

Philippe descendit au rez-de-chaussée et ressortit par la porte avant. Puis il fit le tour de la maison et entra par la véranda.

— Le peintre sera ici à 9 heures demain matin trésor, dit Isabelle qui se préparait une camomille dans la cuisine. Tu vas devoir te lever tôt et nous aider à préparer la pièce avant son arrivée.

— Ça va plus vite que je le croyais, dit Philippe.

— Je ne veux pas que les travaux s'étirent trop longtemps, dit Isabelle. J'ai passé deux années complètes dans les rénovations et je sais ce que c'est que de vivre dans la poussière !

— Maman, tu exagères ! Je ne vous ai pas demandé de faire des travaux de menuiserie, j'ai demandé de repeindre ma mansarde.

— On voit bien que ce n'est pas toi qui ramasses la saleté.

— J'ai un petit creux. Je crois que je vais faire réchauffer des croquettes de poulet.

— Pourquoi ne manges-tu pas des céréales comme d'habitude ?

— J'ai trop faim…

— N'oublie pas d'éteindre le four avant de monter te coucher.

— C'est promis.

Philippe profita du moment où ses parents écoutaient le bulletin de nouvelles pour aller chercher son matelas gonflable et le monter à l'étage.

— Merci de prendre soin de moi comme tu le fais. Ça me touche beaucoup.

Philippe démarra la pompe à air pour souffler le matelas en oubliant que sa sœur avait l'ouïe très fine. Ce bruit louche attira sa curiosité et elle alla coller son oreille contre la porte.

« C'est bizarre. J'entends des chuchotements. On dirait qu'il y a quelqu'un avec lui. »

— PeP…

— Qu'est-ce que tu veux ?

— Qui est avec toi ?

— Personne.

— Je ne te crois pas.

— Retourne dans ta chambre, s'il te plaît, Jessianne.

— Non. Je veux savoir…

Elle n'attendit pas sa réponse et ouvrit la porte.

— Tu avais juste à me le dire que Dan était avec toi. Ce n'est pas la fin du monde.

— Et mon intimité, qu'est-ce que tu en fais ? déclara Philippe.

— Pauvre Dan ! Celui qui t'a fait ça mériterait une bonne leçon.

Dan attrapa le tee-shirt sur le lit de Philippe pour se recouvrir le bas du visage.

— Je l'ai fait entrer en cachette, parce qu'il ne veut pas exhiber son visage devant tout le monde. Est-ce que tu es contente maintenant ?

— J'imagine qu'il va dormir sur ton matelas gonflable.

— Tu as tout compris, Jessianne. Maintenant, est-ce que tu pourrais retourner dans ta chambre?

— Maman a dit que le peintre venait très tôt demain matin…

— S'il te plaît, l'interrompit Philippe.

— Ça va… Je m'en vais.

Sur ce, elle tourna les talons et les laissa seuls.

***

Le lendemain midi, Philippe et son équipe se retrouvèrent à la ferme afin de finaliser quelques travaux avant l'ouverture officielle de leur boutique étudiante. Chacun vaquait à ses occupations. Philippe et Dan affichaient des pancartes aux fenêtres. Les jumelles disposaient adroitement des jouets dans une section identifiée « VILLAGE DES ENFANTS ». Catherine et Nadya gonflaient des ballons pour créer une ambiance de festivité. Dan, Yann et Jonathan suivaient les ordres de Sy et rangeaient des objets là où elle leur indiquait. Jeanno et Élie étaient responsables du lave-auto. Une activité qui, selon eux, devrait apporter une rentabilité intéressante à leur entreprise. Parmi les trucs recueillis durant la cueillette du samedi, ceux-ci avaient déniché un jeu de fer à cheval et cherchaient à s'entendre sur l'endroit idéal où l'installer.

Des clients commencèrent à entrer. Quelques-uns scrutaient les tables du regard dans l'espoir de trouver l'objet rare qu'ils cherchaient depuis des lunes. D'autres prenaient des articles dans leurs mains et les remettaient à leur place après les avoir longuement examinés.

Philippe eut tout un choc lorsqu'il vit surgir Madame Bibi et sa sœur qui tenait un contenant de plastique dans ses mains.

— En voilà toute une surprise ! s'exclama-t-il.

— Rien au monde ne m'aurait fait manquer l'ouverture de ta boutique ! s'exclama-t-elle, remontant ses épaisses lunettes à monture rouge, qui glissaient sur son nez lorsqu'elle avait chaud.

— Bibi, ce n'est pas ma boutique, murmura-t-il. C'est la boutique de toute l'équipe.

— Samedi matin, lorsque je me suis levée, il pleuvait à verse, ajouta-t-elle, sans tenir compte de la recommandation de Philippe. C'était tellement déprimant que j'ai décidé de préparer des galettes à la mélasse.

— Parle moins fort Bibi, chuchota Jessianne.

Philippe dut s'excuser et aller répondre à une cliente qui semblait intéressée par des articles de jardinage.

— Qu'est-ce que je fais des galettes ? demanda Jessianne.

— Donne-les-moi, dit Sy. Je vais les ranger sous la table.

Après avoir fait le tour complet des articles en vente sur les étalages, Madame Bibi informa Jessianne qu'elle devait retourner à la maison terminer le lavage. Elles sortirent toutes les deux et montèrent à bord de sa vieille Plymouth qui lui servait uniquement à faire ses courses.

— Voulez-vous faire laver votre voiture madame? lui demanda Jeanno au moment où elle s'apprêtait à démarrer.

— Bien sûr. Un bon lavage ne lui fera pas de tort. Quel est ton prix ?

Jeanno pointa du doigt une affiche clouée sur le mur de la bâtisse où il était inscrit :

LAVE-AUTO

INTÉRIEUR / EXTÉRIEUR   12.00 $
EXTÉRIEUR SEULEMENT   8.00 $

Aveuglée par le soleil, Madame Bibi plissa des yeux pour mieux voir l'affiche et réclama un lavage EXTÉRIEUR SEULEMENT.

Vers la fin de l'après-midi, Vandal se pointa à la ferme sur son scooter noir et le gara devant le bâtiment.

— Le voilà encore celui-là ! marmonna Catherine lorsqu'il entra.

— J'allais à la quincaillerie faire un achat pour mon père, et je suis arrêté vous dire bonjour en passant.

— C'est gentil à toi, répondit Sy qui se dépêcha de refermer le couvercle de la boîte métallique contenant l'argent de leurs ventes.

— Je ne croyais pas que vous aviez autant de marchandise.

— C'est la cueillette de samedi dernier qui nous a permis de remplir la boutique.

Comme personne ne se soucia de sa présence à part Sy, Vandal jugea qu'il valait mieux ne pas prolonger sa visite et s'éclipsa en douce.

Il ne restait plus que quinze minutes avant la fermeture. Philippe et Sy commencèrent à additionner les ventes inscrites sur la fiche que Catherine avait préparée à cet effet. Elles totalisèrent quatre-vingt-seize dollars, incluant les trente-six dollars qu'avait rapportés le lave-auto.

11
Le vol

— Qu'est-ce qu'on mange maman ? demanda Jessianne.

— Du poulet frit.

— Est-ce que nous allons à la rôtisserie ?

— Oui. J'ai donné congé à Bibi. Je lui ai dit que nous allions souper au restaurant ce soir.

— On ne peut jamais aller à la pizzeria à cause de Philippe Prince et de son *poulet* ! marmonna-t-elle.

— Je te promets que nous irons manger une végétarienne la semaine prochaine.

— D'accord, répondit-elle, contrariée. Je monte me changer.

— J'espère que tu ne vas pas prendre une douche…

— Ne t'inquiète pas. Je serai prête dans cinq minutes.

Pendant ce temps, Frédéric et Philippe étaient assis tous les deux dans le jardin en les attendant.

— Est-ce que Dan s'est battu avec ses copains ?

— Pas du tout papa.

— Pourquoi a-t-il la lèvre fendue et le visage amoché de la sorte ?

— Parce qu'un con l'a frappé sans raison *Chez Ben*.

— Je suis surpris que des jeunes aient des comportements aussi agressifs dans une ville tranquille comme la nôtre, déclara Frédéric. Comment ses parents ont-ils réagi ?

— Dan mène une triste vie de famille papa. Son père est alcoolique et sa mère vit dans la peur et dans la soumission.

— C'est délicat de s'expliquer ce qui arrive chez une famille qui vit de tels problèmes.

— Ce n'est pas un hasard si Dan et ses parents sont réunis dans une même famille. Lorsque des âmes se réincarnent, elles viennent vivre la suite de leur vie précédente. Mais, comme elles n'en ont gardé aucun souvenir, elles ne peuvent comprendre ce qui leur arrive dans leur vie actuelle. C'est pour cette raison qu'elles répètent les mêmes erreurs vie après vie.

Frédéric demeura silencieux et regarda son fils comme s'il avait tout à découvrir de lui :

« Si ça continue, je vais commencer moi aussi à me demander d'où sort cet enfant », pensa-t-il.

— Comment veux-tu régler tes problèmes quand tu ne sais pas ce que tu as vécu dans ta vie antérieure et que tu nages dans le néant ?

— Je ne sais pas si je t'ai bien compris, mais si c'est le cas, cela voudrait dire que les membres d'une même famille auraient déjà vécu une proximité dans une vie antérieure.

— C'est exact, papa.

— Ce ne sont donc pas des étrangers que nous côtoyons au cours de notre vie.

— Nous côtoyons un certain pourcentage d'étrangers, mais la plupart du temps, nous avons déjà vécu dans l'environnement de ceux qui se trouvent en étroite relation avec nous.

Frédéric ne posa plus d'autres questions. C'était déjà suffisant de saisir les dernières paroles de son fils.

— Allons voir si les femmes sont prêtes, dit-il, se frottant la nuque.

***

Ils s'entassèrent tous les quatre dans le Mitsubishi pour se rendre au restaurant. Durant le trajet, Isabelle se tourna vers Philippe et lui annonça que Roxanne viendrait prendre un café à la maison dans la soirée.

— Pourquoi me dis-tu cela ? C'est ton amie, pas la mienne.

— Je t'en parle parce que… eh bien parce qu'elle a une proposition à te faire !

— Une proposition ! s'exclama-t-il.

— Peut-être qu'elle veut te proposer une thérapie pour t'inciter à manger autre chose que du poulet, marmonna Jessianne, pas du tout contente du choix du restaurant.

Lorsque Frédéric tourna dans le stationnement du restaurant, Philippe reconnut le logo de la compagnie de soudure du père de Vandal affiché sur un camion.

Une hôtesse s'informa combien ils étaient et les invita à la suivre. Quelle ne fut pas la surprise de Philippe de constater que la table où ils mangeraient était juste derrière celle de Vandal. Comme celui-ci avait le dos tourné à eux, il ne pouvait les voir. Philippe en profita pour observer les membres de sa famille. Monsieur Vandal paraissait avoir un ego aussi imposant qu'une montgolfière remplie d'air chaud, et sa femme semblait fière de s'afficher auprès d'un homme qui réussissait bien dans la vie. Quant à son plus jeune frère, il était si agité qu'il ne se passait pas cinq minutes sans qu'il encaisse une remontrance.

La serveuse, une fort jolie brune dans la vingtaine, déposa quatre verres d'eau sur la table. Puis elle sortit son carnet de commandes et son stylo de la sacoche de cuir qu'elle portait à la taille.

— Qu'est-ce que je vous sers ?

— Je vais prendre les languettes, dit Jessianne.

— D'accord... Et pour toi, qu'est-ce que ce sera? dit-elle, regardant Philippe.

— Une cuisse de poulet.

Frédéric commanda un sandwich club et Isabelle y alla d'une salade.

— Apportez-nous aussi un pichet de coca, ajouta Frédéric.

Lorsque la serveuse s'éloigna, Philippe informa son père que le garçon assis derrière lui n'avait rien fait pour prendre la défense de Dan l'autre soir à la cantine.

— Il vient de dire à ses parents qu'il avait songé à démarrer une entreprise étudiante avec ses amis, mentionna-t-il à son fils.

— Tu parles d'un menteur ! rapporta Jessianne.

— Ne parle pas si fort. Il pourrait nous entendre, l'avertit Philippe.

Des bruits de chaises grinçant sur le sol annoncèrent que les Vandal s'apprêtaient à quitter le restaurant.

— Salut PeP, je ne savais pas que tu étais assis derrière moi. Excuse-moi, je dois y aller. Je ne veux pas faire attendre mes parents.

Il se faufila rapidement entre les tables et disparut à l'extérieur.

— Le moins qu'on puisse dire, c'est qu'il est passé comme un courant d'air, plaisanta Isabelle.

Vers la fin du repas, Frédéric se rappela tout à coup une promesse faite à son fils.

— Le jour de ton anniversaire, je t'avais dit que je te laisserais conduire mon 4 x 4. Eh bien… nous irons dans le stationnement du centre commercial un soir cette semaine pour ta première pratique.

— Je croyais que tu l'avais oublié.

— Une promesse est une promesse, dit Frédéric.

***

Roxanne gara sa Volkswagen décapotable dans l'entrée du garage et suivit le trottoir menant à la véranda. Elle avait apporté deux bouteilles de vin rouge à ses amis - des grands crus provenant du vignoble de ses parents établis dans une région au sud du Mont-Saint-Hilaire - qu'elle déposa sur la table patio.

Ses longs cheveux acajou retombaient en cascades sur ses épaules et accentuaient l'éclat de son visage. Elle portait une ravissante robe soleil verte et blanche qui découvrait ses épaules et laissait voir le galbe de ses jambes. Avec sa physionomie musclée, il était facile de deviner qu'elle était une fervente sportive.

— Youhou… chantonna-t-elle. Je suis arrivée.

Maya vint l'accueillir dans la véranda en aboyant.

— Ça va, dit-elle en la caressant. Calme-toi. On dirait que je suis arrivée un peu trop tôt.

Elle s'empara du journal qui traînait sur la desserte et alla s'asseoir dans la berceuse pour le feuilleter. Pendant ce temps, à l'étage, Philippe discutait avec Sy au téléphone. Jessianne avait ouvert son téléviseur et zappait. Quant à Isabelle, elle prenait un bain pendant que Frédéric se rasait.

Philippe avait entendu une voiture se garer dans l'entrée du garage et descendit au rez-de-chaussée après son appel.

— Salut Roxanne !

— Bonsoir… Comment vas-tu ?

— Je vais bien. Il paraît que tu as une proposition à me faire, demanda-t-il, s'asseyant devant elle.

— Isabelle t'a déjà mis au courant !

— Oui…

Le sourire de Roxanne exhibait la blancheur de ses dents.

— Eh bien, je ne sais pas par où commencer, dit-elle. Tu sais combien je m'intéresse aux enfants indigo.

— Je le sais surtout depuis que je suis passé à ton bureau pour que tu fasses l'analyse de *mon cas*, plaisanta-t-il.

— Je suis membre d'une association qui regroupe des spécialistes en médecine holistique depuis environ deux ans, et nous avons l'habitude de nous réunir une fois par mois dans une petite salle d'un hôtel de Montréal.

— Je ne vois pas le rapport avec moi.

— J'y arrive, dit-elle. Lors de notre dernière assemblée, j'ai annoncé une nouvelle qui a été bien reçue. J'ai dit que je reviendrais en compagnie d'un indigo la prochaine fois. Comme tu es le plus passionnant indigo que j'aie rencontré dans ma vie, je te demande d'être notre invité.

— Bravo ! Et tu crois sincèrement que je vais aller faire le pitre devant des gens que je n'ai jamais vus de ma vie !

— Tout ce que tu auras à faire sera de répondre de ton mieux aux questions qu'ils te poseront. Et avant que tu m'en fasses le reproche, ce n'est pas un test pour mesurer ton intelligence. Si tu as réussi à me fasciner par ton langage, je me dis que d'autres le seront tout autant que moi.

Philippe déglutit en se demandant s'il n'allait pas se foutre dans un merdier en acceptant cette proposition.

— Ce sera quand votre rencontre ?

— Mardi soir prochain à 20 heures.

Devant l'hésitation de Philippe, elle ajouta :

— Il s'agira de rester toi-même, comme tu l'as fait quand tu étais assis devant moi dans mon bureau. C'est tout !

Après un interminable silence, il se décida enfin à répondre.

— J'accepte pour cette fois, mais juste pour cette fois, d'accord !

— Entendu…

— Excuse-moi si j'ai l'air de te fausser compagnie, mais je dois partir. J'ai rendez-vous avec une amie, dit-il.

Roxanne reprit la lecture du journal en attendant Isabelle. Ce fut finalement Frédéric qui vint la rejoindre le premier.

— Qu'est-ce que je peux t'offrir ? Un café, un thé…

— Je prendrais bien une camomille.

— Isabelle doit certainement en avoir quelque part, mais où.

***

À l'autre bout de la ville, Vandal jouait une partie de billard avec ses deux nouveaux copains dans la salle familiale de la résidence de ses parents.

— Philippe Prince s'est permis de me critiquer sur ce qui est arrivé à son *protégé*, se moqua Vandal.

— J'espère que tu ne t'es pas laissé faire, s'opposa Jeff.

— Pas du tout. Je lui ai dit qu'il avait couru après. J'espère que ma réputation ne sera pas ternie à cause de cet enquiquineur qui, en plus, essaie de me prendre la fille avec qui je veux sortir.

— On peut lui donner une petite leçon à ton gars, si ça peut t'aider à récupérer la fille, ajouta Éric.

— Pour le moment, je préfère ne pas me mettre Prince à dos, parce que si la fille dont je vous parle apprenait que j'ai comploté quelque chose contre lui, elle ne me le pardonnerait pas.

— Tu n'as qu'à nous le dire si tu changes d'avis, ajouta Éric.

Vandal sortit trois bières du refroidisseur sous le bar.

— Tes parents te laissent boire de la bière ! commenta Jeff.

— J'en bois seulement quand ils ne sont pas là. De toute manière, je ne crois pas que mon père serait choqué de l'apprendre. Il m'a répété je ne sais combien de fois qu'il avait commencé très jeune à se débrouiller dans la vie.

— Ton père n'est pas un vieux chnoque d'après ce que tu en dis, lança Éric.

— Tu n'aurais pas quelque chose à grignoter, Guillaume ? demanda Jeff, alignant la queue de billard qu'il tenait dans ses mains pour frapper les billes.

— Tout ce que je sais faire comme bouffe, ce sont des sandwichs.

— Excellent, dit-il.

Il monta au rez-de-chaussée et sortit le jambon, la laitue et la moutarde du réfrigérateur pour préparer des sandwichs. Au sous-sol, Éric et Jeff en profitèrent pour dérober des bouteilles de bière dans le refroidisseur et les camouflèrent dans le fond de leur sac à dos.

Lorsque Vandal redescendit avec son assiette de sandwichs, il informa ses deux nouveaux amis que Prince et compagnie semblait avoir fait de bonnes recettes pour leur première journée d'ouverture.

— Content de l'apprendre, dit Éric.

— Comment le sais-tu ? s'informa Jeff.

— Parce que j'y suis allé cet après-midi, et j'ai vu qu'il y avait un gros montant d'argent dans la boîte métallique que Sy a cachée sous la table devant moi.

Les deux amis se jetèrent un regard qui parlait de lui-même. Ils avaient déjà une idée derrière la tête. Éric but une longue gorgée de bière et croqua dans son sandwich au jambon.

— On va lui faire une petite passe à ce Prince de malheur ? Où est-ce qu'ils se sont installés pour vendre leurs vieilleries ?

Vandal se mit à blêmir. Il venait de se faire piéger à son propre jeu.

— Écoutez les gars, je ne veux pas être mêlé à vos machinations. Il faudrait qu'on s'entende là-dessus !

— Ne joue pas au dégonflé, Guillaume. Nous pouvons nous mettre une belle petite somme dans les poches si nous réussissons notre coup, dit Éric.

— Vous allez trop loin, les gars !

— Nous sommes déjà entrés dans des maisons en plein jour, assura Jeff. Il n'y a rien de plus facile à faire lorsqu'on est équipé de bons outils.

— Si tu as peur, tu n'as qu'à rester planqué dehors pendant que nous chercherons la boîte qui contient l'argent, ajouta Éric.

— Il se peut qu'elle ne soit pas là, dit Vandal pour tenter de les dissuader.

— Si nous n'y allons pas, nous ne le saurons pas, affirma Jeff.

La peur de passer pour un trouillard força Vandal à participer au vol manigancé par Éric et Jeff. Ils convinrent tous les trois de se rendre à la ferme vers 21 heures et d'attendre le moment propice pour entrer dans la boutique.

Éric sortit son téléphone portable de son sac à dos et composa un numéro.

— Salut Christopher ! C'est Éric. Peut-on se rencontrer vers minuit à la gare centrale de Montréal ?

Éric devint soudainement nerveux en écoutant son interlocuteur et termina l'appel en disant :

— Essaie de comprendre… C'est impossible pour moi de trouver toute la somme aujourd'hui…

Vandal trouva cette conversation suspecte et regarda ses deux invités en se demandant dans quel guêpier il s'était fourré.

— Qu'est-ce que tu voulais dire par impossible de trouver toute la somme aujourd'hui ? demanda-t-il, lorsque Éric raccrocha.

— Que je dois de l'argent à mon fournisseur.

— Quel fournisseur ?

— Celui qui me procure ma poudre.

— Shitt… J'aurais dû m'en douter, pensa Vandal à voix haute.

Pour tuer le temps, Éric et Jeff se remirent à leur partie de billard et réclamèrent une autre bière.

Quand la partie fut terminée, Éric jeta un coup d'œil à sa montre et signala qu'il était temps de partir.

— Il vaut mieux éviter les rues principales, dit-il.

Vandal habitait à environ une demi-heure de marche de la ferme. Ils partirent donc tous les trois et firent attention de ne pas trop se faire voir durant le trajet.

À leur arrivée, ils se faufilèrent jusqu'à l'arrière du bâtiment et se dissimulèrent dans les jeunes pousses du champ de soya pour organiser un plan d'action. Quand le bon moment arriva, Jeff ordonna à Vandal de rester ventre à terre jusqu'à leur retour. Les deux amis marchèrent accroupis jusqu'à la porte d'entrée et sortirent de leur veste les outils qu'ils avaient dérobés au père de Vandal. Après quelques essais, ils finirent par arracher le cadenas et se glissèrent comme des spectres dans le bâtiment plongé dans le noir. Jeff retira une lampe diffusante de la poche de sa veste et l'alluma. En fins renards, ils évitèrent de déplacer inutilement des objets pour ne pas laisser de traces de leur passage. Ce fut Éric qui découvrit la boîte déposée sur le caisson ayant servi de banc à Sy ce jour-là, et que Philippe avait poussé sous la table de bois avant de partir.

— La voilà, chuchota-t-il.

— Prenons l'argent et filons d'ici au plus vite, chuchota Jeff.

Éric eut tout juste le temps de vider le contenu de la boîte métallique et le mettre dans la poche de son pantalon, qu'une voiture vint tourner dans la cour du bâtiment.

— Il ne manquait plus que ça, chuchota Éric. Voilà les flics.

— Allonge-toi, imbécile, chuchota Jeff. Ils vont nous repérer.

Les patrouilleurs jetèrent un bref coup d'œil sur le bâtiment, mais ne remarquèrent pas que le cadenas de la porte d'entrée avait été forcé.

12
Intrigante disparition

Madame Bibi n'aimait pas particulièrement les animaux. En fait, il était plus exact de dire qu'elle les tolérait. Lorsqu'elle entra dans la cuisine des Prince, ce lundi, elle trouva les siamois dans l'évier de la cuisine, le nez collé sur des tasses.

— OUSTE ! tonna-t-elle.

Philippe sortit en trombe de la salle d'eau, croyant que Maya avait encore fait des siennes.

— C'est à cause de Jessianne ! Elle les laisse faire tout ce qu'ils veulent et voilà ce que ça donne !

— Ce n'est pas grave Bibi. Le lave-vaisselle va tout désinfecter.

— Il y a tout de même des limites à la liberté que l'on doit accorder aux animaux domestiques, se plaignit-elle.

Au même moment, le téléphone sonna. Philippe alla répondre avant qu'elle se rue sur l'appareil avant lui.

— Oui Dan... D'accord... Je t'attends.

Après l'appel, Philippe remonta à l'étage, car le peintre ne tarderait pas à arriver pour appliquer une dernière couche de peinture dans sa mansarde. Au lieu de ramasser le désordre dans la pièce, il s'installa devant sa fenêtre et se laissa transporter dans les rêves les plus fous. Il était tellement absorbé dans ses pensées qu'il n'entendit pas frapper à la porte.

— C'est moi, PeP. Est-ce que je peux entrer ? s'impatienta Dan.

— Oui, entre…

Il se demanda ce que pouvait bien regarder Philippe immobile devant sa fenêtre.

— Excuse le désordre. C'est à cause des travaux de peinture.

— Moi aussi j'aimerais bien changer de décor, soupira Dan.

— Ta lèvre est encore enflée.

— Bof… elle finira bien par désenfler complètement si je continue à mettre du froid dessus.

— Est-ce que tu en veux à Vandal ?

— Je préfère oublier cette histoire. J'en ai déjà plein le dos de mes problèmes à la maison.

— Qu'est-ce que tu dirais si nous allions au club de canotage ? J'ai remis ma clé à Yann; il va ouvrir la boutique avec Jonathan. J'ai la liberté de faire ce que je veux ce matin.

— Bonne idée. Tu n'as pas l'intention de venir en pyjama, j'espère !

— Quoi ! Je ne suis pas bien comme ça? dit-il, exécutant quelques petits pas de danse.

Dan pouffa de rire.

— Tu as cinq minutes pour t'habiller.

— Depuis quand me mets-tu de la pression ?

— Cinq minutes, pas plus, ricana-t-il. Je t'attends dans le jardin.

Philippe alla retrouver son ami dans le délai accordé. Le seul problème, c'est qu'il avait fait un mauvais choix de couleurs. Dan se retint de lui faire un commentaire lorsqu'il le vit arriver avec un bermuda vert olive, une chemise de coton rayée bleu et noir et des souliers de toile rouge écarlate.

— Il y a quelque chose qui ne va pas ?

— Rien du tout. Tu es aussi parfait qu'une perfection comme toi puisse l'être.

— Ça va, Dan…

— Je me rappelle tout à coup avoir vu un camion de déménagement dans l'entrée de la maison voisine des Rosenthal.

— Tu es incroyable. Même des coups à la figure n'arrivent pas à calmer ta curiosité.

Dan insista pour qu'ils remontent le Chemin de la Montagne et aillent vérifier qui étaient les nouveaux arrivants. À califourchon sur leurs vélos, ils regardaient le va-et-vient des déménageurs lorsqu'un garçon sortit de la maison et s'avança vers eux.

— Bonjour ! Je suis David Tam, dit-il dans un français bien articulé.

Est-ce que vous habitez près d'ici ?

— Oui, dit Dan, pendant que Philippe lui tendait la main pour se présenter.

— Philippe Prince… PeP pour les intimes, ajouta-t-il. Si vous avez un animal, vous aurez certainement besoin des services d'un vétérinaire. L'hôpital de mon père se trouve juste un peu plus bas sur le Chemin de la Montagne.

— Nous n'en avons pas, mais j'avais déjà remarqué l'enseigne, dit David. Est-ce là que tu habites ?

— Oui…

— Vous avez une magnifique maison.

— Oui, merci.

Philippe pressentit que David était né au sein d'une famille chez qui la spiritualité occupait une grande place dans leur vie.

— Veuillez m'excuser si je ne peux vous parler plus longtemps, je dois retourner à l'intérieur aider mes parents.

— J'espère que nous nous reverrons bientôt, dit Philippe.

— Je l'espère aussi, ajouta-t-il.

Depuis les deux dernières années, Isabelle achetait un passeport familial au club de canotage à chaque début d'été. De cette façon, les enfants pouvaient faire du kayak sur le Richelieu aussi souvent qu'ils le voulaient, et Dan avait l'habitude d'accompagner Philippe lors de ses excursions.

En arrivant au club de canotage, les deux garçons rangèrent leurs vélos dans les supports destinés à cet effet et se choisirent un solide kayak de mer à deux places qu'ils transportèrent jusqu'à la rivière. Ensuite, ils se glissèrent dans ses étroits habitacles et, avec l'aide des pagaies, repoussèrent l'embarcation pour l'éloigner du rivage. Tout près d'eux, une cane sauvage guidait ses rejetons là où la nourriture était la plus abondante.

C'était leur première excursion de l'été. Malgré la canicule qui s'abattait sur la région de Montréal, la matinée s'annonçait idéale pour faire une randonnée. Les deux amis pagayèrent en silence, comme si le plaisir de glisser sur l'eau était un hymne à la liberté qu'ils se devaient de goûter pleinement.

***

Yann et Jonathan se rendirent comme prévu à la ferme à 11 heures. Quelle ne fut pas leur surprise de constater que le cadenas avait été arraché.

— Quelqu'un s'est introduit ici, déclara Yann, poussant sur la lourde porte.

— C'est bizarre, dit Jonathan. Rien ne semble avoir bougé.

— Regardons partout… Il doit certainement nous manquer de la marchandise quelque part.

Pendant qu'ils faisaient le tour des étalages, une cliente entra en tenant un siège-auto dans lequel dormait paisiblement son bébé. Elle les salua et commença à regarder des articles sur la table de bois. Des personnages en céramique attirèrent son attention. Avec sa main libre, elle s'empara de l'enfant Jésus couché sur la paille et l'examina attentivement.

— Je ne suis pas plus croyante qu'il le faut, dit-elle à Jonathan. Mais cette année, pour célébrer la naissance de notre enfant, j'ai l'intention de monter une crèche au pied de l'arbre de Noël.

— Je trouve votre idée très chouette, dit-il gentiment. Allez-vous prendre tous les personnages?

— Oui… et les petits animaux aussi. Est-ce que tu peux les emballer pendant que je continue de regarder ?

— Bien sûr madame.

La sympathique jeune femme continua de faire le tour de la boutique pendant que Jonathan se demandait dans quoi il emballerait tous ces délicats objets.

— Yann, chuchota-t-il.

— Qu'est-ce qu'il y a ?

— Je ne trouve rien pour emballer les personnages en céramique que la cliente vient d'acheter.

— Attends un peu…

Yann se pencha et fouilla sous la table.

— J'ai ce qu'il te faut ! dit-il, déchiquetant un sac d'épicerie en papier kraft.

Le bébé de la jeune femme se mit à pousser des gloussements et elle revint vers Jonathan.

— Excuse-moi si j'ai l'air pressé. Je viens de réaliser qu'il est l'heure d'allaiter mon bébé.

Jonathan se dépêcha d'enlever les prix sur les objets et termina son emballage.

— Combien te dois-je ?

— Douze dollars madame.

Elle glissa sa main sous la couverture du nourrisson et sortit un petit porte-monnaie de cuir. Puis elle remit la somme exacte à Jonathan et promit de revenir les voir.

— Qu'est-ce que j'aurais fait si elle n'avait pas eu la somme exacte ? se demanda Jonathan.

Yann se pencha et regarda sous la table de bois. Philippe l'avait averti que la boîte métallique contenant l'argent des ventes se trouvait sur un caisson qu'il avait poussé sous la table avant de partir la veille.

— J'ai dû mal comprendre. Il n'y a pas d'argent dans cette boîte.

Jonathan regarda à son tour.

— Tu as raison, il reste seulement la feuille de rapport.

— On dirait que ceux qui se sont introduits ici ont trouvé notre argent, conclut Yann.

— Alors là, on peut dire que nous sommes dans un beau merdier ! s'exclama Jonathan. J'espère que nous n'allons pas être accusés de l'avoir dérobé.

— Cesse de dire des conneries. Nous n'avons rien volé, dit calmement Yann.

Au même moment, Jeanno entra avec Élie.

— Qu'est-ce que vous avez à faire cette tête d'enterrement ? demanda Jeanno.

— Notre argent a disparu ! lança Jonathan.

— QUOI !

— Regarde toi-même ! L'argent n'est plus là, dit-il, lui montrant la boîte vide.

— Citron que ça va mal, murmura Élie. Il faut le dire à PeP au plus vite.

— On ne sait pas où il est, dit Yann.

Pendant que les ados se morfondaient sur l'énigme qui entourait le vol, un couple du troisième âge entra, accompagné de Vandal.

— Salut tout le monde ! Je vous présente mes grands-parents. Ils viennent visiter la boutique.

Aucun d'eux ne se soucia des grands-parents de Vandal, trop préoccupés qu'ils fussent par la disparition de l'argent.

— Il y a quelque chose qui m'agace dans cette histoire, dit Jeanno, pendant que Vandal faisait le tour des étalages en écoutant la conversation. Qui à part ceux qui travaillent ici aurait pu prendre l'argent ?

— Je me le demande aussi, ajouta Yann. PeP m'a assuré qu'il l'avait laissé dans cette boîte. Il est donc évident qu'il a disparu entre le moment

158

où il a quitté la ferme hier, et le moment où Jonathan et moi sommes entrés ici ce matin.

— Je crois que les voleurs étaient au courant qu'ils pouvaient trouver de l'argent dans la boutique, affirma Jeanno.

— C'est tout à fait plausible, puisqu'ils n'ont rien pris d'autre, ajouta Élie.

Vandal essayait tant bien que mal de dissimuler sa nervosité, mais ses mains étaient de plus en plus moites.

***

Après avoir pagayé deux longues heures sur le Richelieu, Philippe et Dan étaient de retour sur les rives du club de canotage. C'était la période où des jeunes de la région effectuaient des pratiques en vue de leurs prochaines compétitions prévues à la mi-juillet. Ils durent donc se faufiler à travers les équipiers qui descendaient vers la rivière en portant leur canot sur leurs épaules.

— Aide-moi à soulever le kayak, dit Philippe. Nous allons le remettre en place.

— Je mangerais bien une grosse poutine italienne.

— Et moi, un hot-dog au chou. Je t'invite *Chez Ben...*

— C'est vrai !

— Oui. C'est moi qui paie, ajouta Philippe pour éviter qu'il se sente mal à l'aise.

Après avoir convenu qu'une halte à la cantine serait des plus bénéfiques pour leurs ventres vides, ils enfourchèrent leurs vélos et remontèrent vers la Grande-Allée pour aller dîner.

Philippe entra chercher la commande et alla retrouver Dan dans le verger.

— Tu me coûtes cher, plaisanta-t-il. Quatre dollars cinquante pour cet affreux mélange de frites et de sauce aux tomates que même Maya refuserait de bouffer.

— Tu apprendras que c'est ici qu'on trouve les meilleures poutines italiennes.

— Ne t'assieds pas trop près de moi, ça pue le vieux fromage ton machin.

— N'exagère pas quand même. Si ça continue, je n'aurai plus envie de la manger.

Philippe accordait beaucoup d'intérêt à son ami ce jour-là, parce qu'il espérait lui faire oublier durant quelques heures au moins ses problèmes familiaux.

— Presse-toi un peu Dan, sinon on n'arrivera pas avant la fermeture.

— Tu aurais dû commander deux hot-dogs. Comme ça, j'aurais pu manger tranquillement ma poutine sans me faire bousculer, marmonna-t-il.

Philippe n'eut d'autre choix que de faire le pied de grue devant Dan en attendant qu'il termine son repas.

— J'ai un pressentiment que quelque chose ne tourne pas rond à la boutique, déclara Philippe, pendant qu'ils enfourchaient leurs vélos.

— Tu crois vraiment que quelque chose ne va pas ?

— Nous verrons bien.

Les deux amis s'engagèrent sur la piste cyclable et pédalèrent d'un bon rythme.

— Ce n'est pas trop tôt ! s'exclama Jonathan lorsqu'il les vit entrer. Tu ne le croiras peut-être pas, mais l'argent de nos ventes a disparu.

Yann et Jonathan décrirent à Philippe dans quel état ils avaient trouvé la porte d'entrée à leur arrivée. Ils affirmèrent que rien n'avait été déplacé dans la boutique. Seul l'argent avait disparu.

— C'est tout de même curieux cette histoire ! s'exclama-t-il.

— En effet, ajouta Dan. On dirait que les voleurs savaient ce qu'ils cherchaient en venant ici.

— Avez-vous vu Guillaume Vandal aujourd'hui ? demanda Philippe.

— Oui, répondit Yann. Il est venu visiter la boutique avec ses grands-parents peu de temps après que nous soyons arrivés.

***

En arrivant à la maison, Philippe et Dan croisèrent Jessianne qui se dirigeait d'un pas rapide vers l'hôpital.

— Qu'est-ce qu'on mange ?

— Des filets de truite amandine et une salade César.

— Des filets de truite amandine ! grimaça Philippe.

— Quoi ! Tu n'aimes pas le poisson, commenta Dan.

— Bibi met de l'ail dans ses recettes et je déteste cette odeur. Ça me donne la nausée.

Il se dépêcha d'aller vérifier à la cuisine ce qu'il y avait d'autre à manger.

— J'ai invité Dan à souper, Bibi.

— Tu as bien fait, dit-elle. Nous ajouterons un couvert de plus.

— Je n'en ai jamais mangé des filets de… heu… j'ai déjà oublié comment ça s'appelle, dit Dan.

— Tu parles de mes filets de truite amandine.

— Oui… C'est ça.

— Eh bien, tu pourras dire que tu as goûté un nouveau mets chez les Prince aujourd'hui ! s'exclama-t-elle.

— Et moi ? dit Philippe.

— Je t'ai fait réchauffer du pâté de poulet, le rassura-t-elle. Il est au four avec mes filets.

Pendant que Bibi sortait ses truites du four et les déposait sur la cuisinière, Isabelle et Jessianne entrèrent dans la véranda en échangeant des propos sur l'épidémie de coliques récurrentes qui ne cessait de s'acharner sur les animaux de la région. Lorsqu'elle souleva le couvercle de la casserole, un délicieux arôme se répandit dans toute la cuisine. C'était la coutume chez les Prince que chacun se serve avant d'aller s'asseoir à la table de la salle à manger.

— Commençons sans Frédéric, dit Isabelle, lorsque tout le monde fut attablé. Il ne devrait pas tarder.

Dan y alla d'une petite bouchée pour commencer.

— Ce n'est pas habituel chez moi que la table soit belle comme la vôtre, dit-il, se sentant de plus en plus à l'aise dans le cocon familial des Prince.

Philippe entendit sa pensée. Elle disait que sa vie aurait pu être tellement plus facile et agréable s'il était venu au monde dans une famille comme celle des Prince.

— Ne te laisse pas impressionner par tes pensées, Dan, lui murmura-t-il.

Frédéric entra dans la salle à manger en essayant de maintenir son assiette en équilibre à cause de Maya qui lui appliquait des coups de museau sur les mollets.

— Veux-tu un peu de vin, chéri ?

— Ce n'est pas de refus après une pareille journée.

Frédéric avait les traits tirés. En plus des rendez-vous déjà inscrits à l'agenda de l'hôpital, il avait dû passer plusieurs heures dans la salle de chirurgie pour procéder à une intervention sur un jeune berger anglais qui s'était fait heurter par un autobus scolaire le matin même.

— Je suis allée au garage ce midi faire le changement d'huile de ma voiture et… Gilles m'a parlé de son fils, dit Isabelle.

— Qu'est-ce qu'il t'a dit ? demanda Philippe.

— Il m'a dit que sa femme et lui étaient revenus à l'improviste à la maison la semaine dernière et qu'ils avaient surpris Jeanno et son frère en train de fumer de la marijuana.

Dan regarda Philippe, l'air interrogateur.

— Étais-tu au courant que Jeanno fumait des joints ?

— Non…

Il semblait évident que la nouvelle ne plaisait guère à Frédéric qui braqua son regard sur Philippe.

— Ne me regarde pas de cette façon, dit Philippe. Tu me fais sentir coupable alors que je ne le suis pas.

— J'imagine qu'il ne doit pas être le seul à en fumer.

— Je n'en sais rien.

— Personnellement, je suis contre l'idée de laisser un adolescent devenir dépendant d'une drogue, et ce, même si elle est légère. Tu peux sûrement le raisonner.

— Ce ne sont pas de mes affaires, répliqua-t-il. Je ne vois pas pourquoi je devrais me mêler de sa vie privée. Après tout, ça ne me regarde pas. Et puis, on peut s'en procurer à peu près partout de la marijuana. C'est la chose la plus facile à trouver.

— PeP a raison papa, intervint Jessianne.

— Si tu n'interviens pas, qui va le faire alors ?

— Enfin papa, tu en as bien assez de te préoccuper de tes animaux malades sans te préoccuper du sort de mes amis en plus.

— Parle-lui mon fils, il va t'écouter, j'en suis certain. J'ai réalisé dernièrement à quel point tes paroles étaient bénéfiques à ceux qui savent en tirer profit.

***

Vers 21 heures, les deux amis délaissèrent les jeux électroniques pour aller manger une glace à la chocolaterie *Chez Lara* qui se trouvait à peine à cinq minutes de marche de la résidence des Prince.

— Je n'ai pas d'argent sur moi, dit Dan.

— C'est moi qui te l'offre.

— Tu passes ton temps à payer pour moi. Ça commence à être gênant.

162

— C'est parce que tu le mérites, Dan.

— Merci… Tu es ce qu'on appelle un véritable ami.

Ils restèrent quelques instants silencieux.

— Je croyais que tu parlerais du vol à tes parents durant le souper.

— Je préfère attendre d'en savoir plus long avant de dire n'importe quoi. Ce serait trop facile de partir des rumeurs juste avant la parution de notre reportage.

— Tu as raison, approuva Dan. Imagine la réputation que ça nous ferait si des gens apprenaient qu'il y a un voleur parmi notre équipe.

Dan cracha un bout d'ongle par terre.

— Dan, arrête un peu, tu veux. Ce n'est pas en te rongeant les ongles que tu vas plaire à Nadya.

Deux grands soldats de bois ornaient chaque côté de la large porte d'entrée de la chocolaterie. Philippe et Dan entrèrent et attendirent leur tour derrière le comptoir des glaces. Après avoir été servis, les clients allaient s'asseoir sur la terrasse à l'arrière de la bâtisse au milieu des grands arbres habillés de centaines de lumières blanches illuminant la nuit.

Une jeune fille joliment costumée et à l'accent français demanda à Philippe ce qu'il voulait.

— Une glace aux brisures de chocolat, s'il vous plaît.

— Une boule ou deux boules…

— Une boule.

— Ce sera la même chose pour moi, ajouta Dan.

La jeune fille tourna sa cuillère dans le contenant de glace aux brisures de chocolat, puis elle s'empara d'un cornet empilé sur son comptoir et déposa délicatement la boule dessus.

— Voilà, dit-elle, lui remettant sa glace. Ça va faire trois dollars…

— Je paie les deux.

— D'accord.

— Elles sont plus chères qu'à la cantine, commenta Dan.

— Peut-être, mais ce sont des glaces fabriquées maison. Et leur goût n'a rien de comparable à celles de la cantine.

À leur grande surprise, David Tam entra dans la chocolaterie.

— Bonsoir, dit-il. Je ne croyais pas vous revoir si vite.

— Nous non plus, ajouta Dan.

— Et le déménagement ? demanda Philippe.

— Tout s'est bien passé.

— Nous allons nous asseoir sur la terrasse, dit Philippe, pendant qu'il tendait un billet de dix dollars à la serveuse. Viens nous retrouver.

Il n'en fallut pas plus à David pour accepter cette opportunité de se faire de nouveaux amis.

— Avec plaisir…

Philippe observa David lorsqu'il vint vers eux.

— C'est gentil à vous de m'avoir invité, dit-il, déposant son yogourt glacé sur la table.

— Nouvelle région, nouveaux amis, dit Dan.

— Je sens que je vais me plaire ici, dit David. J'aime cette montagne. Elle a quelque chose de très mystique.

— Où habitais-tu avant de déménager au Mont-Saint-Hilaire ? s'informa Philippe.

— J'habitais en Ontario.

— Comment se fait-il que tu parles français si tu habitais en Ontario ? questionna Dan.

— Je parle français parce que ma mère est française.

— Et ton père ? s'informa-t-il, léchant sa glace à grands coups de langue.

— Mon père est né dans la région de Shigatse au Tibet. Peu de temps après sa naissance, mes grands-parents ont été contraints de s'expatrier au Népal et c'est là qu'il a grandi.

— Comment a-t-il pu rencontrer ta mère alors ? interrogea Dan.

— Il l'a rencontrée lorsqu'il est allé étudier à Paris.

David dégustait son yogourt glacé, une petite cuillérée à la fois.

— Quel âge as-tu ? s'informa Dan.

— Je viens d'avoir quinze ans.

— C'est bizarre que tu n'aies pas les yeux bridés ni les cheveux foncés, déclara-t-il maladroitement.

— Mes traits s'apparentent plus à ceux de ma mère qu'à ceux de mon père, dit-il avec un sourire presque angélique.

— Est-ce que tu as des frères et des sœurs ?

— Je suis enfant unique. Ma mère a une santé fragile et le médecin lui a recommandé de s'en tenir à une seule grossesse.

— Et ton père, il fait quoi dans la vie ? questionna Dan.

— Il voyage à travers le monde. Les médias le décrivent comme étant une sommité dans le domaine de l'ésotérisme et des valeurs spirituelles des civilisations.

Dan ne comprit pas trop le sens de cette réponse et se dit en lui-même que sa vie familiale ne ressemblait décidément en rien à celle de ses amis.

— Peux-tu en parler avec plus de détails ? ajouta Philippe.

— Ses conférences sont axées principalement sur l'élaboration de la diversité des religions existant sur l'ensemble du globe. Et sur les raisons pour lesquelles elles ont contribué à plonger l'humanité dans d'absurdes controverses.

— Il est vrai que les religions ne sont pas un sujet facile à traiter, commenta Philippe.

— En effet, approuva David. Mon père dit qu'il n'y en a pas de supérieures à d'autres, et que les hommes devront en arriver un jour à se respecter dans leurs différences. Il dit aussi qu'il ne peut y avoir plusieurs créateurs à l'origine de notre existence. Donc, qu'il ne sert à rien aux peuples de la Terre d'aller combattre au nom du Dieu qu'ils vénèrent.

— Ton père est un genre de prédicateur, on dirait, bafouilla Dan qui essayait d'être à la hauteur.

— Tu n'as pas saisi mon explication, je crois. Ce que mon père dit, c'est qu'il n'existe ni bons ni mauvais Dieux, car ils sont tous les messagers d'un Être suprême. Il parle aussi beaucoup de la répercussion des lois karmiques sur la vie des hommes, et il enseigne aux gens comment ouvrir leur troisième œil.

Dan était tellement intimidé par le langage de David qu'il n'arrêtait pas de caler sa casquette dans son épaisse tignasse.

— J'ai déjà entendu parler vaguement du troisième œil, dit-il.

— Il se trouve juste là, indiqua David, en appuyant son index sur le centre de son front. Lorsqu'il est ouvert, nous pouvons facilement reconnaître les couleurs de l'aura chez une personne.

— Est-ce que tu vois les miennes en ce moment? demanda Dan.

David fixa son regard sur Dan.

— Tu dois vivre beaucoup de colère à l'intérieur de toi, parce que je vois du rouge.

— On ne peut rien te cacher, dit Dan.

— Est-ce que tu sais faire autre chose, je veux dire lire l'avenir dans les cartes ou lire les lignes de la main ? s'informa Philippe.

— Mon père m'a appris à lire les lignes de la main.

— Tu sais lire les lignes de la main ! s'exclama Dan.

— Oui… Dépendamment du cycle dans lequel nous nous trouvons, je sais que de nouvelles lignes apparaissent alors que d'autres s'estompent.

— Je crois que nous allons bien nous entendre, dit Philippe. Nous avons certains points en commun, toi et moi.

— L'avenir nous le dira, dit David. Excusez-moi si je vous fausse compagnie. Je dois retourner à la maison aider mes parents.

13
L'assemblée

— Il y a un appel pour toi, cria Jessianne du vestibule.

— D'accord. Je le prends…

Philippe se dépêcha d'aller décrocher le récepteur sur la table de chevet de Frédéric.

— Est-ce que tu es prêt ? s'informa Roxanne.

— Je n'arrive pas à me décider…

— Ne me dis pas que tu as changé d'idée, interpella-t-elle.

— Non… Tu sais bien que ce n'est pas mon genre d'agir ainsi. Le problème est que je n'arrive pas à décider quels vêtements je vais porter.

— Habille-toi élégamment. On ne sait jamais ce qui peut arriver à un beau garçon comme toi, plaisanta-t-elle.

— J'ai déjà une petite amie.

— Ohhh… ! Je n'en savais rien. Je passe te prendre à 19 heures.

— D'accord.

— Ne t'en fais pas. Tout va bien aller.

— Je l'espère…

Philippe retourna dans sa chambre et décida de s'étendre quelques instants pour relaxer.

« J'ai un malaise à l'intérieur de moi. J'ai la possibilité de parler d'une science qui peut changer le monde, mais je doute de la capacité des gens à l'intégrer à leur vie pour pouvoir se libérer de leurs souffrances. »

« Quand donc te reverrai-je Océane ? J'aimerais tellement passer du temps avec toi dans la Jérusalem Céleste pour te connaître davantage. Si tu pouvais entendre les battements de mon cœur en ce moment, ils te diraient combien ta présence me manque. »

Le carillon de l'horloge comtoise ramena Philippe à l'ordre. Il se releva d'un bond et ouvrit la porte de son placard. Finalement, il conclut que son pantalon de coton noir et sa chemise blanche seraient le match parfait. Quant aux souliers, il porterait les noirs qu'il avait achetés à Pâques.

Rassuré par sa tenue impeccable, il descendit au rez-de-chaussée et sortit par l'entrée principale. Puis il s'assit sur la première marche du balcon en attendant Roxanne. Maya ne manqua pas d'accourir vers lui avec sa balle de tennis dans la gueule.

— Tu en aurais des choses à dire si tu pouvais parler, dit-il, lui tapotant affectueusement le dos.

Roxanne arriva dans sa Volkswagen décapotable. C'était une soirée où le vent vous caressait la peau en douceur et vous plongeait dans une ivresse euphorique. C'est donc cheveux au vent qu'ils partirent en direction de l'autoroute pour se rendre à Montréal.

— Combien de personnes assisteront à ton rassemblement de médecine holi… je ne sais plus trop quoi ? demanda Philippe.

— En médecine holistique, reprit-elle. Je crois que nous serons une cinquantaine de personnes. Peut-être plus.

— J'espère que personne ne va se comporter en intellectuel borné durant la période de questions.

— Enfin Philippe, personne ne songe à te démolir ! Ce qu'ils veulent, c'est entendre parler un indigo. Ce n'est pas la mer à boire.

— Pourquoi t'énerves-tu si ce n'est pas la mer à boire ?

Philippe fut impressionné par l'aspect spacieux du hall d'accueil de l'hôtel. L'heure et le nom de la salle où avait lieu l'assemblée étaient affichés sur un tableau soutenu par un chevalet près de la réception.

Ils marchèrent dans un long corridor jusqu'au *Salon Girondin*. Roxanne spécifia à la jeune femme responsable des admissions que Philippe était un invité d'honneur et qu'il n'avait pas d'entrée à payer. Elle sortit donc vingt-cinq dollars de son porte-monnaie et les lui tendit. Ensuite, ils s'avancèrent jusqu'à l'avant et s'installèrent à une table près de la tribune.

— Comment te sens-tu ? demanda Roxanne.

— J'essaie de ne pas me laisser troubler par mes pensées. Tout au long de la journée, je me suis dit que les gens que je verrais ce soir seraient plus âgés que moi. Mais, je sais parfaitement bien que leur âge n'est pas un gage de maturité pour autant.

Roxanne ne savait plus quelle tournure prendrait la soirée avec son invité *indigo*. Une angoisse la traversa. Avait-elle pris une décision qu'elle regretterait par la suite ?

— Ne va pas au-delà de ta capacité, d'accord ! Si tu te sens fatigué, tu arrêtes. C'est tout.

Un homme aux cheveux sel et poivre monta sur la tribune et se pencha vers le micro.

— Bonsoir à tous. Je me présente : Christian Biron. Ce soir, notre assemblée portera principalement sur les enfants indigo. Nous avions décidé, lors de notre précédente assemblée, d'approfondir ce sujet et, pour ce faire, Roxanne Landry est venue en compagnie d'un ado que nous avons le plaisir d'accueillir parmi nous. Est-ce que tu peux te lever Philippe ?

L'assistance le salua par de chaleureux applaudissements.

— Madame Landry, en plus d'être une ostéopathe réputée, poursuivit Christian Biron, est également une pionnière dans le traitement des nourrissons. Nous savons déjà qu'elle a obtenu beaucoup de succès auprès de ceux qu'elle a pris en charge récemment.

Cette déclaration fut accueillie par une généreuse ovation.

— J'invite donc Madame Landry à venir vous parler de sa démarche.

Roxanne se leva et alla le rejoindre.

— Bonsoir… Tout d'abord, j'aimerais vous dire que je m'intéresse aux enfants indigo depuis plusieurs années et qu'ils représentent à mes yeux des êtres remplis de sensibilité. Après les avoir longuement étudiés, ce qui m'a le plus marquée chez ces jeunes indigo, ce sont la maturité et la franchise dont ils font preuve. Non seulement envers eux-mêmes, mais aussi envers les autres. Ils ont cette faculté de se regarder en profondeur. Ce que peu d'adultes peuvent se vanter de faire. Ils ont de l'écoute et n'aiment pas perdre leur temps dans des histoires sans lendemain. Il faut faire attention, car nous avons souvent tendance à les considérer comme des arrogants et des manipulateurs. Je sais pertinemment qu'ils ne demandent pas mieux que de se présenter sous leur vraie nature. Peut-être devrions-nous nous demander si ce n'est pas nous qui faisons fausse route, lorsque nous les traitons comme des enfants, alors qu'ils sont déjà de jeunes adultes capables de comprendre ce qui se passe autour d'eux.

Il régnait dans la salle un silence absolu.

— Sur ce, je laisse la place à Philippe. Il est parmi nous ce soir pour répondre à nos questions mesdames et messieurs.

Roxanne et Christian Biron quittèrent la tribune et retournèrent s'asseoir chacun à leur place. Philippe se sentit bien seul devant le micro et se racla la gorge en attendant la première question. Une femme aux cheveux courts et à l'apparence masculine leva la main.

— Comment se sent-on lorsqu'on est indigo ?

— On ne se sent pas différent des autres. En fait, c'est le regard que pose les gens sur nous qui est différent.

— Quelles ont été tes premières réactions en l'apprenant ? continua-t-elle.

— Je n'ai pas eu de réactions. C'est Roxanne qui en a eu. Pas moi.

— Que signifie être un indigo, pour toi ?

— Au début, je ne comprenais pas le sens de ce mot. Aujourd'hui, je sais qu'un indigo est une âme qui a vécu de nombreuses expériences dans ses vies antérieures, qui ont contribué à le faire grandir. C'est la raison pour laquelle il ne se laisse pas facilement impressionner par son entourage.

Si Philippe avait écouté sa tête, il aurait fui l'hôtel pour retourner dans sa petite vie tranquille au Mont-Saint-Hilaire. Mais il était un peu tard pour faire demi-tour. Il dut prendre une longue respiration pour se calmer.

— Comment fait-on pour vivre dans une société où le phénomène indigo est nouveau ?

— Je me suis souvent demandé comment j'allais pouvoir survivre dans un monde où je ne retrouvais aucune complicité avec mes semblables. Cette question a commencé à me hanter dès mon plus jeune âge. En toute franchise, je dois avouer que je ne me suis jamais senti obligé de ressembler, ou de m'identifier à quelqu'un d'autre. Je suis ce que je suis, et je m'assume pleinement tel que je suis. Voilà.

— Merci, dit la femme, en se rasseyant.

Sous le coup de la nervosité, Philippe sentit ses jambes se ramollir, mais arriva quand même à se ressaisir.

— Tu viens de dire que tu t'étais souvent demandé comment tu allais pouvoir vivre dans un monde ou tu ne retrouvais aucune complicité avec tes semblables. Est-ce que ce manque de complicité est le fruit de ton imagination ? demanda Christian Biron.

— Pas du tout. Je n'ai jamais pu m'exprimer dans le même langage que les autres, parce qu'ils utilisent beaucoup trop de mots morts.

— « *Des mots morts* ? », murmura-t-on dans la salle.

— Parfaitement ! Des mots morts, sans vie. Des mots qui n'émettent aucune résonance vibratoire. S'il n'y a pas de vibrations dans les mots que nous employons pour nous exprimer, il est impensable que nous puissions activer notre turbine énergétique, expliqua Philippe.

— Si j'ai bien compris, tu es en train de dire que nous avons de grands pas à faire avant de parler un langage plus *vivant*, lança Christian Biron, pour détendre l'atmosphère.

Des rires fusèrent dans la salle.

— C'est exact, monsieur.

Philippe se dit qu'il devait vite trouver une explication plus terre à terre s'il voulait être compris par son auditoire.

— Les mots que nous employons pour nous exprimer émettent une fréquence qui active tout ce qui nous entoure. Il est important d'être conscient de ce phénomène, car la parole est un outil énergétique extraordinaire. Il faut donc savoir s'en servir de la bonne façon si nous voulons profiter de ses avantages dans notre vie.

Les personnes présentes dans la salle n'en revenaient tout simplement pas d'avoir devant eux un garçon de treize ans leur parler avec autant d'assurance.

— Est-ce que tu te rends compte jusqu'à quel point ton langage peut sembler abstrait et irréaliste ? dit ironiquement Christian Biron.

— J'en suis conscient, approuva Philippe. Mais je préfère parler plutôt que de rester enfermé dans le silence. Si je ne m'écoutais pas, j'aurais l'impression de me renier, et je ne veux pas ça. Par ailleurs, j'essaie de faire très attention de ne pas créer de chocs émotionnels à mes amis et à ma famille, même si je n'y arrive pas toujours.

— Tu ne trouves pas que tu te prends pour le centre du monde ? lança une psychologue assise à une table à l'autre bout de la salle.

Roxanne s'empressa de faire une intervention.

— Excusez-moi, dit-elle. Je connais très bien ce garçon et je peux vous assurer que vous venez de porter un jugement erroné.

— Ce n'était qu'une question, répliqua-t-elle.

Philippe ne se laissa pas déranger par cette remarque désobligeante et continua.

— Que voulez-vous ? Il faut bien que quelques-uns commencent à parler différemment si on veut que les choses changent. Tout ce que je peux vous dire, c'est qu'il y a une partie de moi qui aspire à se faire entendre, et je ne peux pas la faire taire. Si je l'en empêchais, c'est mon être en entier que j'étoufferais. Sachez qu'il n'y a rien de plus extraordinaire qu'un cœur qui parle, lorsque la tête s'est tue.

Il y eut dans la salle un bourdonnement sonore, puis, plus rien. Philippe avait la gorge sèche et but une gorgée d'eau en attendant la question suivante.

— Comment décrirais-tu l'énergie de l'homme par rapport à celle de la femme ? demanda Roxanne.

Philippe déglutit et but une autre gorgée d'eau avant de répondre.

— Tout d'abord, pour bien répondre à cette question, il faut partir du fait que l'homme est rationnel et que la femme est intuitive. Il devient ensuite plus facile d'admettre que la créativité est au profil féminin, ce que le pouvoir est au profil masculin. Malheureusement, je dois ajouter que les femmes n'écoutent pas assez leurs intuitions et que les hommes n'écoutent pas assez les femmes.

Des rires fusèrent dans la salle.

Océane avait prévenu Philippe que le Verbe s'exprimerait à travers lui, et cette soirée le confirmait. Par la même occasion, il réalisait qu'il devait se maintenir dans une centricité à toute épreuve s'il voulait éviter de se faire piéger par certaines personnes mal intentionnées.

— Continue Philippe ! s'exclama Roxanne, satisfaite de voir que son protégé s'en sortait si bien.

— En fait, nous ne sommes rien d'autre qu'une masse d'énergie en mouvement.

— Ça, c'est intéressant ! coupa la femme aux cheveux courts.

— Si les êtres humains ont mal à l'âme, c'est parce qu'ils sont ignorants du fonctionnement de leur constitution. Ils souffrent parce qu'ils ne savent pas d'où ils viennent, et encore moins où ils iront à l'heure de leur mort. Personne ne leur a jamais dit qu'ils portaient en eux les données de leurs origines, et celles des Univers. Pourquoi, lorsque les enfants grandissent, leur apprend-on qu'ils sont venus au monde pour mourir un jour, alors que nous devrions considérer cette condition comme une insulte à notre Intelligence ?

Philippe venait de toucher un point sensible chez les gens dans la salle. Ce qui déclencha une avalanche de commentaires.

— Là, tu vas trop loin mon jeune, répliqua Christian Biron.

— Parler de la mort de cette façon est absurde, clama la psychologue.

Philippe ne se laissa pas déranger et continua.

— Je suis obligé de vous dire que vous vivez dans le mensonge depuis des vies et des vies…

— De quoi es-tu en train de parler ! clama la psychologue.

— J'essaie simplement de vous mettre en garde contre une situation qui fait de vous les marionnettes des mondes invisibles que vous vénérez. C'est compréhensible, puisque vous ne savez pas ce qui se passe dans ces mondes. Personne n'est jamais venu vous dire qu'ils vous désinformaient et vous empêchaient d'accéder à votre identité cosmique.

— Autant dire que nous sommes à la merci de tout ce que nous ne voyons pas ! s'exclama Christian Biron, visiblement frustré.

— C'est malheureusement le cas, monsieur.

Philippe dut attendre que l'effervescence s'estompe avant de poursuivre.

— Ne prenez pas mal ce que je viens de vous dire. Essayez d'y aller de vos propres déductions.

— Je ne crois pas qu'on ait de leçon à recevoir de toi, s'opposa la psychologue.

— Allez-vous le laisser s'expliquer, s'indigna Roxanne.

— Si vous voulez apprendre ce qui se passe en vous, et autour de vous, posez-vous des questions, poursuivit Philippe.

— Quels genres de questions ? demanda Christian Biron.

— Demandez-vous pourquoi vous agissez selon vos pulsions mécaniques au lieu d'écouter votre intuition ? Demandez-vous pourquoi vous ne traversez jamais de l'autre côté du miroir pour apprendre à mieux vous connaître ? Demandez-vous pourquoi vous êtes malade ? Demandez-vous pourquoi vous vous sentez seul au monde ?

— On risque d'avoir beacoup de questions en attente, plaisanta Christian Biron.

— Ne vous attardez pas aux réponses, ajouta Philippe. Lorsque le temps sera venu, vous allez les entendre. Retenez simplement que la vie est un jeu. Soit vous jouez avec elle; soit vous la laissez se jouer de vous.

L'assistance demeura suspendue aux lèvres de Philippe.

— Quelle est votre question, monsieur ? demanda Philippe à un jeune naturopathe qui venait de lever sa main.

— J'aimerais que tu me parles de l'être humain selon ta version personnelle.

— Le problème avec l'être humain, c'est qu'il est rempli de mystères et de croyances qui l'ont éloigné de son fondement original.

— Qu'est-ce que tu veux dire par là ? demanda-t-il.

— Je veux dire qu'il a oublié que sa réalité faisait partie du Principe de l'Amour établi dans son cœur. Et comme il n'est pas encore prêt à reconnaître ce grand Principe cosmique à sa juste mesure, il l'a réduit à de l'amour sentimental.

Les gens dans la salle furent stupéfaits d'entendre des déclarations aussi inhabituelles.

Philippe se racla la gorge et continua.

— La femme est naturellement régie par sa Source, mais il arrive qu'elle s'en éloigne lorsque des sentiments prennent trop de place dans son cœur. Quant à l'homme, sa soif de pouvoir lui enlève une bonne part de sa promiscuité avec sa Source.

— Et qu'est-ce que la Source ? interpella Roxanne.

— La Source est le foyer de l'Intelligence en chacun de nous.

— J'aimerais bien savoir où tu as appris tout ça ? déclara la psychologue. Quel livre as-tu lu ?

— Les réponses que je vous ai données, je ne les ai lues dans aucun livre, madame, répondit Philippe.

Malgré le système de ventilation qui fonctionnait à pleine capacité, Philippe sentit monter en lui une chaleur oppressante et but plusieurs gorgées d'eau pour s'hydrater.

— Pourrais-tu revenir à la pensée ? demanda Roxanne.

— Je sais que ce que je vais dire va peut-être vous paraître insensé, mais je dois vous informer que les pensées que vous avez dans la tête vous sont insufflées, la majeure partie du temps, par des âmes séjournant dans les astrales.

— J'imagine que les astrales sont les mondes que nous *vénérons*, dit sarcastiquement Christian Biron.

— C'est exact, monsieur… Vous devez comprendre une chose importante. Vous aussi vous avez été un jour l'âme qui a insufflé dans la tête d'un homme ou d'une femme des pensées. Que vous le vouliez ou non, lorsque vous retournez dans les astrales, à la fin de chacune de vos expériences terrestres, vous ne pouvez faire autrement que d'être soumis aux lois qui régissent ces mondes.

— Il est évident que tu peux nous dire n'importe quoi ! clama Christian Biron. On ne se souvient de rien.

— Excusez-moi, mais je ne me permettrais pas de vous dire n'importe quoi. Je sais avec certitude que le souvenir de vos passages sur Terre, et dans les astrales, est volontairement effacé de votre mémoire pour ne pas

174

que vous découvriez le mensonge dans lequel vous survivez.

— Pourrais-tu décrire les astrales ? demanda la psychologue.

— Les astrales sont un immense réservoir d'âmes représentant ce que vous appelez le Ciel et l'Enfer. Vous pourriez tout aussi bien utiliser le terme haute astrale pour identifier le Ciel, et basse astrale pour identifier l'Enfer, et ce serait équivalent.

Pendant que des murmures s'élevaient dans la salle, Roxanne prit l'initiative d'aller retrouver Philippe sur la tribune et annonça une pause de vingt minutes.

— Tu n'es pas trop fatigué j'espère, demanda celle-ci, lorsqu'ils entrèrent dans le restaurant de l'hôtel.

— Non… Je me suis senti nerveux au début, mais le stress n'a pas duré.

— Tant mieux, dit-elle. Asseyons-nous ici.

Roxanne eut tout juste le temps de commander deux cafés que la psychologue entra à son tour dans le restaurant et s'installa à la même table qu'eux sans y avoir été invitée.

— Excusez-moi, dit-elle. Je ne me suis pas encore présenté : Megan Chagnon.

Roxanne se sentit contrariée, sachant très bien qu'elle n'était pas venue se joindre à eux pour le plaisir de se joindre à eux.

— C'est la première fois que vous assistez à l'une de nos assemblées, je crois, dit-elle.

— En effet, c'est la première fois.

— Et comment trouvez-vous notre invité ?

— Assez incohérent dans ses propos.

— Ce qui semble incohérent aux uns, ne l'est pas nécessairement pour les autres, signala Roxanne.

Philippe n'essaya pas de se dissimuler derrière Roxanne et préféra faire face à la musique.

— Admettez, madame, que vous avez interprété mes réponses selon vos convictions personnelles. Vous n'êtes pas la seule à agir de cette façon. Ce mode de fonctionnement est fréquent chez l'être humain.

— Quelle arrogance ! tonna-t-elle.

— Philippe parle de la vie d'une manière différente. Quel mal y a-t-il à cela ?

La serveuse se présenta avec les boissons et les déposa sur la table.

— Je prendrais un café, dit Megan.

— Tout de suite madame.

— Quel âge as-tu ? demanda-t-elle, se tournant vers Philippe.

— Quel âge me donnez-vous ?

— Je dirais que tu dois avoir dix-sept ou dix-huit ans.

— Vous vous trompez Megan. Il a treize ans.

— Ton père et ta mère ont-ils la même grandeur que toi ? demanda-t-elle.

— Mon père est un grand homme, répondit Philippe. Pas ma mère.

— J'espère que les indigo ne sont pas tous comme toi, ajouta-t-elle. Parce que je ne sais pas ce qu'il adviendrait de nos philosophies de vie.

Philippe ne s'attarda pas à cette remarque et lui posa une question.

— Honnêtement madame, êtes-vous prête à dire que l'humanité a évolué à travers les époques qu'elle a traversées ?

— En tout cas, moi je ne le crois pas, dit Roxanne. Avec toutes ces guerres de religions et de pétrole qui n'en finissent plus.

— Quand je regarde les bulletins de nouvelles à la télé, dit Philippe, et que je vois des gens partout dans le monde se comporter d'une façon aussi animalienne, je trouve cela consternant.

— *Animalienne…* répéta Megan. Veux-tu bien me dire d'où sort cette expression ?

— J'aime créer des mots. Ça met du piquant dans les conversations et ça délie les langues, commenta Philippe.

Les deux femmes pouffèrent de rire.

— Il est temps de retourner dans la salle, annonça Roxanne. Nous avons dépassé les vingt minutes de pause.

La serveuse se présenta avec le café de Megan au moment où ils s'apprêtaient à quitter le restaurant.

— Si ça ne vous dérange pas, je vais l'apporter dans la salle de conférence, dit-elle.

— Il n'y a pas de problème, madame.

— Et… préparez une seule facture pour les trois s'il vous plaît.

Roxanne lui jeta un regard désapprobateur.

— Laissez… Ça me fait plaisir, insista-t-elle.

Christian Biron annonça la reprise des questions et laissa Philippe seul devant son micro.

— Si vous le voulez bien, j'aimerais vous parler de l'ego dans cette deuxième partie de la soirée, annonça-t-il.

— Vas-y ! Nous sommes impatients de t'entendre, lança Christian Biron.

— Ne soyez pas surpris si je ne le décris pas exactement de la façon dont le dictionnaire le fait.

Cette remarque déclencha des rires dans la salle.

— Est-ce que tu sais au moins comment le décrit le dictionnaire ? demanda Christian Biron.

— Non… Je ne suis jamais allé vérifier.

Il y eut d'autres rires dans la salle.

— Il est regrettable qu'on ne commence pas à enseigner aux enfants dès leur plus jeune âge ce qu'est l'ego. Cela pourrait améliorer grandement leur comportement et celui des sociétés dans lesquelles ils évoluent. Mais, comme tout ce qui est connu jusqu'ici de l'ego n'est rien d'autre que son état embryonnaire, il est compréhensible que les gens le connaissent si peu, et si mal.

Christian Biron n'en finissait plus de croiser et décroiser les jambes pour trouver une position confortable.

— Je me demande ce que tu peux connaître de plus sur l'ego que ce que nous en savons déjà ! commenta-t-il tout haut.

Roxanne lui jeta un regard qui parla de lui-même.

— L'ego est cette partie de nous qui a tendance à vouloir s'emparer de tout, pour ensuite ramener ce tout à son avantage; l'ego est celui qui croit mordicus que la pensée lui appartient; l'ego est celui qui veut avoir raison à tout prix pour ne pas perdre la face; l'ego est celui qui ne prend pas position quand il le faut à cause de sa tiédeur; l'ego est celui qui a peur dans le noir et qui a besoin d'être rassuré.

— Je me demande si ce ne serait pas mieux de le congédier, plaisanta Christian Biron.

Toute la salle s'esclaffa.

— Malheureusement, ce n'est pas possible dit Philippe. Habituez-vous à lui parler comme si vous vous adressiez à une autre personne. Osez lui dire de temps en temps qu'il devrait se taire et écouter, au lieu de chercher à épater la galerie.

— En quelque sorte, cela veut dire que nous devrions commencer à l'éduquer, sinon, il va finir par avoir le dessus sur nous, et nous faire vivre des situations embarrassantes, dit Roxanne.

— Tout à fait, acquiesça Philippe. L'ego est maître dans l'art de se référer aux connaissances qu'il a acquises dans le passé pour se situer dans sa vie actuelle. C'est la raison pour laquelle il a tant besoin de croire à ce qu'il entend autour de lui, ou lire des livres pour décoder les mystères de son existence.

— Faut-il en déduire que les livres ne nous sont d'aucune utilité ? demanda Christian Biron.

— Ce n'est pas ce que j'ai dit, monsieur. J'essayais simplement de vous faire prendre conscience qu'il est possible de puiser des informations à l'intérieur d'une science qui n'appartient à aucun livre, à aucune philosophie, à aucune religion et encore moins à l'ego. Parler spontanément est comparable à la puissance de l'énergie libre qui circule autour de vous.

— Réalises-tu que tu viens d'offenser tous les grands penseurs de notre temps ? s'indigna Christian Biron.

— Je n'offense personne, monsieur. J'explique une réalité.

— Si tu continues de tenir des discours comme tu le fais, tu vas devenir un véritable *gourou*, plaisanta Megan.

Toute la salle s'esclaffa.

— Vous pouvez dormir tranquille, cela n'arrivera pas. En sachant que chaque être humain est un petit Univers en soi, cela m'incite à respecter tous les Univers que je côtoie au même titre que le mien.

— Parlant d'Univers… est-ce que tu sais si des êtres d'ailleurs, je veux dire des extraterrestres, s'intéressent à nous pour autre chose que tenter des expériences sur notre corps physique ? demanda le naturopathe.

Cette réflexion fit sourire Philippe.

— Eh bien, disons qu'il y a des peuples qui sont intrigués par notre grandeur et notre aspect multidimensionnel.

Philippe regarda longuement le naturopathe et lui fit un aveu auquel il ne s'attendait pas.

— J'ai décelé une peur en vous. Je la ressens comme si je l'avais à l'intérieur de moi. Vous aviez huit ans à ce moment-là. Vous dormiez dans la plus petite chambre de la maison d'été de vos parents. Au milieu de la nuit, vous vous êtes réveillé en sursaut avec l'impression d'avoir une longue aiguille insérée dans la colonne vertébrale. Vous n'étiez ni mal ni bien, vous aviez simplement peur. Peur de ce qui était en train de se passer. Peur des présences que vous sentiez autour de vous. Et depuis, vous avez vécu dans une extrême solitude, sans jamais oser parler de cet événement à quiconque.

Des larmes se mirent à couler sur son visage.

— Quel est votre prénom ? lui demanda Philippe.

— Charles…

— Eh bien Charles, sachez que ceux qui ont pénétré dans votre chambre cette nuit-là ne vous ont rien fait de mal. La peur qui vous hante est simplement due à l'incompréhension de l'événement que vous avez vécu. Cette peur n'est rien d'autre qu'une illusion qui vous a été transmise par votre ego. Celui qui a eu le plus peur en vous, ce n'est pas votre Grand moi, mais le Petit moi qui personnalise votre ego.

Un grand silence régnait dans la salle. On aurait dit qu'une espèce d'envoûtement surnaturel flottait dans l'air. Plusieurs personnes dans l'assistance ressentaient une sensation bizarre au plexus et se demandaient à quoi cela pouvait être dû. Ce fut finalement une jeune femme, assise à une table près de la tribune, qui brisa ce silence.

— Je m'excuse de revenir sur la pensée, mais j'aimerais que tu en parles un peu plus clairement, parce que je n'ai pas très bien compris ce que tu as voulu dire dans la première partie.

— Rappelez-vous simplement qu'il existe deux sortes de pensées, dit Philippe. Il y a celles qui sont créatives, parce qu'elles vous incitent à entreprendre des mouvements intelligents pour vous-même dans l'instant présent. Et il y a celles qui vous ramènent dans le passé. Méfiez-vous-en, car elles sont des pensées qui vous font penser.

— Merci, répondit-elle.

Inquiète que son protégé soit fatigué, Roxanne se leva et alla au micro dire un mot à l'assistance.

— Écoutez… il était convenu qu'il y aurait un temps d'alloué pour les questions. Je crois que nous avons largement dépassé la limite.

Les gens dans la salle demandèrent à Philippe s'il était prêt à répondre à quelques questions avant de terminer. Il accepta.

— Dans ce cas, dit Roxanne, elles seront les dernières auxquelles il répondra.

— J'aimerais savoir ce que tu penses des extraterrestres ? demanda Christian Biron.

— Pourriez-vous me poser une question plus précise ?

— Ce que j'ai entendu dire jusqu'ici à propos d'eux n'a rien de très réjouissant. Quand ils enlèvent des êtres humains, c'est pour leur faire subir des expériences à ce point traumatisantes, qu'ils en demeurent terrorisés le reste de leur vie. Selon toi, est-ce qu'ils agissent tous de la même façon avec nous ?

— En principe, nous devrions considérer qu'ils sont nos frères d'autres espaces. Malheureusement, ceci ne veut pas dire qu'ils sont des êtres démontrant de la sympathie à notre égard. Nombre d'entre eux n'ont aucune compassion pour nous, et sont capables d'exploiter la faiblesse humaine jusque dans ses replis les plus fins. Par contre, il y en a qui surveillent de près notre évolution, et celle de notre planète, sans utiliser aucune forme de pouvoir ou de domination pour cela.

— C'est encourageant de te l'entendre dire, rapporta Charles.

— Un jour viendra où des gens sur Terre auront développé suffisamment leur centricité pour pouvoir échanger avec eux sans se laisser impressionner par leur flegme et leur étrange apparence. Il faut bien comprendre que les peuples de l'espace n'offriront pas leur soutien à ceux qui seront effrayés par leur présence.

— Et nos faiblesses, ils les exploitent comment ? demanda Roxanne.

— En se servant de l'illusion. Ils possèdent la maîtrise de l'illusion à un point que vous n'oseriez même pas imaginer.

— Toi, est-ce que tu as déjà parlé à des extraterrestres ? demanda sarcastiquement Christian Biron.

Son seul réflexe fut de lui fournir une réponse absurde.

— Bien sûr. Quelquefois, ils me rendent visite avant que je m'endorme. Et, de temps en temps, ils m'envoient un courriel pour me donner de leurs nouvelles.

Cette plaisanterie fit rire tout le monde, sauf Christian Biron.

— Tu sembles dire que nous ignorons des tas de choses sur nos origines et notre constitution. Pourquoi est-ce ainsi ? demanda Roxanne.

— Parce que le déroulement évolutif des races qui habitent une planète s'exécute toujours selon un plan déterminé à l'avance par les grandes Intelligences du Cosmos. Aujourd'hui, le temps est venu pour les hommes de la Terre d'apprendre qu'ils sont des êtres de feu et de lumière.

Philippe se racla la gorge et but une gorgée d'eau.

— Si vous voulez sortir de l'étroitesse d'esprit dans laquelle vous êtes confinés, libérez-vous de vos croyances. De toutes vos croyances, quelles qu'elles soient. Car ce n'est qu'après vous être libérés de vos croyances que vous pourrez avoir accès à votre identité cosmique. Apprenez que cette identité n'a aucun lien avec votre passé, pas plus qu'avec celui des sociétés. Il vous sera peut-être difficile au début de remettre en question les modes de pensées auxquels vous êtes habitués de vous référer pour avancer dans la vie. Mais, vous découvrirez, dans un temps qui sera le vôtre, que c'était la seule façon de renaître de vos cendres.

Ces dernières paroles de Philippe frappèrent de plein fouet les gens dans la salle. Quelques-uns avaient une main sur le plexus et se demandaient ce qui était en train de leur arriver, tandis que d'autres le regardaient bouche bée.

Christian Biron se leva et alla retrouver Philippe sur la tribune.

— Merci d'avoir accepté notre invitation Philippe. J'espère que nous aurons le plaisir de t'entendre à nouveau.

Roxanne commença à applaudir, puis ce fut au tour de Charles, et tous les gens dans la salle en firent autant. Lorsque les applaudissements cessèrent, Christian Biron invita une auteure qui avait écrit un livre sur l'alimentation vivante à venir le retrouver sur la tribune.

— Qu'est-ce que tu préfères ? demanda Roxanne. On reste ou on part ?

— On part…

***

— Où veux-tu qu'on s'arrête pour manger ?

— Hummm…

L'air s'était refroidi et Roxanne avait relevé le toit de sa Volkswagen avant de quitter le stationnement de l'hôtel. Ils roulaient maintenant à vive allure sur l'autoroute en direction du Mont-Saint-Hilaire.

— … à la rôtisserie.

— Tu parles. C'est justement le restaurant que j'avais en tête, plaisanta-t-elle.

— J'ai vécu quelque chose de très particulier ce soir.

— Tu n'es pas le seul, je crois, murmura Roxanne.

— Je percevais les gens comme s'ils étaient un grand livre ouvert.

— Est-ce que tu t'es aperçu que quelques-uns avaient de la difficulté à te suivre ?

— Ce n'est pas important pour moi d'être compris.

— Si ce n'est pas important de te faire comprendre, pourquoi parles-tu alors ?

— Parce que je découvre des choses pour moi-même lorsque je parle aux autres. D'ailleurs, je n'ai aucune intention de convaincre qui que ce soit. On comprend toujours ce que l'on a à comprendre dans un temps qui est le nôtre.

— Cela m'a fait une curieuse impression dans le plexus quand tu as dit que nous étions des êtres de feu et de lumière, confia Roxanne.

— J'ai dit ça, moi…

— Tu ne te souviens déjà plus de ce que tu as dit !

— Je te jure que je l'avais oublié, admit Philippe.

— Elle est bonne celle-là !

Ils restèrent silencieux quelques instants, puis Roxanne dit :

— J'avoue que j'ai de la difficulté à te suivre lorsque tu parles des astrales, des âmes et de la pensée. Peut-être que je comprendrais mieux avec des images qu'avec mes oreilles.

Philippe se demanda bien quelle image pourrait aider Roxanne. Une idée lui vint en tête.

— Prends la radio par exemple… Elle est un instrument qui nous est familier et qui fait partie de nos vies. Nous n'avons qu'à l'ouvrir pour syntoniser les réseaux AM/FM que nous plaisent.

— Évidemment ! dit-elle, haussant les épaules.

— Si je te disais maintenant que tu as la capacité de capter des fréquences qui te sont inconnues, et qu'en plus, ces fréquences sont celles dont se servent des âmes séjournant dans les astrales pour te transmettre les pensées que tu entends dans ta tête ? Qu'est-ce que tu répondrais à ça ?

— Que je suis dépassée, dit-elle.

— Je sais, mais c'est ainsi. J'admets que les astrales ne soient pas un monde tangible, mais ceci ne veut pas dire qu'il ne s'y passe rien. C'est par la découverte de l'origine de la pensée qu'il devient plus facile de prendre du recul vis-à-vis ce qui se passe dans nos têtes. Jusqu'au jour où, les fréquences astrales auront tellement perdu de pouvoir sur nous que nous pourrons entendre notre ajusteur de la pensée.

— Ajusteur de la pensée ? D'où sort-il celui-là ?

— Heu… je t'en parlerai une autre fois.

— Je me sens un peu comme une toupie en ce moment.

— Je m'en suis aperçu. Tu viens de rater la sortie.

— Zut…

— Dis-moi franchement si tu trouves que je suis allé trop loin ce soir ? demanda Philippe. À un certain moment, j'ai cru que tu semblais regretter de m'avoir invité.

— Il est vrai que je me suis demandé dans quel guêpier je m'étais encore fourrée. Mais, comme tu sais si bien le dire, le hasard n'existe pas. Alors, je me suis consolée en me disant que j'avais fait la bonne chose.

— Tu crois que je n'ai pas été à la hauteur ?

— Pas du tout. Avec toi, on ne sait jamais ce qui nous attend. Je me demande même si tu n'es pas le *Prince* de l'inconcevable, de l'inimaginable et de l'invraisemblable.

— Voilà pas mal de mots pour dire la même chose.

— Ça prenait de l'audace pour accepter mon invitation, dit Roxanne, et tu as relevé le défi. Ce que j'admire en toi, c'est cette façon que tu as de garder ton sang-froid lorsque tu es confronté à des situations stressantes.

— Je ne te cacherai pas que cette soirée m'a mis à l'épreuve, mais elle m'a aussi ouvert une fenêtre sur le monde. Elle m'a permis de voir l'ego des gens s'emparer des réponses que je leur donnais pour les interpréter à leur façon.

— C'est dommage. Mes collègues auraient pu enlever leurs œillères pour une fois.

— Roxanne, je ne sais pas comment le dire, parce que c'était la première fois qu'il m'était donné de vivre quelque chose d'aussi agréable, mais j'ai ressenti l'extase que procure le Verbe lorsqu'Il s'exprime à travers moi.

— Le Verbe ?

Roxanne appuya sur l'accélérateur et doubla un train routier afin de s'engager sur la bretelle de sortie de l'autoroute. Le chauffeur, très en colère, klaxonna un long coup pour lui signaler sa conduite dangereuse.

— Est-ce que tu réalises qu'il aurait pu nous réduire en accordéon avec son bolide ?

— Je ne voulais pas louper la sortie une autre fois.

Après cet épisode pour le moins dangereux, Philippe préféra ne plus distraire Roxanne avec ses propos pendant qu'elle était au volant. Ils achevèrent donc le trajet en silence.

— Et pour toi, qu'est-ce que ce sera ? demanda la serveuse.

— Un sandwich chaud au poulet.

— Est-ce que je te sers une salade ?

— Surtout pas de salade, madame… Je déteste l'odeur du vinaigre que vous mettez dedans.

— D'où te vient ce dédain du vinaigre ? demanda Roxanne, lorsque la serveuse s'éloigna.

— J'aimerais bien le savoir, soupira-t-il. Peut-être que j'ai trempé mon doigt dedans quand j'étais bébé, et que je suis resté traumatisé par le goût amer qu'il a laissé dans ma bouche.

Roxanne tournait et retournait sur elle-même la bague sertie de diamants qu'elle portait à son annulaire droit.

— Qui te l'a offerte ? s'informa Philippe.

— C'est mon ex-amoureux.

— Une belle femme comme toi ne devrait pas être seule.

« Mais qu'est-ce qui m'arrive ce soir ? » se demanda Roxanne. « Je suis assise dans un restaurant avec un garçon de treize ans qui vient de donner des réponses à des adultes comme jamais je n'aurais osé le croire. Et voilà qu'il me drague maintenant… »

— Il t'attend, tu sais.

— Quoi ! Tu parles de Jean-Luc…

— Depuis votre séparation, aucun autre homme n'a réussi à conquérir ton cœur. Est-ce que j'ai raison ?

Les yeux de Roxanne s'emplirent de larmes.

— C'est vrai, avoua-t-elle. Durant les trois années que nous avons vécues ensemble, j'ai souhaité ardemment que nous puissions avoir un enfant. Malheureusement, mon désir est devenu la cause de notre rupture. Jean-Luc a vingt ans de plus que moi. Il disait que ce n'était plus de son âge d'avoir un enfant. De toute manière, il a déjà un fils de son premier mariage et je crois que cela lui suffit.

— Est-ce le seul hic entre vous deux ?

— Oui…

— Tu devrais peut-être regarder l'homme d'abord et reconsidérer le fait d'avoir un enfant. T'es-tu au moins demandé si cela était essentiel à votre bonheur ?

— Non… Je voulais un enfant, c'est tout.

— Entre nous, il est l'homme de ta vie ou est-ce que je me trompe ?

— Il l'est, dit-elle faiblement.

— Alors, dis-moi ce que tu attends pour le lui dire ?

— Je ne sais plus quoi faire. Il y a des jours où je me dis que je lui ai offert les plus belles années de ma vie, et voilà qu'en plus, je devrais m'empêcher d'avoir l'enfant dont j'ai tant rêvé.

— Jean-Luc ne souhaite rien de mieux que de se réconcilier avec toi. Et si vous êtes faits l'un pour l'autre, il va falloir que vous vous entendiez sur le sujet de votre discorde, sinon vous allez vous meurtrir indéfiniment.

— Tu as raison. Au lieu de continuer à souffrir de son absence, je vais me rendre directement à son bureau demain et lui dire qu'il est l'homme de ma vie.

— Enfin, voilà une décision intelligente.

La serveuse déposa les boissons gazeuses sur la table et revint quelques minutes plus tard avec le reste de la commande. Il faut dire qu'après la soirée mouvementée qu'ils venaient de passer, ils avaient bien mérité de relaxer un peu. À la fin du repas, une femme s'approcha de leur table.

— Bonsoir Roxanne…

— Eh bien ! Si je m'attendais à te rencontrer ici, dit-elle, se levant pour lui faire la bise.

Caroline était une patiente de Roxanne. Elle avait dû la traiter durant des mois pour un grave problème de déséquilibre nerveux causé par le suicide de son mari.

— Tu as l'air mieux, confia Roxanne.

— Oui. Ma santé s'améliore de jour en jour, répondit-elle avec une certaine hésitation.

— Je te présente Philippe.

Elle le salua gentiment.

— Assieds-toi quelques minutes avec nous. Est-ce que tu as repris ton travail à la boulangerie ?

— J'y suis retournée, mais seulement trois jours semaine, confia-t-elle.

— J'allais me commander un café. Est-ce que tu en veux un ?

— D'accord… Mais dis-moi ce que tu fais en compagnie de ce beau jeune homme, ajouta-t-elle.

Roxanne fit un signe à la serveuse et commanda deux cafés.

— Je m'intéresse aux enfants indigo et j'ai invité Philippe à venir nous parler de son expérience personnelle à notre assemblée mensuelle.

— Tu ne m'avais jamais dit que ce sujet t'intéressait, déclara Caroline.

— On dit que leur nombre augmente sans cesse et je me suis demandé pourquoi il en était ainsi. C'est à partir de là que j'ai poussé mes recherches en posant des questions à ceux que j'avais la chance de rencontrer.

— Et Philippe est un de ceux-là ? dit Caroline.

— Oui…

La serveuse revint avec deux cafés et les déposa devant Roxanne et Caroline. Sans savoir pourquoi, celle-ci fut agacée par le regard soutenu de Philippe posé sur elle.

— Il y a quelque chose qui ne va pas ? demanda-t-elle.

— Vous attendez un signe de la vie pour prendre une décision, parce que vous avez peur de vous tromper, madame.

Elle le regarda sans comprendre.

— Votre belle-mère a perdu la vie dans un carambolage lorsque votre mari s'est endormi au volant de la voiture dans laquelle ils avaient pris place.

La serveuse baissa les yeux.

— C'est exact, dit-elle. Depuis quelques années, mon mari avait l'habitude de conduire sa mère à son condominium en Floride vers la mi-novembre. Cet accident est arrivé à quelques kilomètres des frontières, alors qu'il était retourné la chercher en avril dernier. Mon mari s'en est sorti avec seulement quelques fractures et beaucoup d'égratignures. Malheureusement, ma belle-mère et sa sœur ont été moins chanceuses que lui. Elles sont décédées à la suite de leurs blessures.

— Et depuis ce jour, votre mari se reproche sans cesse cet accident, ajouta Philippe. À un point tel, que cela a fini par dégénérer en dépression nerveuse. Il vous rend la vie insupportable, à vous, et à vos enfants. En plus, il ne fait aucun effort pour se sortir de son marasme.

La serveuse acquiesça par des hochements de tête.

— Il n'arrête pas de me répéter que tout est de sa faute. Il dit qu'il se sentait somnolent et qu'il aurait dû s'arrêter dans un restaurant pour boire un café et se dégourdir un peu les jambes.

— L'amour entre vous et votre mari s'est éteint bien avant cet accident, madame. Il y a longtemps que vous vivez dans l'espérance que tout redevienne comme avant.

— On dirait que le ciel a mis un ange sur ma route aujourd'hui.

— Cela me révolte de vous voir aussi mal dans votre peau. Je trouve inacceptable de gâcher sa vie pour une autre personne, même s'il s'agit de son conjoint. L'amour commence par le respect que l'on s'accorde à soi-même. Alors, n'ayez pas peur d'adresser un ultimatum à votre mari et d'agir en conséquence de ce qui en découlera.

La serveuse prit une longue inspiration.

— Personne avant aujourd'hui ne m'avait parlé comme tu viens de le faire.

— Évelyne, tu as des clients qui attendent leur commande, lança sèchement une autre serveuse.

— Excusez-moi, je dois y aller, dit-elle.

Roxanne et Caroline avaient le dos cloué au dossier de la banquette et regardaient Philippe.

— Est-ce qu'il est toujours comme ça ? dit Caroline, se tournant vers

Roxanne.

— Je dois dire que ça arrive assez souvent.

Caroline prétexta un début de migraine et se leva.

— Je vais prendre rendez-vous avec ta secrétaire demain, dit-elle, Je crois que quelques traitements me feront du bien.

— D'accord…

Roxanne la regarda s'éloigner.

— Caroline vit beaucoup en fonction du don de soi, dit-elle.

— Je m'en suis rendu compte, dit Philippe. Ce mode de vie semble très répandu chez les femmes.

— J'ai une question qui me trotte dans la tête. Je me demande pourquoi il y a autant d'enfants indigo sur la Terre en ce moment ?

— C'est parce que nous sommes à la fin d'un cycle et au début d'un nouveau millénaire.

— Élabore…

— Cela veut dire que la cinquième race arrive à son terme et que la sixième est en préparation. En bref, l'humanité doit s'ajuster à l'énergie qui se met en place actuellement pour la venue de cette nouvelle race.

Roxanne sortit en vitesse un stylo de son sac à main pour prendre des notes.

— Si j'ai bien compris, les indigo seraient les enfants de la sixième race, dit-elle, griffonnant des notes sur le dos de son napperon taché de sauce.

— Les indigo sont en réalité les enfants du Verseau. Mais qu'ils soient les enfants du Verseau ne veut pas dire qu'ils arriveront à intégrer les trois Principes cosmiques.

— Qu'est-ce que tu veux dire exactement ?

— Tu m'as dit que tu comprenais mieux avec des images, alors je vais te donner un exemple.

— D'accord… Vas-y.

— Disons que je suis un homme d'âge mûr qui décide de fonder sa propre entreprise. Qu'est-ce que tu crois qu'il va m'arriver si j'agis uniquement en fonction de mes pulsions ?

— Tu vas faire faillite…

— Je vais basculer dans la dictature et devenir imbu de moi-même. Et cela va m'empêcher d'être à l'écoute de mon personnel et des gens avec qui je transige. Cet exemple démontre que l'Amour ne peut exister, s'il n'y a pas d'abord de Volonté et d'Intelligence dans nos agissements.

— C'est donc un amalgame de Volonté et d'Intelligence qui fait naître l'Amour.

— Tout à fait. Mais il ne suffit pas d'en parler, il faut savoir intégrer ces Principes à notre vie de tous les jours.

— J'avais entendu parler des trois Principes à l'école primaire, mais je ne m'étais jamais donné la peine de les approfondir comme je viens de le faire avec toi.

— Les gens sont tellement habitués à se compliquer la vie qu'ils finissent par ne plus voir sa simplicité.

— Il m'arrive d'être de ceux-là, avoua Roxanne dans un long soupir.

— Je commence à être fatigué, dit Philippe.

— Moi aussi. Je règle l'addition et on s'en va.

Elle sortit vingt dollars de son porte-monnaie et le déposa devant Philippe pour le récompenser. Il la regarda sans rien dire.

— Quoi ! Ce n'est pas suffisant… !

— C'est la première fois que je suis invité à parler à des gens dans une assemblée, alors je ne sais si c'est équitable.

— Ça alors ! Qu'est-ce qu'il ne faut pas entendre !

— Tu sais Roxanne, il suffit parfois d'un mot ou d'une phrase pour changer une vie. Si les battements d'ailes d'un papillon voletant dans une forêt équatoriale peuvent avoir des répercussions jusqu'au Canada, peux-tu imaginer combien les mots, eux, peuvent en avoir sur nos vies ?

***

— Bonsoir maman.

— Bonsoir trésor. Est-ce que tu as aimé ta soirée avec Roxanne ? s'informa Isabelle, assise dans sa berceuse en train de boire une camomille.

— C'était bien.

Isabelle attendit la suite, mais Philippe n'alla pas plus loin.

— Nous en parlerons demain, dit-il. J'ai hâte d'aller au lit.

Il monta à l'étage, fit un arrêt à la salle de bains et entra dans sa mansarde avec une immense satisfaction. Il enleva son pantalon et sa chemise et les déposa sur sa table de travail. Ensuite, il éteignit sa lampe de chevet, se glissa sous les couvertures et tira sa couette jusqu'à ce qu'elle recouvre ses épaules.

« C'est fantastique de découvrir que le Verbe s'exprime à travers moi avec autant d'aisance. Je n'ai eu aucun effort à faire. Toutes les réponses sont arrivées au bon moment. Il va falloir que je surveille mon ego de près, parce qu'il semble trouver valorisant de parler en public. Je sais que l'ego est une partie de moi qui prend beaucoup de place. Mais le déceler lorsqu'il se manifeste à travers mes agissements n'est pas évident. »

Une rafale pénétra par la fenêtre entrouverte.

« Écoute-moi bien l'ego… Nous n'avons pas le choix de cohabiter ensemble. Alors, il vaut mieux te faire à l'idée que nous devons entretenir une relation mature si nous voulons bien nous entendre. Et n'essaie surtout pas d'impressionner les autres en te montrant savant… »

14
Le désaveu

— Bibi, qu'as-tu fait du bol des chats ? marmonna Jessianne encore endormie.

— Je l'ai mis au lave-vaisselle.

— Pourquoi ? Il suffisait de le rincer.

— Il était crasseux. Un bon lavage va le désinfecter.

Jessianne sortit le sac de nourriture du garde-manger et s'empara d'une soucoupe sur le comptoir.

— SAINTE MISÈRE JESSIANNE ! Tu ne vas pas mettre la nourriture des chats dans ce plat, j'espère !

— Pourquoi pas ?

Elle se dépêcha de sortir une assiette à tarte jetable du tiroir de la cuisinière et la lui tendit.

— Je ne veux pas de vaisselle contaminée dans cette cuisine.

— BIBI ! Mes chats ne vont jamais dehors chasser les oiseaux et les rongeurs. Alors, je ne vois pas comment ils pourraient contaminer la vaisselle !

— Ils attrapent souvent des mouches dans la maison pour les manger. Quand on sait combien ces bestioles transportent de microbes sur leurs pattes, ce n'est pas rassurant.

— Quelques petits microbes ne sont pas la maladie de la vache folle, quand même ! Tu souffres du syndrome de la propreté extrême Bibi.

Vexée de ne pas avoir obtenu le dernier mot, celle-ci tourna les talons et alla faire le nettoyage de la salle d'eau du rez-de-chaussée.

« Qu'est-ce que fait PeP ce matin ? », se demanda Jessianne lorsque le carillon de l'horloge comtoise résonna dans le vestibule. « Il est 10 heures et il n'est pas encore debout. »

Au même moment, Madame Bibi courut répondre au téléphone.

— Je crois qu'il dort encore, ma cocotte… Attends un instant, Jessianne va vérifier.

Lorsqu'elle arriva en haut de l'escalier, elle entendit l'eau couler dans la baignoire et alla frapper à la porte de la salle de bains.

— Qui est-ce ?

— C'est Jessianne voyons ! Depuis quand prends-tu un bain au lieu d'une douche ? dit-elle, le visage collé contre la porte.

— Qu'est-ce que tu veux ?

— Sy veut te parler.

— Dis-lui que je vais la rappeler plus tard.

— D'accord !

C'était un début de journée nuageux et l'atmosphère était chargée d'humidité. Après s'être demandé ce qu'elle ferait de son avant-midi, Jessianne décida de chausser ses rollers et d'aller faire un peu d'exercice. Assise sur la dernière marche du balcon, elle vit Dan arriver sur son vélo de montagne.

— Salut ! s'écria-t-elle.

Il faillit se retrouver étendu sur le sol à cause de Maya qui fonça sur lui.

— Où est PeP ?

— Il prend un bain. Tu n'as qu'à l'attendre à l'intérieur.

— C'est ce que je vais faire.

Après avoir appuyé son vélo contre le mur du garage, il suivit le trottoir menant à la véranda et entra. La chienne l'avait suivi et en avait profité pour se faufiler derrière lui. Elle eut beau lui montrer fièrement la balle de tennis qu'elle tenait dans sa gueule, il s'affala sur une chaise patio et la laissa bredouille.

— Désolé Maya. J'ai trop chaud pour jouer avec toi.

Madame Bibi qui avait l'ouïe aussi fine que celle des chats sortit de la salle d'eau pour vérifier qui venait d'entrer.

— Ah ! C'est toi !

— Oui… J'attends PeP.

— Je ne sais pas pourquoi il traînasse comme ça ce matin.

Juste au moment où elle terminait sa phrase, Philippe arriva derrière elle et la fit sursauter.

— Comment ça, je traînasse ?

— Tu m'as fait peur, espèce de malotru, dit-elle, retournant dans la salle d'eau terminer son ménage.

— Est-ce que tu as faim ? demanda Philippe.

— Merci. J'ai déjeuné.

Maya geignit dans l'espoir d'attirer l'attention de Philippe.

— Ça va… j'ai compris, dit-il.

Après l'avoir nourrie, il se prépara un bol de céréales, les arrosa copieusement de lait et de miel et retourna dans la véranda.

— Je ne sais pas comment je vais m'y prendre pour faire parler Vandal, dit-il, déposant son bol sur la table. S'il a quelque chose à voir avec le vol, j'aimerais bien qu'il l'admette et qu'on en finisse avec cette histoire.

— On ne peut pas accuser quelqu'un sur de simples suppositions, ajouta Dan.

— Je ne l'accuserai pas. Je vais juste lui poser quelques questions embarrassantes.

— Tu hallucines PeP ! Même si c'était lui, jamais il ne l'avouera.

— Excuse-moi, je dois téléphoner à Sy.

Philippe alla dans le vestibule décrocher le récepteur et composa son numéro de téléphone, mais personne ne répondit.

— Elle doit être partie à la boutique, dit-il, de retour dans la véranda.

— Où étais-tu hier soir ? On ne t'a pas vu à *La Tanière*, dit Dan.

— Je suis allé à Montréal avec une amie de ma mère.

— Qu'est-ce que tu es allé faire à Montréal ? demanda-t-il, piqué par la curiosité.

— Répondre aux questions des spécialistes en médecine holi… hummmm… j'ai encore oublié ce foutu nom.

— Sans blague ! dit Dan. Tu es devenu quelqu'un d'important.

— On m'a posé des questions qui m'ont obligé à démystifier les astrales et le monde de la pensée.

— Vas-tu cesser de toujours me parler en paraboles !

— Ce dont je me souviens, c'est que mes réponses ont plu à certains, et déplu à d'autres.

— Ça ne me surprend pas. Même moi je ne comprends pas toujours le sens de ce que tu dis.

Une immense peine s'empara de Dan et il se mit à pleurer sans raison.

— Excuse-moi, je ne sais pas ce qui m'arrive, dit-il, s'essuyant les yeux. Je me sens nostalgique ces temps-ci.

— Tu sais Dan, renouer avec sa Source est une aventure extraordinaire et grandiose qui se vit un jour à la fois. C'est un événement qui peut nous transporter dans des états que l'on n'aurait jamais cru possible d'atteindre.

— Je ne sais pas ce que cela veut dire renouer avec sa Source... Tu parles comme un prophète.

— Renouer avec sa Source, c'est réintégrer, petit à petit, notre identité cosmique pour ne plus sombrer dans l'inconscience de la mort terrestre.

— Je ne suis pas plus avancé, dit Dan, une main sur le plexus.

— Changement de propos, comment cela va-t-il avec Nadya ?

— Ce n'est pas la grande séduction.

— Pourquoi ne l'invites-tu pas à faire une randonnée de kayak avec toi ? Ce serait peut-être l'occasion idéale pour vous faire des confidences ! déclara Philippe.

— C'est ça... donne-moi des conseils ! C'est tellement facile pour toi de plaire aux filles !

— Dan, les filles aiment les gars qui savent les faire rire et qui sont en mesure de reconnaître leurs points forts.

— Ça va mal pour moi. Je n'ai aucun de ces atouts, soupira-t-il.

— Tôt ou tard, il va falloir que tu apprennes l'importance de t'exprimer avec plus de clarté si tu veux que les filles te comprennent. Tu sais, les gars et les filles ne perçoivent pas la vie de la même manière. C'est d'ailleurs ce qui crée de la confusion entre eux.

— J'en sais quelque chose... Le ciel me tombe sur la tête chaque fois que j'essaie de parler avec Nadya.

Vandal tourna dans la cour de la ferme juste au moment où Sy déverrouillait le cadenas du bâtiment. Il gara son scooter et enleva son casque.

— Ce n'est pas vrai ! s'exclama Catherine. Encore lui !

— Entre, je vais lui parler.

— D'accord...

Vandal se rapprocha d'elle les mains dans les poches.

— Est-ce que ça va comme tu veux avec PeP ?

— Ça ne te regarde pas !

— Je voulais juste savoir…

— Tu es plus effronté que je le croyais, Guillaume Vandal !

— Qu'est-ce que j'ai dit de mal ?

— Cesse de me harceler ! Si tu continues, je vais le dire à PeP.

« J'ai intérêt à y aller doucement, sinon elle va finir par se méfier de moi et je n'aurai plus aucune chance de la récupérer », pensa-t-il.

Vandal se rendit compte qu'il avait vraiment mal choisi son moment lorsqu'il aperçut Philippe et Dan tourner dans la cour sur leurs vélos.

— Salut ! lança Sy.

— J'ai téléphoné chez toi ce matin. Il n'y avait personne.

— J'étais partie faire les courses avec maman. Elle m'a déposée ici avant de retourner à la maison. Regarde ce que j'ai ! dit-elle, lui montrant une copie du reportage qu'un journaliste avait préparé pour eux.

— Waoooh… ! Ça va nous faire toute une publicité.

— J'espère qu'il y a une photo de nous ? lança Dan qui arracha la copie des mains de Sy pour la regarder.

— Je ne me suis rien apporté pour dîner, dit Sy qui commençait à avoir le ventre creux.

— Ne t'en fais pas, je vais aller *Chez Ben* te chercher quelque chose à manger.

— D'accord, dit-elle, sortant cinq dollars d'une pochette de son sac à dos pour le lui remettre. Rapporte-moi un sandwich aux tomates s'il te plaît.

Philippe avait sa petite idée derrière la tête. Il proposa à Vandal de se rendre à la cantine avec lui en scooter. Sa première réaction fut de refuser, mais Philippe insista.

En arrivant à la cantine, le ciel commença à s'assombrir et un grondement se fit entendre au loin.

— On dirait qu'il va y avoir un orage ? rapporta Vandal.

— Il y a une table libre dans le verger, allons-y, dit Philippe.

— Je croyais que nous étions venus chercher le sandwich de Sy et que nous retournions tout de suite après.

— Nous allons en profiter pour parler un peu.

Vandal le suivit à contrecœur. Lorsqu'ils furent assis l'un en face de l'autre, il se mit à ciller exagérément des yeux.

— Pourquoi sommes-nous ici ?

— J'attends que tu me le dises Guillaume, parce que c'est toi qui détiens la réponse à cette question.

194

— Est-ce que tu fais exprès pour me mêler ou quoi ?

— Je ne peux pas te mêler plus que tu l'es déjà, dit Philippe.

— Qu'est-ce que tu veux dire exactement ? dit-il, fronçant les sourcils.

— Disons que je vois ce que d'autres ne voient pas.

— Où veux-tu en venir, PeP ?

— Guillaume, tu n'as pas à avoir peur de moi. Nous sommes seuls. Personne ne nous entend.

Une mésange bleue voltigea autour de la tête de Philippe et attira l'attention de Guillaume.

« Comment un oiseau en liberté peut-il s'approcher de quelqu'un d'aussi près sans se sentir menacé ? se demanda-t-il. « Est-ce là un signe qu'il voit vraiment des choses qu'habituellement personne d'autre ne voit ? »

— D'accord, lança-t-il. Inutile de jouer au chat et à la souris plus longtemps. Je sais que tu me soupçonnes d'être l'auteur du vol.

Les yeux perçants de Philippe scrutèrent profondément ceux de Vandal, à un point tel qu'il eut de la difficulté à soutenir son regard.

— Je suis prêt à tout te raconter, dit-il.

— Guillaume, je veux, avant tout, que tu saches qu'il n'est pas dans mon intention de te faire du tort.

— Tu as intérêt à écouter ma version des faits avant de sauter trop vite aux conclusions, insista-t-il.

— Qui peut se vanter d'être sans faiblesses ?

— Est-ce que tu me donnes ta parole que cette discussion va rester entre nous ?

— Je ne promets rien…

Guillaume parut inquiet.

— La veille où le vol a été commis, j'avais invité deux gars chez moi.

— L'un d'eux est celui qui a tabassé Dan à la cantine.

— Comment le sais-tu ?

— Sans importance. Continue.

— Pendant que je faisais une partie de billard avec eux au sous-sol, je leur ai parlé de la boutique. Je leur ai raconté comment le projet avait débuté et combien j'aurais aimé en faire partie. Par contre, j'ai fait une gaffe. Je savais que vous mettiez l'argent de vos ventes dans une boîte métallique, parce que j'avais vu Sy la refermer devant moi et la placer quelque part sous la vieille table de bois qui sert de comptoir.

— Tu leur as dit où était l'argent !

— Je sais que je n'aurais pas dû. Je l'ai regretté ensuite.

— Et après…

— J'ai bien des défauts, mais je ne suis pas un voleur, dit Vandal sur la défensive. Mes parents étaient absents ce soir-là, alors j'ai offert aux gars de prendre une bière avec moi. Un peu plus tard dans la soirée, Éric s'est plaint qu'il avait faim. Je suis monté à la cuisine préparer des sandwichs pendant qu'ils jouaient au billard. Je crois qu'ils ont manigancé d'aller voler l'argent pendant ce temps, parce que lorsque je suis revenu avec mes sandwichs, ils avaient une attitude bizarre avec moi.

Vandal était visiblement nerveux.

— Les gars sont partis de chez moi vers 23 heures, reprit-il. Je me suis dépêché de tout ramasser avant que mes parents reviennent à la maison et je suis allé me coucher.

— Tu es certain de ne rien avoir oublié, insista Philippe.

— Je t'ai raconté exactement ce qui s'est passé.

Philippe se dit qu'il valait mieux laisser tomber les aveux, car il n'arrivait pas à lui soutirer un seul indice pouvant l'impliquer dans le vol.

— Je regrette de te le dire Guillaume, mais tu as trop parlé et tu devras payer pour tes erreurs.

— Que veux-tu dire ?

— La seule chose qui pourrait m'empêcher de faire une déposition contre toi, c'est que tu me remettes l'argent qui a été volé dans la boîte. J'espère que tu me saisis bien.

Vandal fut pris de court devant la fermeté de Philippe.

— Ce qui compte le plus pour moi, c'est de sauver mon honneur avant que des rumeurs circulent à mon sujet et qu'on m'accuse d'un vol que je n'ai pas commis.

— Je n'ai rien à faire de ton honneur Guillaume. Je m'attends à ce que tu me remettes l'argent d'ici deux jours. Et ajoute vingt dollars pour nous dédommager de la perte de notre cadenas.

— J'espère que tu vas convaincre les autres que je n'ai rien volé, parce que je n'ai rien à voir dans ce vol.

Dépassé par les événements, Vandal préféra ne rien ajouter à sa plaidoirie.

— Allons-y. Sy doit attendre son dîner.

***

Heureusement que Philippe avait appris à manier avec adresse les humeurs névrotiques de la secrétaire du maire, car elle jeta encore une fois un regard guindé sur lui lorsqu'il entra à la mairie le lendemain après-midi.

— Comment allez-vous aujourd'hui, Madame Andrews ?

— Quelle question stupide, marmonna-t-elle. Est-ce que j'ai l'air mal ?

— Pas du tout. Vous semblez dans une forme électrisante.

Elle se passa une main dans les cheveux et réalisa que son chignon était à moitié défait, car les pinces qui le retenaient étaient relâchées.

— Ces *mozettes* de pinces à cheveux ne tiennent jamais ! jura-t-elle, essayant de remettre son chignon en place. Monsieur le maire est en discussion avec l'administrateur du centre commercial. Dès qu'il aura terminé son appel, je t'avertirai.

Philippe alla s'asseoir sur un fauteuil de cuir dans le hall d'accueil et feuilleta un journal traitant des marchés boursiers.

— Monsieur le maire a terminé son appel. Tu peux y aller, mais je te prierais de frapper avant d'entrer.

Philippe avait remarqué que la secrétaire semblait très inconfortable sur son postérieur.

— Pourquoi heu… pourquoi êtes-vous assise de travers comme ça, Madame Andrews ? demanda-t-il.

— Parce que j'ai des hémorroïdes et que c'est très douloureux.

— Je suis désolé pour vous.

Le maire sortit de son bureau avec un épais dossier dans les mains et le lui remit.

— Pouvez-vous mettre un peu d'ordre dans ce fouillis… Qu'est-ce qui vous arrive, Madame Andrews?

— Elle a des *hémorrrrroïdes*, dit Philippe.

La secrétaire lui jeta un regard furieux.

— J'ai un après-midi assez chargé Philippe. Ne pourrait-on pas remettre cette visite à demain ?

— Il faut absolument que je vous parle, Monsieur Lozeau.

— Je t'accorde dix minutes, acquiesça-t-il.

Le maire alla s'asseoir dans sa chaise pivotante. Ce jour-là, il portait un complet noir et une cravate bleue à rayures blanches, qui se soulevait et s'abaissait sur son ventre au rythme de sa respiration.

— Je suis venu vous dire que le journaliste à qui vous avez confié le soin de préparer le reportage a fait un très beau travail. Ma copine est allée chercher une copie hier matin au bureau du journal. J'aimerais que vous le lisiez avant qu'il soit publié.

— Bien sûr mon garçon, dit-il. Je dois justement passer par là tout à l'heure. Je vais entrer et demander à le voir.

— Il y a autre chose… Nous avons été victimes d'un cambriolage et je crois qu'il faudrait un peu plus de surveillance autour de la bâtisse la nuit.

— Avez-vous fait un rapport au poste de police?

— Non…

— Est-ce qu'il vous manque beaucoup de marchandises ?

— Les voleurs n'ont pris aucune marchandise. Ils ont seulement dérobé notre argent.

— Tu as manqué de vigilance mon garçon. Ce n'est pas prudent de laisser l'argent de vos ventes dans la bâtisse.

— Je reconnais que c'était une erreur…

Le maire semblait nerveux. Il n'arrêtait pas de faire tourner un stylo entre ses doigts.

— Excuse-moi, je suis un peu pressé. Ma femme m'attend à la maison. Nous devons choisir la couleur de nos nouvelles armoires de cuisine avec le menuisier à qui j'ai confié le mandat de les refaire.

— Et pour la surveillance…

— Je m'en occupe.

Sur ce, il sortit de son bureau avec Philippe et communiqua ses instructions à sa secrétaire.

— Je m'absente pour une heure. Ayez l'obligeance de faxer ce contrat à l'administration du centre commercial s'il vous plaît.

— Où allez-vous pour l'amour du ciel ? Qu'est-ce que je vais dire aux gens avec qui vous avez rendez-vous à 15 heures ?

— Ne vous inquiétez pas, je serai de retour.

— Vous n'êtes pas raisonnable !

— Madame Andrews, j'ai toujours pu compter sur vous lorsque j'étais en retard de quelques minutes à mes rendez-vous. Vous vous débrouillez très bien avec ces situations.

— Bien sûr, dit-elle, rouge de plaisir. Avez-vous au moins votre téléphone portable ? Parce que j'aime autant vous dire que si vous n'êtes pas revenu à 15 heures, je vous appellerai.

— Je suis désolé, mais il est sur la charge, dit-il, refermant la porte de la mairie derrière lui.

Philippe reprit le chemin de la ferme en se demandant si Vandal avait bien compris la subtilité de son message qui était de lui remettre l'argent disparu de la boîte métallique le plus vite possible.

« Cesse de t'en faire ! », se dit-il, accélérant sa vitesse pour dépasser un couple qui se baladait sur la piste cyclable. « Je saurai bien quoi faire si ma tactique ne fonctionne pas... »

— Où étais-tu passé PeP ? marmonna Sy. Tu es parti depuis presque une heure.

— J'avais une petite affaire à régler.

— À propos du vol, demanda-t-elle à voix basse pour ne pas que les clients entendent.

— Oui... C'est ça.

— En tout cas, je trouve cette histoire assez bizarre, chuchota-t-elle.

— Je sais bien mais, faute de preuves, nous ne pouvons accuser personne de l'équipe.

Après souper, Philippe reçut un appel de Vandal.

— Qui t'a donné mon numéro ? demanda-t-il.

— Ça n'a pas été bien difficile. J'ai demandé à la téléphoniste le numéro de Frédéric Prince au Mont-Saint-Hilaire. Elle l'a trouvé immédiatement.

— Pourquoi m'appelles-tu ?

— Est-ce qu'on peut se voir au Parc des Étangs vers 21 heures ce soir ?

Philippe hésita un moment avant de donner sa réponse.

— D'accord.

— Tu viendras seul...

— Oui...

— Parfait.

« Pourquoi m'a-t-il donné rendez-vous au Parc des Étangs ? », se demanda-t-il, lorsqu'il raccrocha.

Il était clair pour Philippe que quelque chose ne tournait pas rond dans cette histoire. Il monta dans sa mansarde et s'allongea sur son lit. Après quelques instants, une pensée jaillit dans sa tête.

« Tu n'as rien à craindre. Sers-toi de la puissance de ton Esprit. Tu peux créer ce que tu veux avec cette puissance. »

— Je suis allée au club vidéo louer un film. Est-ce que tu viens l'écouter avec moi ? demanda Jessianne derrière la porte de la mansarde.

— Non. Je me prépare à sortir.

— Où vas-tu ?

— Jessianne, vivre et laisser vivre, est-ce que ça te dit quelque chose ?

— Oui, que tu vas manquer un très bon film, lança-t-elle, tournant les talons pour retourner au rez-de-chaussée.

Philippe s'habilla et descendit dans le vestibule. Il chaussa ses baskets et alla voir Jessianne dans le séjour. Celle-ci était confortablement installée devant la télé avec un énorme bol de maïs soufflé sur les genoux.

— Dis à maman que je vais rentrer vers 22 heures.

— D'accord.

Il sortit par la véranda et fut vite rattrapé par Maya qui semblait être en forme pour une petite partie de « lance la balle ».

— Pas maintenant Maya. Je m'en vais.

Il sortit son vélo du garage et disparut sur le Chemin de la Montagne en pédalant à un bon rythme. Cela lui prit environ quinze minutes pour se rendre au parc. Il accota son vélo contre un arbre et chercha Vandal du regard, mais ne le vit nulle part. Il ne vit pas non plus de scooter noir garé sur le stationnement.

Un magnifique coucher de soleil se dessinait sur l'horizon. Philippe s'étendit dans l'herbe, les mains derrière la tête, et le contempla.

Le temps passa et l'obscurité s'intensifia. Philippe se retrouva presque seul dans le parc. Les familles retournaient à la maison avec poussettes, enfants et chiens.

Deux garçons qui lui étaient complètement étrangers s'approchèrent de lui et s'assirent dans l'herbe de chaque côté de lui.

— Tu attends quelqu'un Prince ? demanda Jeff.

— On se connaît…

— Non, mais il n'est jamais trop tard pour faire connaissance,

— Comment savez-vous mon nom ?

— Le monde est petit, tu sais, dit Éric.

Philippe comprit l'astuce de Vandal. Il ne viendrait pas. Il avait envoyé deux gars à sa place.

— Tu as un vélo qui vaut pas mal d'argent, dit Jeff.

— On pourrait se payer un peu de poudre en le vendant, ajouta Éric, un sourire narquois sur les lèvres.

— Tu aimes les belles filles à ce qu'il paraît, déclara Jeff. Surtout les Orientales avec un corps de déesse.

— Excusez-moi si je vous fausse compagnie, dit Philippe qui prit son courage à deux mains et se leva. Une personne m'avait donné rendez-vous ici, mais je crois qu'elle ne viendra pas.

— Ne t'en vas pas trop vite Prince, dit Jeff. On n'a pas fini avec toi.

La situation était critique et Philippe en était conscient. Mais il se dit en lui-même que paniquer ne servirait à rien.

— Que voulez-vous exactement ?

— Garde tes questions pour toi. On va te dire ce qu'on veut.

Ils le prirent chacun par le bras et le poussèrent jusque dans le sous-bois, là où les arbres les dissimulaient de la vue des voitures qui passaient sur la route.

Pendant tout ce temps, Philippe entendait dans sa tête : « Sers-toi de la puissance de ton Esprit et tout se passera bien. »

— Donne-moi ta montre et tout ce que tu as dans tes poches ? ordonna Jeff.

Philippe enleva sa montre et la lui remit. Ensuite, il vida ses poches de toute la monnaie qu'elles contenaient et lui remit.

— O.k., dit-il. Enlève ton tee-shirt et appuie-toi contre cet arbre. On va te faire un joli graffiti sur le dos.

Éric ouvrit son sac à dos et sortit des canettes de peinture. Puis il commença à lui vaporiser de la peinture sur le dos. Après quelques minutes, son dessin commença à prendre forme. On pouvait distinguer le regard d'une fille aux yeux bridés.

— Où est-ce qu'elle habite ta petite Orientale? s'informa Jeff.

Philippe demeura silencieux.

— Je t'ai demandé où habite ta petite Orientale, répéta-t-il. Est-ce que tu vas me répondre ?

Philippe ne répondit toujours pas. Une voix ne cessait de lui répéter dans sa tête : « Sers-toi de la puissance de ton Esprit, Philippe… Sers-toi de la puissance de ton Esprit… »

Il sentit monter en lui une colère comme il n'en avait jamais eu auparavant. Il se retourna et arracha la canette de peinture des mains d'Éric.

— Vous n'êtes que deux pauvres humains innocents ! tonna-t-il.

Jeff essaya de lui donner une jambette, croyant qu'il s'étalerait sur le sol de tout son long, mais il n'eut pas le temps de terminer son geste que ses yeux s'embuèrent et il se mit à voir deux Philippe identiques. Il se frotta les yeux. Rien n'y fit.

— Je crois que j'ai une hallucination ! déclara-t-il.

— Ce n'est pas une hallucination ! Moi aussi je vois double !

C'est à ce moment que Philippe comprit qu'il avait la capacité de créer l'illusion qu'il voulait chez ses agresseurs, et se mit à courir à travers le bois. Ils tentèrent vainement de le rattraper, mais les deux personnages identiques qu'ils ciblaient du regard ne couraient pas dans la même direction, et ils ne surent plus lequel était le bon. Philippe laissa derrière lui son vélo et son tee-shirt, sachant très bien qu'il valait mieux pour lui ne pas retourner sur ses pas.

En arrivant à la maison, il lança un caillou à la fenêtre de la chambre de Jessianne. Elle se leva sur-le-champ et alla voir qui était là.

— Pourquoi es-tu en bedaine ? demanda-t-elle.

— Apporte-moi un tee-shirt, s'il te plaît. Et ne dis pas à papa et maman que je suis arrivé d'accord.

— D'accord.

Jessianne fouilla dans un tiroir de sa commode et sortit le plus grand tee-shirt qu'elle avait. Elle le camoufla à l'intérieur de son pyjama et descendit au rez-de-chaussée.

— Je croyais que tu dormais trésor, dit Isabelle, lorsqu'elle la vit passer devant l'entrée du séjour.

— Heu… je ne suis pas certaine d'avoir nourri les chats à l'heure du souper. J'allais vérifier.

Isabelle et Frédéric écoutaient attentivement le dernier bulletin de nouvelles de la soirée et n'accordèrent pas d'importance à la réponse de Jessianne. Celle-ci ouvrit la porte-moustiquaire en faisant très attention de ne pas faire de bruit.

— Qu'est-ce qui t'est arrivé ?

— As-tu mon tee-shirt ?

— Oui, dit-elle, le retirant de l'intérieur de son haut de pyjama.

Lorsque Philippe leva les bras pour l'enfiler, Jessianne se tassa et aperçut le dessin.

— Veux-tu bien me dire qui t'a fait ça ?

— Écoute Jessianne. Ce serait trop long à raconter. Je veux juste que tu m'aides à enlever cette saleté sur mon dos. Nous allons entrer dans la maison comme si de rien n'était, et monter tout droit à la salle de bains, d'accord !

— D'accord…

15
Naissance d'une amitié

Lorsque le maire vit le sergent Pierre Saint-Amand apparaître sur le seuil de la porte de son bureau, il se leva et alla échanger une chaleureuse poignée de main avec lui.

— Assieds-toi, Pierre. Je reviens avec du café. Est-ce toujours une crème et deux sucres ? demanda-t-il, se passant une main sur le crâne.

— Juste une crème, s'il te plaît. Ma femme ne cesse de me répéter que je vais perdre du poids si je diminue ma consommation de sucre. Comme tu peux le voir, ça n'a pas donné de très bons résultats.

— La mienne, c'est à mon taux de cholestérol qu'elle s'en prend tous les matins.

Pendant son absence, Pierre Saint-Amand examina des photos sur son bureau.

— Quand je vois tes enfants dans la trentaine, je me dis que nous ne rajeunissons pas, dit-il, lorsqu'il fut de retour.

— S'il existait une formule magique pour ralentir le sablier où s'écoulent les années de nos vies, je serais le premier à l'utiliser, commenta-t-il en lui remettant sa tasse de café.

— Tu devrais venir souper à la maison samedi soir. Il y a longtemps que nous avons bu du porto et fumé un bon cigare ensemble.

— J'en parle à ma femme et je te donne ma réponse demain.

— Comment vont les étudiants qui ont demandé ton autorisation pour démarrer une boutique d'objets recyclés sur la ferme de Lorenzo ?

— Bien. Je dirais même très bien. Le fils de Frédéric Prince est un débrouillard comme je n'en ai rarement vu dans ma vie. Il est tenace comme dix. Mais pourquoi me poses-tu cette question ?

— Parce que les patrouilleurs de nuit ont ramené deux garçons âgés de seize et dix-sept ans au poste la nuit dernière. Ils les ont surpris au moment où ils s'apprêtaient à fracasser une fenêtre avec une pierre pour pénétrer dans le bâtiment.

— C'est une chance qu'une patrouille soit passée par là ! s'exclama le maire.

— Il y en a un qui se nomme Éric Sapina, et l'autre, Jeff Chapleau. Ces deux jeunes ont l'air de tremper dans les milieux illicites de la drogue.

— Comment auraient-ils pu repartir avec de la marchandise s'ils n'avaient pas de véhicule ?

— J'imagine qu'ils espéraient trouver autre chose.

— Est-ce que tu as une description d'eux ?

— Ni l'un ni l'autre n'habite la région. J'ai lu dans le rapport ce matin qu'Éric a les cheveux noirs à hauteur des épaules et qu'il porte un anneau sur l'arcade sourcilière droite. Ils ont tous les deux l'allure punk.

— Est-ce que leurs parents ont été contactés ?

— Tout ce que nous savons d'eux, c'est qu'ils ont quitté le domicile familial et qu'ils logent ici et là chez des amis à Montréal.

Le lendemain après-midi…

— Salut PeP ! Salut Dan ! lança Meggie, fière d'afficher son tout récent blanchiment des dents.

— Sy n'est pas encore arrivée ?

— Elle est partie avec sa mère au centre commercial. Je crois qu'elle avait rendez-vous chez l'optométriste, dit sa jumelle. Je ne suis pas certaine qu'elle viendra aujourd'hui.

Les jumelles montrèrent de l'inquiétude, car les clients s'étaient faits rares durant la matinée.

— Ne vous en faites pas. Nous connaîtrons sûrement une augmentation de notre achalandage la semaine prochaine, dit Philippe. Le reportage va travailler en notre faveur.

— J'ai entendu dire qu'une somme d'argent avait disparu de la boîte métallique, dit Meggie.

— Qui t'en a parlé ? lança Dan.

— Nous le savons, c'est tout, ajouta sa jumelle.

— Après, on dira que c'est moi qui ébruite les nouvelles !

Jeanno ne s'était pas aperçu que le coffre à outils qu'il voulait remettre à sa place était mal fermé. Au moment où il attrapa la poignée pour le soulever, tout son contenu se vida sur le plancher dans un bruit assourdissant.

— Ouille ! s'écria-t-il, trépignant de douleur.

— Tu n'as pas abîmé les tournevis, j'espère, plaisanta Dan.

— Je ne reviendrai plus jamais travailler ici en sandales, grimaça-t-il.

Les jumelles s'avancèrent près de lui et constatèrent que ses pieds étaient couverts d'ecchymoses.

— Est-ce que nous avons une trousse de premiers soins ? demanda Meggie, s'accroupissant pour mieux voir ses blessures.

— Non, dit Philippe, déçu de ce manque de prévoyance.

— Je crois que tu devrais aller à la clinique médicale, suggéra Meggie. Tu as une blessure profonde sur le dessus du pied. Cette plaie risque de s'infecter si tu ne te fais pas vacciner contre le tétanos.

— Meggie a raison, dit Amélie. Ce n'est pas beau à voir.

— Je ne veux pas aller à la clinique. J'ai une peur bleue des aiguilles.

— Cesse de faire le bébé, dit Meggie. Je vais t'accompagner si tu as trop peur d'y aller seul.

Une femme au teint bronzé, vêtue d'une jupe de denim et d'une chemise blanche, regardait avec désinvolture des abat-jour sur les étalages. Elle fut attendrie par cette bande d'ados qu'elle trouvait fort sympathique.

— J'allais justement dans cette direction. Je peux vous déposer si vous le voulez.

— Allons-y, parce que mon pied me fait très mal, se plaignit Jeanno.

La femme quitta la boutique avec le blessé en promettant qu'elle reviendrait faire des achats au cours de la semaine.

— Mais qu'est-ce qui lui arrive aujourd'hui ? s'exclama Amélie. Elle n'avait pas besoin d'accompagner Jeanno à la clinique !

— Hummm… ta sœur semble avoir un œil sur lui, rapporta Dan.

— Hé les gars, il y a quelqu'un qui attend pour faire laver sa voiture ! lança Nadya.

— On s'en occupe, dit Dan.

Le lave-auto fonctionna à pleine capacité tout l'après-midi. Philippe et Dan achevaient d'essuyer la voiture d'une cliente lorsque la mère des jumelles tourna dans la cour et se gara devant le bâtiment.

— Regarde-moi cette bagnole ! s'exclama Dan. Une Mercedes sport.

— J'espère qu'elle la mérite au moins, plaisanta Philippe.

— Les jumelles ne savent pas ce que c'est que de manquer d'argent, soupira Dan.

— Ne te laisse pas impressionner par les apparences. Avoir beaucoup d'argent ne veut pas dire que nous sommes mieux dans notre peau pour cela.

— Je sais, mais j'aimerais quand même devenir riche un jour.

— Si tu le veux vraiment, tu vas le devenir.

— Peut-être que si j'avais la même conviction que toi, je le deviendrais. Mais ce n'est pas le cas.

— C'est le doute qui tue nos rêves Dan. C'est terminé madame…

La cliente régla le lavage de sa voiture à Philippe et lui annonça qu'elle reviendrait dans une quinzaine de jours.

— Vandal n'avouera jamais qu'il nous a volé de l'argent, dit Dan, pendant que lui et Philippe retournaient à la maison en vélo.

— Il agit comme un tiède.

— Que veux-tu dire ?

— Il a tellement de peurs en lui qu'il se cache derrière les autres pour accomplir ses méfaits au lieu de les faire lui-même.

— Un tiède ou un crétin, pour moi, c'est pareil !

— Ce n'est pas à nous de juger Vandal. La loi de l'attraction va se charger de lui retourner tout le négatif qu'il s'attire.

— C'est la première fois que j'entends parler de cette loi ?

— La loi de l'attraction existe bien au-delà de notre système solaire. C'est la loi qui a permis la formation des sept super Univers formant le Cosmos. Elle influence nos vies à tous les niveaux.

Dan retourna sa casquette dans l'autre sens.

— Cela veut dire que mes parents ont attiré à eux les chicanes qu'ils vivent !

— Dans un sens, la réponse est oui. Mais c'est l'ignorance qui est à la base de tous les maux dont sont affligées les âmes en incarnation sur Terre.

***

La salle d'attente était déserte lorsque Philippe entra. Seuls les chiens impatients de se faire servir leur repas du soir jappaient à tout rompre dans le chenil.

— Roxanne m'a téléphoné cet après-midi, dit Isabelle. Elle semblait fière de toi parce que tu as bien répondu aux questions à l'assemblée.

— Le hic… c'est que je ne suis pas certain d'avoir été bien compris.

— Cela m'encourage d'apprendre que je ne suis pas la seule à avoir de la difficulté à saisir le sens de ton langage.

— Où est papa ?

— Il administre une solution intraveineuse au chat persan de Madame Rosenthal.

Isabelle ouvrit un des tiroirs de son bureau et sortit un cinq dollars qu'elle remit à Philippe.

— C'est pour acheter une baguette de pain au romarin et aux tomates séchées !

— Ouachhh ! Ce n'est pas du pain, ça ! Du pain, c'est blanc, avec rien dedans !

— Alors tu prendras aussi une baguette avec rien dedans, trésor.

Jessianne sortit de la *chatterie* en tenant sur sa poitrine un petit minet noir qu'elle couvrait de caresses et de mots doux. Philippe se tourna vers elle et lui dit :

— Un jour, tu travailleras en zoologie, Jessianne.

— Tu dis n'importe quoi, Philippe Prince. Je n'ai jamais songé à devenir une zoologiste.

— C'est dans ce domaine que tu vas te diriger, dit-il avec assurance.

— Comment peux-tu en être aussi sûr ?

— Je le sais. C'est tout. Est-ce que tu m'accompagnes à la boulangerie ?

Isabelle reprit le billet de cinq dollars des mains de Philippe et l'échangea contre un billet de dix dollars.

— Pourquoi m'en donnes-tu plus ?

— Je connais Jessianne. Elle va vouloir des croissants au chocolat pour déjeuner demain matin.

Isabelle écrivit le nom du pain qu'elle voulait sur un bout de papier et le tendit à son fils.

— Ne vous éternisez pas mes trésors. Nous allons souper dans une dizaine de minutes.

— Merde, je devais téléphoner à Sy, pensa soudainement Philippe.

— Je te vois venir, marmonna Jessianne. Tu vas encore disparaître au lieu de m'aider à mettre le couvert.

Maya était étendue dans l'herbe et salivait abondamment à cause de l'humidité dans l'air. Lorsque Philippe et Jessianne sortirent de l'hôpital, elle se releva en donnant l'impression de porter tout le poids du monde sur son dos.

— Allez… suis-nous, dit-il.

Durant le trajet, Jessianne affirma haut et fort que c'est avec son père qu'elle souhaitait travailler après avoir terminé ses études en médecine vétérinaire. En passant devant la station d'essence, Philippe aperçut David dans la mini fourgonnette de son père.

— Salut David ! Est-ce que tu viens avec moi à *La Tanière* ce soir ?

— Je ne sais pas, hésita-t-il. Il reste beaucoup de travail à faire à la maison. Je vais en parler à mon père. Le voilà justement.

Monsieur Tam salua Jessianne et Philippe et monta à bord de son véhicule.

— Père, puis-je sortir avec mes amis ce soir ?

— Bien sûr, mon fils. Va avec eux. Nous en avons assez fait pour aujourd'hui.

Il sembla réjoui de sa réponse.

— Est-ce que tu as un vélo ? demanda Philippe.

— Si, j'en ai un.

— Le mieux serait que Dan passe chez toi d'abord, et qu'ensuite vous me rejoigniez à la maison.

— Qui sont ces gens ? demanda Jessianne, lorsque la mini fourgonnette s'éloigna.

— Ce sont les nouveaux voisins des Rosenthal. Le père de David est d'origine tibétaine et sa mère est française.

— Je le trouve pas mal, ce David, dit-elle songeusement. J'adore ce petit accent particulier…

— On dirait que les gars t'intéressent plus qu'avant, l'interpella Philippe.

— Est-ce que tu sais quel âge il a ?

— Quinze ans, je crois. Heu… il n'est pas ton genre, ajouta Philippe qui commençait à se questionner sur ses intentions.

— Pour qui te prends-tu à la fin ?

***

208

— Ta petite amie vient tout juste de téléphoner, annonça Madame Bibi, lorsque Philippe traversa la cuisine en coup de vent.

Il fit demi-tour et souleva le couvercle d'une casserole fumante sur la cuisinière pour voir son contenu.

— Qu'est-ce que c'est ?

— De la soupe à l'oignon gratinée.

— Et moi, qu'est-ce que je vais manger ?

— Un sandwich chaud au poulet.

Jessianne enleva Jade sur le comptoir de la cuisine avant de déposer le sac contenant le pain et les croissants.

« Fiou… Elle n'a rien vu. »

— Tu le gâtes trop Bibi, sermonna-t-elle. Il n'a qu'à manger comme tout le monde ou se préparer ses repas lui-même.

— Jessianne, vivre et laisser vivre, est-ce que ça te dit quelque chose ?

— Je crois que même mes chats sont moins capricieux que toi.

— Je monte à l'étage téléphoner à Sy.

— C'est ça ! Encore une raison pour ne pas m'aider, maugréa-t-elle.

— C'est dommage que tu sois si vilaine envers moi. J'avais tellement…

— Fiche-moi la paix !

— …un beau gars à te présenter.

Il trouva le téléphone sans fil sous un tas de vêtements étendus pêle-mêle sur le plancher de sa mansarde et composa le numéro de Dan, car il voulait l'avertir de passer chez David avant de venir le rejoindre. Il venait tout juste de raccrocher que la sonnerie retentit.

— Salut PeP !

— Salut Sy. J'allais justement te téléphoner.

— Ma mère vient de m'apprendre qu'elle et papa prévoient passer le week-end chez leurs amis au lac Brome. Je n'ai aucune envie d'y aller avec eux et ils ne veulent pas me laisser seule à la maison.

— Si tu ne veux pas y aller, il doit bien y avoir une solution pour que tu puisses rester avec nous.

Sy resta silencieuse quelques instants.

— Je ne sais plus quoi faire PeP. Guillaume Vandal me suit partout. J'ai l'impression d'avoir un fantôme à mes trousses. En plus, il me pose toutes sortes de questions indiscrètes. Il a poussé l'audace jusqu'à me demander si toi et moi nous avions… heu… tu sais ce que je veux dire.

— Tu dois comprendre que c'est son ego qui te désire. Cette forme de possession est courante chez les mâles.

— Es-tu en train de dire que les filles sont toujours à la merci des ego mâles ?

— Ce n'est pas ce que j'ai voulu dire. Ces situations arrivent lorsque les filles se laissent prendre au piège de leur débordante sentimentalité envers le sexe opposé. N'oublie jamais que les femmes et les hommes deviennent les victimes de leur propre ego lorsque celui-ci prend trop de place en eux. Et la sentimentalité est quelque chose que l'ego aime expérimenter.

— Je vais essayer de me rappeler cet aspect de notre *egonomie*, dit Sy, pour plaisanter.

Jessianne lança un cri à Philippe pour lui signifier que le souper était servi.

— Je dois y aller...

— D'accord. J'ai hâte de te voir.

— Moi aussi.

Jessianne monta discrètement à l'étage tout de suite après le souper. D'ordinaire, elle préférait le bain à la douche. Mais comme elle disposait de peu de temps, elle prit une douche et lava ses cheveux en prenant soin de bien masser son cuir chevelu. Elle s'enveloppa dans une serviette moelleuse et fit sécher ses cheveux en les gonflant avec de l'air chaud pour leur donner du volume. Ensuite, elle ouvrit le tiroir de la vanité où se trouvaient les produits de maquillage d'Isabelle et sortit un mascara, des ombres à paupières et un rouge à lèvres.

« C'est incroyable comme le maquillage peut embellir les filles », se dit-elle, après avoir appliqué les produits sur son visage.

Elle alla ensuite dans sa chambre en tenant sa serviette bien enroulée autour de son corps et referma la porte derrière elle. Assise sur son lit, elle se demanda si toute la peine qu'elle se donnait pour être coquette servirait au moins à quelque chose.

« Je suis mieux d'avoir l'air bien dans ma peau si je veux qu'il s'intéresse à moi », conclut-elle finalement.

Après avoir revêtu son jean mi-jambe et une jolie chemise de coton rose sous son blouson de denim, elle se contempla dans la porte-miroir de son placard. Son seul agacement était un bouton apparu le jour même sur son menton.

« Il me semble que j'oublie quelque chose », se dit-elle pensivement.

— Est-ce que tu en as encore pour longtemps ? demanda Philippe de l'autre côté de la porte. Dan et David nous attendent.

— Tu peux entrer, je suis presque prête.

Philippe resta ébahi devant Jessianne.

— Tu t'es maquillée !

— Dis-le si tu n'aimes pas ça !

— Au contraire, je te trouve très jolie.

Philippe n'en revenait tout simplement pas de voir une telle transformation chez sa sœur. Soudain, sans raison évidente, elle se précipita dans la chambre d'Isabelle et Frédéric.

— Je sais ce qu'il me manque, dit-elle. Une touche de Chanel.

— Qu'est-ce que c'est du *Chanel* ?

— Du parfum, grand nigaud.

Elle s'empara de la bouteille qu'Isabelle laissait toujours sur la commode antique devant son lit et s'en aspergea les cheveux et les poignets.

— Jessianne, je ne voudrais pas paraître casse-pied, mais je crois que tu en as mis un peu trop, dit-il, lorsqu'elle revint dans sa chambre.

Elle attrapa un papier mouchoir sur sa table de chevet et se frotta les poignets pour faire disparaître le surplus.

— Allons-y, soupira Philippe.

— Pas tout de suite, j'ai oublié de mettre mes boucles d'oreilles.

Philippe décida qu'il valait mieux pour lui retrouver Dan et David avant qu'ils ne s'impatientent.

— C'est très beau chez vous, dit David, impressionné par le charme de la résidence des Prince.

— C'est encore plus beau à l'intérieur ! ajouta Dan.

Jessianne sortit enfin de la maison au pas de course et les rejoignit. Philippe souleva la porte du garage et reprit possession de son vieux vélo de montagne retenu par un crochet au plafond, pendant que Jessianne sortait le sien. Dan remarqua qu'elle ne se comportait pas comme d'habitude et lorgna Philippe du coin de l'œil. Celui-ci haussa les épaules pour indiquer qu'il ne servait à rien de chercher le pourquoi du pourquoi.

« J'ai l'impression que Jessianne a vieilli de plusieurs années en un seul jour », se dit Philippe lorsqu'il enfourcha son vélo.

Ils partirent un à la suite de l'autre vers la maison des jeunes en respirant l'odeur des cèdres qui parfumait l'air humide. On aurait dit que la nature célébrait le début d'une nouvelle amitié entre Philippe et David.

16
La vision

Sy lisait avec intérêt un livre expliquant l'art Feng Shui, lorsqu'elle aperçut Jessianne, Philippe, Dan et David par la fenêtre de la salle de jeux. Elle rangea son livre dans son sac à dos et alla les retrouver. Philippe la présenta à David et ils allèrent s'asseoir tous les cinq à la table de bois près de la haie de cèdres. Jessianne sentait monter en elle la fièvre de ses premiers désirs et ne cessait de jeter furtivement des regards sur David.

— Tu viens d'arriver dans la région, je crois? demanda Sy.

— Si, répondit David.

— Je suis certaine que tu vas aimer notre beau coin de pays, poursuivit-elle. Nous avons la montagne, la rivière et d'extraordinaires couchers de soleil.

— Cette montagne me semble très mystique, commenta David.

— J'ai lu dans un cahier distribué annuellement dans la région que, si nous entrions à l'intérieur du Mont-Saint-Hilaire, et que nous traversions la Terre en ligne droite, nous aboutirions en Australie dans Ayers Rock, expliqua Sy. Le plus bizarre est que cette montagne ressemble étrangement au Mont-Saint-Hilaire.

— Comment le sais-tu ? demanda Jessianne.

— Il y avait une photo qui accompagnait l'article dans le cahier.

Philippe se rappela tout à coup le passage du Zéphyr dont lui avait parlé Océane.

— Je serais heureux de vous accompagner lors de votre prochaine randonnée, mentionna David.

L'occasion était inespérée. Jessianne ne la laissa pas passer.

— Si tu viens avec moi, je t'amènerai dans les plus beaux sentiers. Et… j'apporterai un lunch. Ainsi, nous pourrons pique-niquer près du lac.

— C'est avec plaisir que j'accepte ton invitation.

— Heu… on pourrait y aller tous ensemble, suggéra Philippe.

— N'oublie pas qu'avec le reportage qui s'en vient, tu auras beaucoup de travail dans les semaines à venir, l'avertit Jessianne.

— Il n'y a pas que le travail dans la vie, déclara Dan. Il faut aussi savoir s'amuser de temps en temps. Nous sommes en vacances après tout.

Philippe se demanda par quel moyen lui et David pourraient arriver à mieux se connaître. Il se rappela leur conversation sur la terrasse de la chocolaterie et une idée lui vint en tête.

— Tu as dit que tu pouvais lire les lignes de la main David, si je me souviens bien.

— Si, je le peux.

Philippe présenta l'intérieur de ses mains à David sous le regard interloqué de Sy, Jessianne et Dan.

— Que veux-tu savoir ?

— Tout ce que tu verras…

David pencha la tête et observa longuement la main droite de Philippe.

— Ton auriculaire est écarté des autres doigts. C'est un signe d'indépendance et d'originalité. Les phalanges de ton auriculaire montrent que tu es un individu éloquent et doté d'un grand pouvoir de perception. Ton annulaire est long. Cela signifie que tu n'as pas peur de prendre des risques.

David resta silencieux un moment. Le temps de saisir le langage des lignes qu'il voyait dans la main de Philippe.

— Ton médius dénote que tu es un esprit rebelle qui conteste sans cesse les conventions et les règlements. Quant à ton index, il est plus long que le médius. Cela démontre que tu possèdes les qualités d'un leader.

David vérifia la souplesse du pouce de Philippe.

— La jointure de la deuxième phalange est rigide. Ce qui veut dire que tu fais preuve de détermination quand les circonstances l'exigent.

Philippe était impressionné par l'exactitude des déclarations de David.

— Regarde cette ligne semi-circulaire qui commence sur le bord extérieur de ta paume. C'est la ligne de l'intuition. Elle révèle que tu as la faculté de discerner chez les autres des aspects fort surprenants de leur personnalité.

Dan et Sy approuvèrent par des hochements de tête.

— Celle-ci, c'est la ligne de la destinée, dit-il en la pointant. Vois-tu comment elle remonte du poignet jusqu'au majeur, et combien elle est coupée à plusieurs endroits ? Cela veut dire que tu peux entreprendre et mener à bien des activités très diverses. Celle qui m'intrigue le plus est ta ligne de vie. Je n'en ai jamais rencontré de pareille.

— Qu'est-ce qu'elle a ma ligne de vie ? demanda Philippe.

— Tu vas vivre très très vieux.

David observa la main de Philippe comme s'il cherchait une explication plausible à ce qu'il voyait.

— J'irais jusqu'à dire que tu vas déjouer le processus de la mort terrestre. Ce qui m'apparaît tout à fait incompréhensible.

Dan se mit à se ronger les ongles nerveusement, tandis que Sy se disait que plus rien ne pouvait la surprendre de Philippe.

— Ici, à la base du pouce, c'est le mont de Vénus, dit David en le palpant. Il est ferme et bien développé. Ce qui dénote un comportement généreux et une aptitude à profiter des plaisirs de la vie de façon modérée.

Il alla palper une autre partie de sa main.

— À voir la forme de ton mont de Mercure, il n'y a aucun doute que tu es une personne fondamentalement active qui sait communiquer avec facilité. Dans la plaine de Mars, ici, au centre de ta main, il y a les lignes de cœur et de tête. Elles semblent dire que tu as beaucoup de créativité envers le sexe opposé, mais ne sois pas surpris si parfois on dit de toi que tu es un manipulateur.

— Fais attention à toi Sy, dit Dan qui, depuis la recommandation de Philippe, essayait de faire rire les filles.

Voyant la réaction de Dan, David apporta une rectification à ce qu'il venait d'affirmer.

— Attention, j'ai dit qu'on allait le considérer comme un manipulateur. Je n'ai pas dit qu'il en était un.

— Il commence à tomber des gouttelettes, dit Jessianne, inquiète de sa coiffure et de son maquillage. On devrait rentrer.

— Il n'y a pas à dire, tu sais choisir le bon moment pour interrompre des conversations quand elles sont intéressantes, maugréa Dan.

Ils entrèrent et se regroupèrent dans la salle de jeux. Philippe et David s'installèrent dans les fauteuils, Dan dans la berceuse, et les filles sur les canapés. La maison des jeunes était déserte. Il n'y avait que l'animatrice

214

et un ado qui jouaient une partie d'échecs sur la table de la cuisine.

— Je ne peux imaginer me voir un jour dans la peau d'un manipulateur, déclara Philippe.

— Ce sont les faibles qui vont t'acculer au banc des accusés pour se donner bonne grâce.

David se tut et ferma les yeux un court moment.

— Je vois défiler sur mon écran mental quelque chose de tout à fait incroyable. Je vois un vaisseau… un immense vaisseau. Tu es aspiré à l'intérieur de ce vaisseau…

— Arrête, David ! conjura Jessianne. Tu me fais peur avec tes histoires.

— Excusez-moi. Je suis désolé. C'est la première fois que j'ai une telle vision.

David referma les yeux à nouveau.

— Ce vaisseau ne t'est pas étranger. Il y a un lien particulier entre toi et ses occupants.

Philippe comprit que David venait de percer le mystère de sa vie.

— Une vision reste une vision. Il faut en prendre et en laisser, déclara-t-il pour amortir le choc de sa déclaration.

— J'ai la certitude que tu vas accomplir quelque chose de grandiose dans les temps à venir. Tu es le précurseur d'un événement qui va changer le monde.

— Eh bien ! s'exclama Jessianne. Je ne savais pas que mon frère serait le futur héros des années deux mille.

— Moi aussi j'aimerais que tu regardes les lignes de mes mains, dit Dan, espérant se faire dire que sa vie changerait pour le mieux.

— Peut-être une autre fois, dit David, émotionnellement ébranlé par la vision qu'il venait d'avoir.

Jessianne le regardait avec une moue attristée en se disant qu'après toute la peine qu'elle s'était donnée pour être belle, il ne s'intéressait même pas à elle. Pour détendre un peu l'atmosphère, Sy sortit son livre Feng Shui de son sac à dos et proposa de leur lire quelques pages à voix haute.

— Dan, Jessianne, réveillez-vous. C'est l'heure de partir, murmura Philippe.

Dan ouvrit grand les yeux.

— Combien de temps ai-je dormi ? demanda-t-il.

— Environ une demi-heure, répondit Philippe.

Comme Jessianne n'ouvrait pas les yeux, Sy lui secoua doucement une épaule pour la réveiller.

— Excuse-moi… je me suis endormie sans m'en rendre compte !

— Tu n'as pas manqué grand-chose, plaisanta Philippe.

— Tu ne sembles pas te rendre compte que le Feng Shui est un élément important de notre mieux-être, s'indigna-t-elle.

— Elle a raison, approuva David.

Dan semblait triste. Il annonça à ses amis qu'il préférait retourner chez lui seul et leur souhaita une bonne fin de soirée.

— Pourquoi est-il parti si vite ? demanda Sy.

— Je crois que c'est parce qu'il aimerait sortir avec une fille, mais ça ne fonctionne pas. Cette situation le rend mélancolique, dit Philippe.

Une voiture vint se garer en face de la maison.

— Voilà mon mari ! annonça l'animatrice. Il est l'heure de fermer.

— Nous partions justement ! dit Philippe.

Tous les quatre sortirent et récupérèrent leurs vélos.

— Mon siège est mouillé, mentionna Jessianne.

David se dépêcha de passer sa main dessus pour essuyer les gouttes d'eau.

— Merci, dit-elle, essayant de ne pas laisser paraître son excitation.

Ils décidèrent de ne pas partir en vélo parce que leur siège était trop humide et qu'il serait plus aisé de poursuivre la conversation en marchant.

— David, tu devrais aller travailler avec Philippe à la boutique, suggéra Jessianne, vexée qu'il marche avec son frère plutôt qu'avec elle.

— De quelle boutique s'agit-il ?

Philippe lui raconta brièvement les débuts du projet étudiant. Il mentionna que le maire de la ville leur avait accordé son soutien dans leur démarche et qu'ils avaient trouvé un local et de la marchandise avec une étonnante facilité. Jessianne ne manqua pas d'ajouter l'épisode du porte-à-porte pour se rendre intéressante, mais oublia de mentionner qu'elle avait refusé d'y prendre part.

— Vous avez un projet formidable entre les mains, acquiesça David.

— Ne trouvez-vous pas que ça sent bon ce soir? demanda Sy.

— C'est normal, déclara Philippe. Durant la soirée, il y a moins de véhicules qui circulent. C'est pour cette raison que nous trouvons les odeurs des parterres si agréables.

C'était une nuit où il était impossible de distinguer la cime des collines, tellement elles étaient plongées dans un épais brouillard. Le hululement

216

d'un harfang des neiges se mêla aux chants nocturnes des insectes qui annonçaient que la vague de chaleur se poursuivrait le lendemain.

— Il y a une chose qui m'intrigue, murmura David. Tu n'as pas semblé surpris par ma vision, comme si c'était naturel pour toi d'entendre parler de ce vaisseau.

Philippe dut trouver rapidement une réponse adéquate.

— Peut-être pourrai-je partager mon jardin secret avec toi quand nous nous connaîtrons mieux. En attendant, je veux juste que tu saches qu'il m'est arrivé quelque chose de très particulier. Je ne peux en dire plus.

— Je le sais. Et je sais que cela concerne le vaisseau que j'ai vu.

— Promets-moi que tu ne répéteras à personne ce que tu as pressenti de moi ce soir. Ça ne pourrait que m'attirer des ennuis.

— Je ne ferai rien contre ta volonté.

— Merci, David.

Philippe dut fausser compagnie à David pour reconduire Sy chez elle.

— Continue avec Jessianne.

— À la prochaine, alors.

Jessiane fut ravie d'entreprendre un bout de chemin seule avec David.

— Avez-vous un animal chez toi ?

— L'été dernier, j'avais apprivoisé un chat errant. Chaque matin, je lui préparais des biscuits trempés dans du lait et je les déposais près de la porte d'entrée. Ma mère a finalement accepté de le laisser entrer dans la maison à condition que je lui fasse un shampoing contre les puces.

— C'était un mâle ou une femelle ?

— Une femelle. Je lui ai donné le nom de Sun, parce qu'elle était comme un rayon de soleil dans ma vie. La veille de notre départ, j'ai dû me résigner à la donner à nos voisins. Ma mère a dit qu'un aussi long voyage la rendrait malade et qu'il valait mieux la laisser dans l'environnement qui lui était familier.

— C'est toujours difficile de se séparer d'un animal qu'on aime.

David hocha la tête silencieusement en signe d'approbation.

— Je connais un endroit où il y a des chats qui attendent d'être adoptés.

— C'est vrai !

— Oui, à la clinique vétérinaire de l'Université de Montréal, là où mon père a fait son stage à la fin de ses études.

— C'est inutile d'en parler à mes parents avant la fin des travaux, dit David. Ils vont refuser.

— Il faut téléphoner à l'avance pour avertir de ta visite, précisa

Jessianne. Tout ce qu'il en coûte, c'est un minime dix dollars pour régler les frais de vaccination.

— Merci de te soucier de mon bonheur.

— Il faut bien s'entraider, dit-elle.

Le bruit sourd d'un train de marchandises se fit entendre au loin.

— Ton frère m'est très sympathique.

— Je m'en suis rendu compte.

— Le courant passe bien entre lui et moi. Je crois que nous allons bien nous entendre.

— Ce n'est plus un secret pour personne que PeP ne fasse pas partie de la catégorie des gens ordinaires. Hier soir, il était invité à une assemblée à Montréal. On lui a posé des questions sur les indigo et il s'en est très bien tiré selon ce que maman a dit.

— Je ne savais pas que le phénomène indigo l'intéressait.

— C'est davantage une amie de maman qui s'intéresse à ce sujet. Elle est *ossss... téopatte* je crois.

— Je connais l'ostéopathie, affirma David. C'est une médecine très populaire actuellement.

Jessianne savait qu'elle outrepassait l'heure indiquée pour entrer à la maison, mais laissa de côté ce petit détail pour continuer de bavarder avec David.

— Est-ce que vous êtes croyants dans votre famille ? s'informa David.

— D'habitude, nous assistons à la messe de minuit et à la messe du dimanche de Pâques. Et puis, il y a aussi d'autres occasions comme un baptême ou un mariage. Pourquoi cette question ?

— J'étais curieux de connaître vos valeurs spirituelles. Dans ma famille, nous insistons sur le fait que la guerre n'est pas la solution aux problèmes humanitaires et ne le sera jamais. Mon père affirme que les peuples qui se font assiéger par d'autres peuples ne devraient pas se révolter contre leurs agresseurs. Selon lui, il est préférable de demeurer pacifique et ne pas riposter.

— Je ne sais que dire de tes propos. Nous ne parlons pas souvent de guerre à la maison. En ce qui concerne mes parents, je peux dire que mon père adore son métier de vétérinaire et qu'il soigne les animaux avec beaucoup d'amour. Quant à ma mère, elle est tout aussi amoureuse de mon père que de sa profession.

Il recommença à tomber des gouttelettes de pluie.

— Excuse-moi, je dois rentrer maintenant.

— C'est un plaisir de discuter avec toi Jessianne, dit David, enfourchant son vélo. Je te souhaite une très bonne nuit.

Pendant que Philippe pédalait en direction de chez lui, des éclairs de chaleur transpercèrent l'obscurité de cette nuit sans lune, annonçant qu'un orage ne tarderait pas à éclater.

« Quelle extraordinaire énergie dégagent les éclairs. C'est tout de même dommage qu'il n'existe aucun moyen de récupérer cette énergie. Je suis convaincu qu'elle pourrait servir à renouveler les cellules humaines si nous avions une technologie permettant de l'adapter à la fréquence du corps physique. »

La pluie se mit à tomber comme un véritable déluge. Il était trempé jusqu'aux os lorsqu'il arriva chez lui. Il rangea son vélo dans le garage et courut jusqu'à la véranda. Isabelle et Frédéric étaient assis dans la pénombre et regardaient la pluie tomber.

— Tu rentres bien tard, trésor.

— N'exagère pas maman quand même.

— Elle vient tout juste de dire la même chose à Jessianne, commenta Frédéric.

— J'ai entendu parler d'un certain David avec qui tu te serais lié d'amitié, dit Isabelle.

Philippe enleva ses baskets et s'affala sur une chaise patio.

— Un David qui fait beaucoup d'effet à ma sœur, plaisanta Philippe.

— Jessianne s'intéresse déjà aux garçons ! s'étonna Frédéric.

— J'ai l'impression qu'elle est prête à vivre sa première aventure amoureuse, dit Philippe.

— C'est un peu tôt, je trouve, s'affola Isabelle.

— Tu devras t'y faire maman. Ça fait partie de l'expérience de filles et des garçons d'explorer le sexe opposé à l'adolescence.

— Il va falloir qu'on la surveille de près cette petite *sacripante*, plaisanta Frédéric pour rendre la situation moins dramatique aux yeux de sa femme.

Un gigantesque éclair illumina le ciel et le tonnerre résonna avec une telle puissance qu'ils eurent l'impression que la montagne entière venait de se fendre en deux.

— J'adore les orages ! s'exclama Philippe.

— Je ne peux pas en dire autant, mentionna Isabelle.

Les gouttières suffisaient à peine à acheminer l'eau qui s'écoulait du toit vers le drainage souterrain.

— J'espère qu'il n'y aura pas de refoulement des eaux comme l'année dernière, s'inquiéta Isabelle.

— Tout a été réparé. Il ne devrait pas y avoir de problème, dit Frédéric. Est-ce qu'il reste du café ?

— Tu ne devrais pas boire autant de café le soir, chéri.

— Qu'est-ce qu'il a ce garçon qui influence Jessianne au point de lui faire tourner la tête ? demanda Frédéric, de retour avec sa tasse à moitié pleine.

— Rassurez-vous, la féminité de ma sœur n'est pas en danger avec David.

Isabelle se leva et ramassa les verres sales sur la table patio pendant que Frédéric s'étirait pour détendre ses muscles tendus.

— Viens, chéri. Allons nous coucher, dit-elle après avoir rangé les verres dans le lave-vaisselle. N'oublie pas d'éteindre les lumières Philippe.

— Oui, maman. Bonne nuit.

Philippe s'allongea les jambes sous la table et caressa le dos de Maya avec ses pieds.

« Ce serait tellement formidable si j'avais accès à une technologie me permettant d'aller visiter Océane sur son vaisseau aussi souvent que je le désire... »

« Je me demande si elle sait combien mon énergie est bouleversée depuis notre rencontre sur la montagne. Je suis beaucoup plus télépathe qu'avant. Je m'en suis rendu compte à l'assemblée de Roxanne. Je n'avais aucun effort à faire. Je sentais les gens comme s'ils étaient un livre ouvert devant moi. En plus, je n'avais aucune hésitation à répondre à leurs questions. »

« Je t'en supplie Océane, fais-moi un signe si tu m'entends. »

***

Philippe se réveilla subitement au petit matin, croyant avoir entendu quelqu'un prononcer son nom. Après avoir regardé partout, il se rendit à l'évidence que la seule présence dans sa chambre était la sienne. Déçu, il descendit à la cuisine boire un jus d'orange et regarda les premières lueurs blanchâtres de l'aube faire leur apparition. Immobile devant la fenêtre, il leva les yeux vers le sommet de la montagne et fut attiré par une luminosité qui se déplaçait lentement dans le ciel. Cette vision provoqua un déclic dans sa tête. Il courut à l'extérieur pour mieux la voir, mais elle avait disparu. C'est alors que sa joie se mêla à sa solitude et ses yeux s'emplirent de larmes.

« Je te salue Océane. Et vous aussi mes frères. Vous ne vous en êtes probablement pas rendu compte, mais moi, de ma maison, je vous ai vus. Oui, je vous ai vus », se répéta-t-il pour s'en convaincre.

— Qu'est-ce que tu regardes comme ça ? marmonna Jessianne à travers le moustiquaire de la porte.

— Je regarde la montagne.

— Qu'est-ce qu'elle a d'inhabituel la montagne?

— Elle est plus magistrale que toutes les autres montagnes de la vallée.

— Te rends-tu compte qu'il n'est que 6 heures du matin.

Philippe revint vite à la réalité en entendant les sarcasmes de Jessianne.

— Pourquoi ne retournes-tu pas te coucher ? demanda-t-il.

— Parce que je ne m'endors plus.

Philippe retourna à la cuisine chercher son verre de jus d'orange et l'avala d'un seul trait.

— Tu as l'air aussi déshydraté qu'un vieux raisin sec, dit Jessianne.

Maya geignit pour signaler qu'elle avait un pressant besoin de sortir.

— Ne va pas faire tes besoins dans le verger, l'avertit-elle.

— Pour quelle raison ? demanda Philippe.

— Parce que son urine va faire mourir les pommiers à la longue.

— Jessianne ! Tu vois bien que cela n'a aucun sens. Ce n'est sûrement pas l'urine de Maya qui va faire mourir les pommiers.

— C'est ce que dit maman.

Un taxi vint se garer devant l'hôpital. Le chauffeur alla ouvrir la portière à ses clients. Il aida la dame à descendre de la voiture. Elle tenait dans ses bras un petit chien enveloppé dans un vieux chandail de laine. Son mari descendit à son tour. Le chauffeur parla avec eux quelques secondes, puis il s'avança vers la porte d'entrée de la résidence des Prince. Jessianne accourut au-devant de lui.

— Je m'excuse de vous déranger si tôt. Ces gens m'ont demandé de les conduire ici parce que leur petit chien semble très malade. Je crois qu'il est à l'agonie.

— Je vais avertir mon père immédiatement, dit-elle.

— Merci…

Jessianne monta les escaliers deux par deux et entra en catastrophe dans la chambre de ses parents. Réveillés par le bruit de la sonnette, Isabelle et Frédéric étaient déjà debout.

— Viens vite papa ! Il y a un petit chien qui se meurt.

Frédéric se dépêcha d'enfiler ses vêtements et se passa les mains dans les cheveux pour les replacer.

— Tu as remis les mêmes vêtements qu'hier, déclara Isabelle, soucieuse de l'apparence de son mari.

— Personne ne va le remarquer, dit-il, sortant précipitamment de la chambre.

Il descendit rapidement l'escalier, enfila ses souliers de toile et alla rejoindre le couple âgé avec Jessianne.

— Nous avons oublié la clé de l'hôpital, dit-il, se rendant compte de son erreur.

Elle retourna sur ses pas chercher le trousseau de clés et revint en courant ouvrir la porte.

— Attendez-moi dans la salle d'attente pendant que je fais une électrocardiographie à votre chien, dit Frédéric.

Jessianne, pieds nus et en pyjama, aida son père à préparer l'animal pour son examen.

— Pauvre bête, dit Jessianne tout en la caressant. Elle respire à peine. Qu'est-ce que tu vas faire papa ?

— Je vais lui injecter une solution qui devrait calmer les battements de son cœur.

Quinze minutes plus tard, Frédéric retourna dans la salle d'attente avec de bien mauvaises nouvelles à annoncer.

— Votre chien a une malformation au cœur. Il vient de subir une grave attaque cardiaque. J'ai essayé de le réanimer avec de l'oxygène et des solutions, mais il est épuisé et je crois sincèrement que je ne peux plus rien pour lui. Vous devez vous faire à l'idée qu'il ne pourra supporter un tel stress encore bien longtemps.

Frédéric déglutit avant d'annoncer le pire.

— Nous avons le choix de le laisser souffrir trois ou quatre heures encore, mais j'aime autant vous dire qu'il sera impossible de le sauver. Le mieux que je puisse faire est de l'aider à se libérer de ses souffrances.

Cette difficile décision tira des larmes à la dame. Elle préféra voir son chien mort qu'abandonné à ses horribles souffrances. Pressé d'en finir, son mari s'informa du coût de l'euthanasie, puis sortit la somme de son portefeuille et la remit à Frédéric. Le couple sortit de l'hôpital en se soutenant mutuellement. Le chauffeur les attendait assis dans son taxi.

Philippe ouvrit le téléviseur dans le séjour et se promena d'une chaîne à l'autre à l'aide de la télécommande. Il n'entendit rien qui puisse concerner une apparition d'ovni.

« Peut-être qu'il est trop tôt… Personne n'a dû rapporter la nouvelle aux journalistes. »

Il ferma le téléviseur et retourna dans la véranda.

— Jessianne, je t'ai demandé des centaines de fois de retenir la porte quand tu entres ! s'exclama Isabelle, plongée dans la lecture du journal.

— Qu'est-ce qui est arrivé au petit chien ? demanda Philippe.

— Papa lui a fait une euthanasie. Pauvre bête. Elle était à moitié consciente et sa langue était sortie de sa bouche lorsqu'il l'a examinée. Je déteste voir des animaux souffrir.

— C'est terminé, dit Isabelle lorsque Frédéric entra.

— Oui… Je prendrais bien un bon café, chérie.

— Je vais t'en chercher un.

Philippe eut tout à coup un petit creux au fond de l'estomac et alla à la cuisine se préparer un bol de céréales.

— Qu'est-ce que tu fais aujourd'hui ? demanda Jessianne tout en attrapant Jade d'une main et Féli de l'autre pour les extirper du comptoir.

— Je vais travailler à la boutique.

— Tu n'aurais pas le numéro de téléphone de David par hasard dans ton carnet d'adresses ?

— Non. Pourquoi ?

— Parce que je veux l'inviter à faire une randonnée de kayak avec moi sur le Richelieu.

— Une randonnée… ce matin !

— J'ai rêvé de lui la nuit dernière, chuchota-t-elle. C'est un bon présage, j'en suis certaine.

— Tu n'es pas reposante, Jessianne !

— Tant pis si tu ne l'as pas. Je trouverai bien son numéro avec l'aide de l'assistance annuaire, dit-elle, sortant le contenant de pâte à crêpes du frigo.

Philippe remit la boîte de céréales et le pot de miel à leur place dans le garde-manger.

— Les crêpes, c'est pour papa et moi, dit-elle, lui jetant un regard malicieux. Peut-être que si tu m'avais aidée à trouver le numéro de David, j'aurais été plus gentille.

— Comme tu peux être emmerdante quand tu veux!

Quelques minutes plus tard, elle déposa devant Frédéric une assiette de crêpes qu'il arrosa de sirop d'érable.

— Tu les as bien méritées papa, dit-elle.

Philippe les lorgna du coin de l'œil avant de plonger sa cuiller dans son bol de céréales.

« Il va falloir que j'apprenne à m'en faire », se dit-il.

— Bibi ne vient pas travailler ce matin?, s'informa Jessianne.

— Elle a rendez-vous à la clinique médicale, répondit Isabelle.

— Qu'est-ce qu'elle a ?

— Elle se sent fatiguée ces temps-ci.

Philippe termina son bol de céréales et remonta dans sa mansarde.

« Qu'est-ce que j'ai à me sentir de travers aujourd'hui ? », se dit-il pendant qu'il s'allongeait sur son lit. « Il ne manque rien à ma vie. Je suis bien dans ma famille. J'ai une petite amie, un projet étudiant qui va à merveille. »

Philippe décida que la meilleure solution pour se remettre les idées en place serait de se tenir occupé. Il téléphona donc à Dan.

— J'allais justement t'appeler, dit celui-ci en décrochant l'appareil.

— Est-ce que tu viens me retrouver ? On décidera ensuite ce que l'on veut faire avant l'ouverture de la boutique…

— Tu tombes bien. J'avais hâte de m'aérer un peu le cerveau des querelles de mes parents.

— Une vingtaine de minutes, ça te va ?

— D'accord…

Philippe se leva et ramassa son linge sale étalé sur le plancher. Puis il le porta dans le panier de la salle de bains et prit une douche. En sortant, il tomba nez à nez avec Jessianne.

— Regarde, j'ai trouvé le numéro de David, dit-elle, lui passant un bout de papier sous le nez.

— Comment l'as-tu eu ?

— Je me suis débrouillée, dit-elle, retournant s'enfermer dans sa chambre.

— J'espère que tu ne vas pas lui téléphoner tous les jours ! lança-t-il, le visage plaqué contre la porte.

— Est-ce que tu me prends pour une idiote !

Philippe retourna dans sa mansarde et s'habilla. Comme il s'apprêtait à descendre au rez-de-chaussée, Maya jappa dans le jardin. Il regarda par la fenêtre et vit Dan qui jouait à la balle avec elle.

— Salut Dan ! J'arrive…

Il s'arrêta dans le vestibule pour chausser ses baskets et sortit du côté de la véranda.

— Que dirais-tu si nous faisions une randonnée de kayak ? Nous avons amplement le temps avant l'ouverture de la boutique ?

— Ce serait génial PeP.

Jessianne sortit à son tour, l'air frustré.

— Pour qui se prend-il ce David Tam ?

Philippe et Dan la regardèrent sans comprendre.

— Je l'invite à faire une randonnée de kayak avec moi et il refuse sans même me dire pourquoi !

— Jessianne, si tu crois que tout le monde est obligé de se plier à tes caprices, tu te trompes.

— Vous autres, les gars, vous ne comprendrez jamais rien aux filles, marmonna-t-elle, essayant d'attraper la chatte qui avait filé à l'extérieur.

— De toute manière, tu n'aurais pas pu avoir de kayak ce matin, nous allions justement au club de canotage.

Jessianne lui fit une grimace et continua de courir après la chatte.

***

Philippe et Dan pagayaient paisiblement. Leur kayak fendait l'eau à travers une brume légère, pendant que la montagne émergeait des nuages. Ils aperçurent la cane avec sa marmaille. Elle surveillait ses petits. Dès qu'il y en avait un qui s'attardait, elle l'attendait patiemment.

— J'aimerais connaître la même liberté qu'eux, commenta Dan.

— Tu crois qu'ils sont libres parce que tu ne vois qu'un aspect de leur existence Dan. N'oublie pas qu'ils ont des difficultés à traverser eux aussi. À l'automne, les petits canetons entreprendront avec leur mère un voyage très éprouvant. Il y en a, parmi eux, qui n'arriveront jamais à destination parce qu'ils n'auront pas eu la force nécessaire de parcourir tous les kilomètres que leur déplacement exige.

— Tu as raison. Au fond, ils ne sont pas aussi libres qu'ils en ont l'air, avoua Dan.

— La liberté telle qu'on l'entend n'existe pas. Aucune âme sur Terre ne connaîtra de liberté avant d'avoir découvert l'origine de la pensée.

— Pourquoi dis-tu cela ? Nous n'avons pas à nous casser la tête pour découvrir l'origine de nos pensées. Elles sont déjà dans nos têtes.

— Ce n'est pas parce qu'elles sont dans nos têtes qu'elles viennent de nous.

— Comment veux-tu qu'il en soit autrement ?

— La plupart de nos pensées nous sont insufflées par des âmes séjournant dans les astrales.

— Tu veux dire des âmes dans le monde invisible.

— Oui, et je t'assure que ce monde est loin d'être tel que les gens le croient.

— Comment le sais-tu ? demanda-t-il sarcastiquement.

— Je ne dis pas cela pour paraître plus renseigné que toi Dan.

— Excuse-moi, soupira-t-il. Comment fait-on pour arriver à ne plus penser ? Ça n'arrête pas dans ma tête. Je pense tout le temps.

— Commence par admettre que la pensée ne vient pas de toi. Ce sera déjà un pas en avant.

— J'aimerais que tu me rendes un service.

— Lequel ?

— Me répéter souvent que la pensée ne vient pas de moi, parce que je sais que je vais l'oublier.

— Dan, quand même.

— D'accord, je vais essayer d'y penser moi-même.

— C'est déjà mieux.

— Alors, comment fait-on pour ne plus penser ?

— L'important n'est pas de ne plus penser. L'important est de faire la gestion de tes pensées. Ce n'est pas la même chose. Essaie d'écouter ce que tu entends dans ta tête comme s'il s'agissait d'une radio. Tu vas te rendre compte qu'il y a des pensées qui t'incitent à agir, et d'autres qui t'incitent à penser davantage.

— Je ne sais pas si j'y arriverai, soupira Dan.

— Il suffit que tu le veuilles. On arrive à tout avec de la détermination.

Philippe avait beau fouiller dans les poches de son bermuda, il ne trouvait pas le mémo sur lequel était inscrit le code permettant de déverrouiller le cadenas du bâtiment.

— Le voilà ! s'écria-t-il finalement.

— Ce n'est pas trop tôt, soupira Dan.

Au même moment, ils aperçurent la voiture de Madame Lu Chan tourner dans la cour.

— Waoooh ! Tes nouvelles lunettes te vont bien, dit Philippe lorsque Sy descendit du véhicule.

— C'est vrai qu'elles lui vont bien, approuva Catherine.

— Est-ce que tu l'ouvres ce cadenas ? s'impatienta Dan.

— J'espère que vous êtes prêts pour le week-end, dit Catherine. Je sens que nous allons avoir un achalandage monstre avec le reportage de samedi.

— Il faudrait d'abord que nous puissions entrer, marmonna Dan.

— Ça y est ! Je l'ai !

Après s'être consultées, Sy et Catherine en arrivèrent à la conclusion qu'il était essentiel de changer les angles des tables de bois et de replacer les objets dans la pièce de façon à mieux respecter les règles Feng Shui.

— Nous n'allons pas déplacer toute la marchandise, soupira Dan.

Philippe toussota en faisant un clin d'œil à son ami.

— Dan, si les filles disent que le *Feng Shui* est important pour elles, nous sommes mieux de dire qu'il est important pour nous aussi.

Au bout d'une heure, ils commencèrent à en avoir assez du Feng Shui.

— Regarde-les PeP ! Elles se dépêchent d'aller répondre aux clients pendant que nous nous tapons tout le travail, marmonna Dan.

— Cesse de te plaindre et continue de replacer la marchandise qu'on en finisse.

Au milieu de l'après-midi, Jeanno vint faire un tour.

— Qu'est-ce qui s'est passé ici ? On ne se reconnaît plus !

— Ne m'en parle pas, marmonna Dan. Ce sont les filles avec leur *Feng Shui* qui nous ont fait chambarder toute la boutique.

— C'est important de bouger les choses, dit Sy. J'ai lu dans mon livre que l'énergie devient stagnante lorsqu'on ne déplace jamais les objets qui nous entourent.

L'après-midi se termina dans la bonne humeur malgré un modeste chiffre de ventes. Philippe profita du temps qu'il préparait le rapport avec Sy pour lui parler de ce qu'il avait en tête.

— Est-ce que tes parents ont toujours l'intention de visiter leurs amis durant le week-end ?

— J'ai bien peur que oui, répondit-elle.

— J'ai peut-être une solution…

— Ah oui ! Laquelle ?

— Viens passer deux jours à la maison.

— Je ne sais pas si mes parents vont accepter. Je ne suis jamais allée dormir ailleurs.

— Demande-leur. Nous verrons bien ce qu'ils vont dire.

Après la fermeture, Philippe, Dan et Jeanno s'engagèrent sur la piste cyclable en direction du Chemin de la Montagne.

— Pourquoi ne viens-tu pas plus souvent à *La Tanière* ?

— Parce que c'est ennuyant, répondit Jeanno.

— Ce n'est pas une raison valable. Il y a sûrement autre chose qui te dérange, fit remarquer Philippe.

— Essayez de pédaler plus vite ! Vous me faites perdre l'équilibre ! lança Dan.

— Les jumelles m'énervent. C'est pour ça que je n'y vais pas souvent.

— Qu'est-ce que tu as contre les jumelles ?

— Elles ont mauvais caractère.

— Tu étais content que Meggie t'accompagne à la clinique lorsque tu t'es blessé le pied.

— Ouais… bien sûr que j'étais content.

— N'oublie pas que les autres sont notre miroir. Alors, si tu vois le mauvais caractère de Meggie, c'est peut-être parce qu'il reflète le tien.

Isabelle, Frédéric et Madame Bibi étaient attablés dans la salle à manger lorsque Philippe entra chez lui. Il manquait Jessianne, car elle avait été invitée à un repas d'anniversaire chez une amie. Pendant qu'il sortait une assiette de l'armoire, il entendit une bribe de conversation.

« Bibi ! La sclérose en plaques… Elle qui a toujours paru aussi solide qu'un vieux chêne. »

Il souleva le couvercle de la cocotte sur la cuisinière. Madame Bibi avait fait cuire un poulet de grain ce jour-là. Ils en mangeaient au moins une fois par semaine. Isabelle en gardait toujours une quantité appréciable dans son congélateur au sous-sol.

Philippe se servit une généreuse portion de purée de pommes de terre et de poulet, et arrosa le tout avec une onctueuse sauce brune. Puis il alla se mettre à table.

— Sur le coup, je n'ai pas réalisé ce qui m'arrivait lorsque le médecin m'a annoncé cette nouvelle, disait Madame Bibi. C'est seulement quand il a commencé à m'expliquer que c'était une maladie chronique qui se propageait lentement dans tout le système nerveux, et qui entraînait une paralysie progressive, que j'ai compris la gravité de mon état.

Isabelle et Frédéric la regardaient, ne sachant quoi lui dire pour la réconforter.

— Vous êtes ma seule famille, dit-elle en sanglotant. Et ce soir, je vais vous confier quelque chose dont je n'ai jamais parlé à personne.

— Parlez-en si ça peut vous faire du bien, insista Isabelle.

Madame Bibi se leva et tira un mouchoir dans la boîte sur la tablette du vaisselier. Après s'être mouchée, elle commença à raconter un épisode de son passé.

« J'ai grandi dans un petit village du bas du fleuve. Mes parents étaient des gens pauvres. Nous étions cinq enfants : trois garçons et deux filles. À l'été de mes seize ans, je me suis mise à fréquenter secrètement le fils du plus prospère producteur de tourbe de la région. Il avait vingt ans et travaillait pour son père. C'est en allant me baigner à la rivière que je l'ai vu la première fois. Ça a été le coup de foudre entre lui et moi. En août, j'ai attendu avec anxiété le retour de mes menstruations, mais elles ne se sont pas manifestées. J'étais enceinte. »

Le carillon de l'horloge comtoise interrompit momentanément le récit de Madame Bibi. Elle attendit qu'il finisse de sonner avant de poursuivre.

« J'avais honte, si honte, que je ne savais plus que faire. J'ai même demandé à Étienne s'il voulait m'épouser pour sauver ma réputation. Il a renié catégoriquement sa paternité et je me suis retrouvée seule avec mon fardeau. Mes parents ont organisé mon départ en catimini. La semaine suivante, je montais dans un train qui m'a amenée jusqu'à Montréal. J'étais attendue chez des religieuses qui s'occupaient des filles comme moi qui vivaient le péché. »

« Après l'accouchement, elles m'ont obligée à signer des papiers dont je ne comprenais pas le sens. Sans le savoir, je venais de consentir à ce qu'elles donnent ma fille en adoption. À chaque fois que je demandais à voir mon bébé, elles répondaient que c'était impossible, car je ne devais garder aucun souvenir de l'enfant que j'avais mise au monde. »

« Je ne suis jamais retournée dans mon village. Une sœur de mon père, que je ne connaissais à peu près pas, m'a hébergée chez elle pendant un certain temps. C'était une femme hystérique qui ne cessait de se plaindre, comme si le monde entier lui en voulait. Je me suis trouvé du travail dans une manufacture de textile et, lorsque ma situation financière s'est améliorée, j'ai pu louer un petit appartement. Je me souviens encore du vieux canapé rongé par les souris qui me servait de lit. »

« Je sais que cela va peut-être vous surprendre, mais j'étais assez jolie. Pour me divertir, j'avais pris l'habitude de fréquenter un bar de mon quartier. C'est là que j'ai rencontré celui qui est devenu mon mari. »

« Les années ont passé et je me rendais compte que l'étincelle qui nous avait réunis s'éteignait lentement. Notre vie de couple était monotone et sans intérêt. Jamais je n'ai parlé de mon secret à mon mari. Il a fini par se lasser de moi et m'a quittée pour une femme plus jeune. »

« Il y a une dizaine d'années, j'ai contacté une association qui s'occupe de faire les démarches nécessaires pour retracer des êtres chers. Avec les informations que je leur ai fournies, ils ont trouvé une piste et ont vérifié si ça pouvait être ma fille. Tout laissait croire que c'était bien elle. La date et l'heure de sa naissance correspondaient à mon accouchement. Ma seule inquiétude a été d'apprendre qu'elle était une personne connue… »

— Comment l'avez-vous su ? demanda Isabelle. Habituellement, ces associations ne dévoilent jamais de noms sans le consentement des deux parties.

— Cela m'a coûté toutes mes économies pour le savoir. Ma fille est le personnage principal d'une série télévisée présentée à 19 heures tous les jours de la semaine.

— Si je vous suis bien, dit Isabelle, votre fille serait la comédienne qui joue le personnage de Claudie dans « Le destin de Claudie… »

— C'est exact, acquiesça-t-elle. Je me sens tellement déprimée certains soirs, lorsque je la vois belle comme un cœur à la télévision. J'aurais envie de la prendre dans mes bras et de la serrer très fort contre moi.

— Vous nous avez caché ce grand secret tout ce temps, commenta Isabelle au bout de son étonnement.

— Pourquoi n'entreprenez-vous pas les démarches qui vous permettraient d'établir une rencontre avec elle ? demanda Frédéric.

— Parce que je manque de courage. Lorsque j'ai su qui était ma fille, j'ai passé des nuits entières à me demander si je n'allais pas déranger sa vie en lui dévoilant que je suis sa mère. Elle a du succès et elle semble tellement heureuse. Je n'arrive pas à me décider.

Cette déclaration lui arracha un torrent de larmes. Elle attrapa un mouchoir et s'essuya les yeux.

— À l'association, ils attendent que je sois prête pour aller plus loin, ajouta-t-elle.

Un long silence plana autour de la table.

— Moi je sais que tu es prête à faire les premiers pas pour rencontrer ta fille, Bibi. Ce sont tes pensées qui te retiennent. Rien d'autre, dit Philippe sur un ton rassurant. Lorsque tu auras surmonté ta peur qu'elle te rejette, plus rien ne t'arrêtera et tu fonceras vers elle pour lui dire combien tu l'aimes.

— Si Dieu le veut, j'espère que je verrai ma fille avant de mourir.

— Est-ce que tes parents ont accepté ?

— Je suis tellement gênée, avoua Sy. Imagine-toi que ma mère veut parler à la tienne avant de donner sa réponse.

— Dis-lui de prendre le récepteur, elle va lui parler.

— D'accord…

Philippe alla dans la cuisine et tendit le téléphone sans fil à Isabelle.

— Parle à la mère de Sy…

Isabelle fit signe que non de la tête.

— Parle-lui, insista Philippe, sinon Sy ne pourra pas venir passer le week-end ici.

— Non, non et non.

— Allez, maman…

Agacée, elle se résigna à prendre le récepteur pour lui parler. La conversation fut brève. Cinq minutes suffirent pour la convaincre de laisser sa fille venir passer le week-end avec eux.

— Je vais monter ma tente dans le jardin, dit Philippe lorsque Isabelle raccrocha. De cette façon, Jessianne et Sy pourront y dormir.

— C'est une très bonne idée, dit Isabelle. Va remettre le téléphone sur le socle, s'il te plaît.

Philippe monta à l'étage et s'étendit sur son lit. Quelques instants plus tard, il s'endormit momentanément et fit un rêve dans lequel il voyait des chevaux étendus sur la chaussée. C'était la nuit. Un terrible accident était survenu.

Il se fit réveiller par Dan qui criait son nom dans le jardin. Il se leva et alla à la fenêtre.

— Salut Dan !

— Qu'est-ce que tu fous ? Tu n'es pas prêt !

— Excuse-moi, je me suis endormi. Laisse-moi quelques minutes et je descends.

Philippe eut du mal à revenir à la réalité. Il avait l'impression de n'être pas complètement sorti de son rêve.

« Il faut que je me change », se dit-il.

Se changer voulait dire prendre une douche. C'est donc ce qu'il fit.

— Tu en as mis du temps, dit Dan, lorsqu'il sortit de la maison.

— Il fallait bien que je me lave. J'ai tellement transpiré avec le *Feng Shui* cet après-midi.

— J'espère que les filles n'en auront pas trop souvent des idées de ce genre-là ! marmonna Dan.

— Je viens de faire un rêve bizarre. J'ai vu des chevaux étendus sur l'asphalte… ils avaient l'air de souffrir énormément.

— C'était peut-être un rêve prémonitoire.

— Je ne sais pas…

Sur ce, ils partirent tous les deux en vélo vers la maison des jeunes. Un vent chaud soufflait autour de la montagne et leur caressa la peau tout au long du trajet.

Jeanno était étendu dans l'herbe, un livre à la main.

— Qu'est-ce que tu lis ? s'informa Dan qui se pencha pour voir le titre de son livre.

— C'est un guide sur les familles d'oiseaux. Je vois souvent des oiseaux dans la montagne dont je ne connais pas les noms. J'essaie de les associer à ceux qui sont sur les photos pour apprendre à les distinguer.

Il se leva et alla replacer le guide sur l'étagère de la salle de jeux, car aucun des livres appartenant à la maison des jeunes ne pouvait être emporté par ceux qui la fréquentaient.

— Est-ce que tu sais jouer aux échecs ? s'informa Philippe qui avait suivi Jeanno à l'intérieur.

— Non, mais j'aimerais essayer.

— On va faire une partie pour t'initier.

— D'accord… Je t'avertis que tu devras être patient, parce que je ne comprends pas toujours facilement ce qu'on m'explique la première fois.

Jeanno était non seulement le plus petit de sa classe, mais le plus petit des gars de l'équipe de Philippe. Il mesurait à peine un mètre cinquante. Le malheur était qu'à force de se faire taquiner sur sa petitesse, il était en train de développer un complexe d'infériorité, et Philippe le savait.

Dan discutait à l'extérieur avec des ados fréquentant le Collège Mont-Fort lorsqu'il vit arriver Sy, Nadya et Catherine en rollers. Il trouva les jambes de Nadya particulièrement jolies ce soir-là.

« Je ne sais pas ce que je donnerais pour sortir avec elle... », pensa-t-il.

— Nous, les filles, nous faisons de l'exercice au lieu de rester affalées dans des fauteuils comme vous le faites, lança Nadya.

— Tu oublies que PeP et moi avons déplacé toute la marchandise cet après-midi à la boutique, s'indigna-t-il. Si ce n'était pas de l'exercice, je ne sais pas ce que c'est !

— Allons-y, dit Catherine.

— Attendez-moi, je vous suis en vélo...

Pendant ce temps, Jeanno essayait d'apprendre à jouer aux échecs.

— Tu es merdeux, s'exclama-t-il, regardant les pièces que Philippe venait de sortir de l'échiquier.

Six minutes après le début de la partie, il était déjà échec et mat.

— J'ai tout compris de travers.

— Les échecs sont similaires au jeu de la vie, dit Philippe. Il faut être stratégique pour les maîtriser.

— Mes parents devraient apprendre à jouer aux échecs, ils sont tellement vieux jeu. On ne se croirait jamais dans les années deux mille avec eux.

— C'est facile de porter des jugements mal fondés.

— On voit bien que tu ne les connais pas, reprit Jeanno,

— Est-ce que tu as déjà fumé de la marijuana ?

— Ça m'arrive de temps en temps. Je peux t'en fournir du bon si tu en veux.

— Je ne t'ai pas posé cette question parce que j'en veux.

— Pourquoi m'en parles-tu alors ?

— Je me demandais si tu en fumais. C'est tout.

— Qu'est-ce que ça peut bien te faire ? Ça me regarde après tout !

Jeanno afficha une moue mélancolique.

— Je me sens tellement bien quand j'en fume. J'oublie le radotage de mon père et j'oublie que je suis trop petit.

— Et tu oublies aussi qu'il t'arrive de prendre des sommes d'argent dans le tiroir-caisse au garage de ton père.

Jeanno se sentit complètement déstabilisé devant son ami. Comment pouvait-il savoir cela ?

— Ce n'était pas mon intention d'entrer dans ta vie personnelle, reprit-il, se rendant compte qu'il venait de lui créer tout un choc.

— Je ne suis pas fier de moi lorsque j'agis ainsi. Mais c'est le seul moyen que j'ai trouvé pour pouvoir m'acheter de la mari.

— Quelle que soit la dépendance dans laquelle un être humain se laisse entraîner, cette dépendance est toujours liée à un mal d'âme. Tu dois réaliser maintenant l'importance de ne pas tomber dans le piège des pensées qui te font croire qu'il est agréable de vivre dans un monde illusoire.

— Pourquoi me racontes-tu toutes ces romances?

— Jeanno… fumer de la marijuana est un exutoire qui peut finir par t'amener dans d'autres dépendances plus destructrices encore. C'est de cette façon que fonctionne la roue infernale des dépendances.

— As-tu fini de me faire la morale ? tonna-t-il, mécontent.

Philippe attendit qu'il se calme.

— Je trouve normal que tu sois en colère contre moi et je l'accepte. Tu sais, Jeanno, lorsqu'on est mal dans sa peau, il faut trouver la cause. Et la cause provient généralement des pensées négatives que nous entretenons à l'égard des gens qui nous entourent et des situations dans lesquelles nous sommes impliqués. Si je brosse un tableau rapide de ta condition familiale, je vois que ta mère est une femme qui ne vit pas en fonction d'elle-même. Elle a tendance à te surprotéger.

— Tu as raison sur ce point. Comment sais-tu ces choses-là ? Tu n'as jamais rencontré ma mère et tu me parles d'elle comme si tu la connaissais.

— Tu dis souvent de ton père qu'il parle peu. Ton père est un homme de cœur et d'honneur. S'il ne s'exprime pas avec aisance, c'est parce que les mots lui manquent. Au lieu de te rebeller contre lui, apprends à découvrir qui il est vraiment.

— C'est vrai que je ne connais pas beaucoup mon père, admit-il.

— Il souffre de ne pas vivre l'amour partagé.

— Que veux-tu dire par amour partagé ?

— Ton père est parfaitement conscient de ne pas être marié avec la femme de sa vie, parce que la femme de sa vie, il l'a fréquentée dans le patelin où il a grandi. Quand il est parti étudier la mécanique dans une école professionnelle de Montréal, elle ne l'a pas attendu comme il le lui avait demandé.

— Ce que tu dis a du sens. Mon père a rencontré ma mère à trente-neuf ans. Ce qu'il a vécu auparavant, il n'en parle jamais.

Une ado entra dans la cuisine et demanda s'ils achevaient leur partie d'échecs.

— Bien sûr. Prenez la place, dit Philippe.

Ils sortirent par la porte de la cuisine et allèrent s'asseoir à la table de bois près de la haie de cèdres.

— La lune est tellement belle, dit Jeanno. Il y a un reflet bleu ardoise tout autour.

— C'est son aura, approuva Philippe.

— Je croyais que l'aura appartenait seulement aux êtres humains.

— Les planètes aussi en ont une.

— Je ne le savais pas.

— Est-ce que tu m'en veux encore ?

— Non... je ne t'en veux pas.

— Jeanno... la drogue est un grand poison pour l'Esprit. D'ailleurs, tu sais que l'état que te procure la marijuana est un faux bien-être.

— Le problème, c'est que lorsqu'on y a goûté une fois, il est difficile de s'en passer après.

17
Propos touchants

La résidence acquise par le père de David était en train de subir une extraordinaire métamorphose. Celui-ci avait même engagé un entrepreneur paysager pour embellir son jardin. Cet endroit, disait-il, serait son futur havre de paix. Pour cela, il fallait qu'il soit fleuri, agréable à l'œil et intime. Il avait dessiné un croquis du plan d'eau qu'il souhaitait aménager et avait exigé de l'entrepreneur en charge des travaux qu'il reproduise avec exactitude les cascades. Monsieur et madame Tam aspiraient à entendre le murmure de l'eau ruisselant sur les rochers par la fenêtre de leur chambre.

À l'intérieur, les ébénistes et les peintres travaillaient sans relâche à redonner un souffle nouveau aux pièces de la maison. Malgré que les travaux ne soient pas terminés dans la cuisine, le père de David décida, ce matin-là, de faire plaisir à sa femme en préparant le petit-déjeuner. Les trois membres de la famille Tam se réunirent donc sous le large parasol acheté la veille dans une quincaillerie du centre-ville pour manger ensemble.

— J'aime notre maison et je me sens déjà bien dans cette région, dit Raphaëlla.

— Je crois qu'il sera agréable de vivre ici, acquiesça son mari. D'autant plus que nous habitons à proximité d'une des plus belles réserves de la biosphère qui existe dans cette province d'Amérique du Nord. Je ne me fatiguerai jamais d'entendre les oiseaux nous chanter qu'il faut prendre garde à ne pas tuer la beauté du monde.

— Passe-moi le panier de croissants, David, s'il te plaît, demanda Raphaëlla.

— Parle-nous un peu de tes nouveaux amis, dit soudainement Monsieur Tam.

— Ils sont tous très gentils avec moi. PeP est celui avec lequel j'ai le plus d'affinités. Je lui ai fait une lecture des lignes de la main et cela m'a permis de mieux le connaître.

— Je suis heureux de voir que tu mets en pratique ce que je t'enseigne, mon fils. Qu'est-ce que tu as vu dans ses mains ?

— Des choses étranges, père. Je crois qu'il va divulguer de grands secrets à l'humanité et qu'une science va se répandre sur le monde grâce à sa parole. Je ne sais pas si je me trompe en affirmant ceci, mais j'ai eu l'impression qu'il va quitter cette planète en emportant son corps physique avec lui.

— Ce que tu dis me semble un peu exagéré mon fils.

— Je sais père… rien n'est ordinaire avec PeP. Il a une telle aversion des lois humaines ! Il dit que leur but est d'assouvir l'homme et il refuse catégoriquement de s'y soumettre.

— Il va devoir apprendre à vivre avec les règles terrestres, sinon, cela peut lui causer bien des ennuis.

— PeP dit que tant que les gens continueront à se regarder le nombril, ils passeront à côté de l'essentiel et ne pourront accéder à leur Source.

— C'est assez surprenant qu'un jeune de treize ans tienne des propos touchant d'aussi près la vie des êtres humains. Il est très avancé dans son cheminement.

— Pendant que j'étais avec lui, j'ai eu une vision qui m'a profondément bouleversé.

— Quelle sorte de vision ? s'informa Raphaëlla, tenant son bol de café au lait.

— J'ai vu un immense vaisseau dans le ciel. C'était absolument fabuleux.

Raphaëlla et son mari eurent tous les deux la même pensée, car les apparitions d'ovnis n'étaient pas leur principale préoccupation. Ils considéraient que la paix dans le monde était ce qu'il y avait de plus important à s'occuper en ce moment. Ils furent tout à coup inquiets de savoir que leur fils avait eu une telle vision.

— Es-tu bien certain de ce que tu as vu ? insista son père. Notre imaginaire peut parfois nous jouer de vilains tours.

— Si, père. J'en suis certain.

En plus d'être une sommité à l'échelle mondiale, Richie Tam parlait cinq langues couramment et vouait un grand respect aux opinions que lui apportaient les gens qu'il rencontrait partout sur le globe. Il était donc particulièrement attentif à celles de sa femme et de son fils.

— Rappelle-toi toujours mon fils que les lois karmiques sont inévitables. Que nous soyons riches ou pauvres, noirs, jaunes ou blancs, nous ne pouvons y échapper.

Trois hommes tournèrent le coin de la maison avec des brouettes et des pelles.

— Nous commençons le creusage de votre plan d'eau, dit l'un d'eux.

— Je vous fais confiance, messieurs, dit poliment Richie Tam. Tout ce que je vous demande, c'est de suivre à la lettre le croquis que je vous ai remis.

— Soyez sans crainte. Nous allons reproduire tous les détails que vous nous avez indiqués, précisa-t-il.

***

— N'oublie pas que le chenil a besoin d'un bon nettoyage, Jessianne, mentionna Isabelle avant de traverser à l'hôpital.

— Je sais maman. J'avais prévu le faire ce matin.

— Et la *chatterie* aussi a besoin d'être nettoyée…

— Oui maman. J'irai tout de suite après mon petit-déjeuner.

Isabelle avait accordé un congé à Madame Bibi afin qu'elle puisse se reposer. D'ailleurs, elle avait l'intention de lui annoncer qu'il serait plus sage de réduire ses journées de travail afin qu'elle ne s'épuise pas inutilement.

— Moi aussi j'ai quelque chose de prévu ce matin, commenta Philippe, après avoir bu les dernières gouttes de lait qui restaient au fond de son bol de céréales.

— Maman t'a déjà dit des centaines de fois de ne pas faire ça, Philippe Prince !

Il se leva et alla déposer son bol sur le comptoir de la cuisine.

— Mets-le dans le lave-vaisselle, cria Jessianne.

— D'accord… d'accord.

— Que vas-tu faire ce matin ?

— Je dois monter ma tente dans le jardin, parce que Sy vient passer le week-end avec nous. Je me suis dit que vous pourriez dormir ensemble.

— C'est une excellente idée. Malheureusement, tu ne dois pas compter sur moi pour t'aider à la monter. J'ai du travail qui m'attend à l'hôpital.

Philippe descendit au sous-sol chercher le sac contenant sa tente en dôme dans le placard de cèdre. Il sortit également deux matelas gonflables, la pompe soufflet et deux sacs de couchage qu'il apporta au bas de l'escalier. Il ne restait plus qu'à transporter tout son matériel dans le jardin.

Après s'être assuré que l'endroit qu'il avait choisi ne présentait pas trop de gibbosités, il étendit sa tente sur le sol. Ensuite, il souleva la structure d'arceaux de la tente avec le raccord central et poussa sur le ressort pour terminer le montage. Il ne lui restait plus qu'à souffler les matelas gonflables avec la pompe soufflet et dérouler les sacs de couchage par-dessus.

— J'ai l'impression que j'oublie quelque chose! Ah… oui… de la lumière. Voilà ce qui manque.

Comme il s'apprêtait à descendre au sous-sol chercher sa lampe diffusante, le téléphone sonna.

— Salut PeP ! C'est Jeanno. J'ai eu du mal à dormir cette nuit à cause de notre conversation d'hier.

Philippe sentit un malaise chez Jeanno et se dit qu'il valait mieux tirer au clair les ambiguïtés qu'il avait dans la tête.

— Que dirais-tu de faire une randonnée de kayak avec moi ?

— Ouais ! Ce serait génial.

— Viens me rejoindre au club de canotage. J'y serai dans une vingtaine de minutes.

— D'accord…

Après s'être habillé en vitesse, Philippe fit un saut à l'hôpital avertir Isabelle qu'il s'en allait au club de canotage. Puis il enfourcha son vélo et dévala le Chemin de la Montagne avec la chienne à ses trousses.

— Retourne à la maison Maya. Si tu continues, je vais être obligé de t'enfermer chaque fois que je sors.

Elle refusa de faire demi-tour. Il revint sur ses pas et la fit entrer à l'intérieur.

À son arrivée au club de canotage, Jeanno l'attendait près de l'endroit où les kayaks étaient rangés. Il entra à l'intérieur, présenta sa carte de membre au surveillant et alla retrouver son ami. Il ne leur restait plus qu'à choisir un kayak.

— Celui-ci fera très bien l'affaire. Va à l'autre bout et aide-moi à le soulever.

Jeanno n'était pas un habitué de ce genre de sport et Philippe dut lui apprendre quelques règles élémentaires de base. Lorsqu'ils furent rendus au centre de la rivière, ils cessèrent de pagayer et se laissèrent dériver.

— Tu es chanceux de pouvoir faire du kayak aussi souvent que tu le veux.

— Qu'est-ce qui t'empêche d'en faire autant ?

— Je ne sais pas si ma mère accepterait. Elle a toujours peur qu'il m'arrive quelque chose.

— Il faut parfois se montrer convaincant pour arriver à nos fins.

— C'est ça mon problème. Je ne suis pas convaincant.

— Peut-être que c'est parce que tu ne vis pas intensément ton moment présent.

— Peut-être…

— Qu'as-tu décidé pour la marijuana ?

— Il y a des tas de gens qui fument un petit joint de temps à autre. Ça ne les rend pas plus mauvais pour cela.

— Rien ne t'oblige à agir comme les autres.

— S'il te plaît, ne joue pas au psychologue avec moi, PeP.

— Rassure-toi. Je ne suis pas assez culotté intellectuellement pour jouer au psychologue.

— Pourquoi parler de la pensée est-il si important pour toi ? Tu ramènes tout à la pensée. On dirait que c'est devenu une obsession.

— Es-tu d'accord avec moi pour dire que lorsque tu te sens complexé à cause de ta petite taille, c'est parce que tu accordes de l'importance aux pensées que tu entends dans ta tête ?

— Oui… Mais ce ne sont quand même pas mes pensées qui font que les filles ne veulent pas sortir avec moi.

— Si tu entretiens la pensée que les filles ne veulent pas sortir avec toi, tu vas finir par créer une barrière autour de toi et les filles ne te trouveront pas attirant.

— Je ne suis pas le maître de mes pensées. Elles viennent toutes seules dans ma tête. Je n'y peux rien.

— Habitue-toi à faire la distinction entre celles qui sont négatives et celles qui sont positives. Ce sera déjà un pas dans la bonne direction.

Soudain, le kayak se mit à tanguer. Un bateau équipé d'un moteur performant venait tout juste de passer près d'eux et des vagues se formaient à la suite de son passage.

— Nous allons chavirer ! s'exclama Jeanno.

— Ne t'inquiète pas, le rassura Philippe. Les kayaks de mer sont capables d'en prendre.

Après leur randonnée, Philippe et Jeanno repartirent en vélo vers la ferme.

— Avez-vous entendu parler de ce qui est arrivé à Vandal ? demanda Élie qui attendait l'arrivée de Philippe devant la boutique.

— Non, répondit-il.

— Il a eu un accident en scooter.

— Quand est-ce arrivé ?

— Ça vient tout juste d'arriver, il y a à peine une heure. Papi revenait de l'épicerie avec ma grand-mère, lorsqu'il a vu une ambulance sur la Grande-Allée. Il dit qu'il y avait un scooter noir sur le côté de la route qui semblait dans un très mauvais état et que des ambulanciers tentaient de réanimer le blessé.

— Ça ne veut pas dire que le scooter noir que ton grand-père a vu est celui de Vandal, commenta Jeanno.

— C'est le sien. Je le sais parce que Papi a garé son camion et s'est mêlé à la foule. Il a entendu quelqu'un dire que le blessé se nommait Guillaume Vandal.

— Quelle histoire, dit tristement Jeanno. Personne ici ne semblait l'aimer plus qu'il le faut, mais pas au point de lui souhaiter un pareil malheur.

— Eh citron ! s'exclama Élie. Ouvre la porte PeP. Voilà un client qui arrive.

Un homme entra dans la boutique et, à leur grand étonnement, acheta de nombreux outils.

— Vous devez sûrement bricoler, monsieur, dit Philippe, prenant les billets qu'il lui tendait.

— Je viens de prendre ma rrrretraite et j'ai décidé de me distraire en fabriquant des chaises de jardin, dit-il, un bégaiement dans la voix.

Philippe vit là une opportunité d'augmenter les revenus de la boutique.

— Des chaises de jardin, répéta-t-il pensivement.

— Oui… J'ai l'intention d'en fabriquer deux modèles.

— J'ai peut-être une idée qui va vous plaire, déclara Philippe. Apportez vos deux modèles de chaises ici, et nous, nous allons prendre des commandes pour vous.

L'homme fut étonné par cette proposition.

— Ce n'est pas bête, répondit-il, se frottant le menton.

— Combien voulez-vous avoir pour vos chaises ?

— Je ne peux pas les vendre en bas de ssssoixante dollars l'unité si je veux qu'il me reste du profit.

— Et si je vous propose de garder dix dollars sur chaque chaise vendue, est-ce que cela vous semble raisonnable ?

— Marché conclu, déclara-t-il. On ne s'est pas encore présenté !

— Philippe Prince, dit-il, lui tendant la main.

— PeP pour les amis, ajouta Jeanno tentant de s'introduire dans la conversation.

— Apportez-nous vos chaises dès qu'elles seront prêtes, dit Philippe.

— Vous les aurez dimanche matin.

— Au fait, vous ne m'avez pas encore dit votre nom.

— Gilbert Voyer…

— Monsieur Voyer, dit Philippe pendant qu'il l'aidait à transporter ses outils dans son véhicule, pourquoi refusez-vous de vendre votre maison ? Elle vous rappelle des souvenirs qui vous font vivre de la tristesse.

— Comment ssssais-tu toutes ces choses sur moi?

— Depuis le décès de votre femme, cette maison est devenue une tombe pour vous. Vous allez vous rendre malade si vous vous obstinez à vouloir la garder.

L'homme fut incapable de prononcer un mot. Après qu'ils eurent déposé tous les outils à l'arrière de son camion, il remercia Philippe et monta dans son véhicule comme une ombre fuyante.

La nouvelle de l'accident se répandit comme une traînée de poudre. Ébranlés, les ados passèrent le reste de l'après-midi dans le silence, à finaliser certains petits détails importants avant le début du week-end, espérant que le reportage du lendemain créerait l'achalandage escompté.

Après le souper, Philippe attendit l'arrivée de Sy dans la berceuse en rotin sur le balcon. Lorsque la voiture de Madame Lu Chan tourna dans l'entrée du garage, il se leva avec empressement pour aller accueillir son amie.

— Laisse-moi prendre ton sac à dos, dit-il.

— Je reviens te chercher dimanche à la même heure, dit Madame Lu Chan, avant que Philippe ferme la portière.

Elle les salua de la main et fit marche arrière pour repartir sur le Chemin de la Montagne.

— J'ai monté ma tente dans le jardin.

— C'est vrai ! s'exclama-t-elle.

— Oui, tout est prêt. Je ne sais pas si mon installation entre dans les normes *Feng Shui*, mais j'ai fait de mon mieux pour que tu te sentes confortable.

— As-tu fini de te moquer de moi ? dit-elle, le suivant sur le trottoir.

Maya arriva en trombe et fonça sur Sy.

— Doucement Maya ! Tu vas me faire tomber ! s'écria-t-elle.

Philippe remonta le fermoir de sa tente et déposa le sac à dos de Sy sur le matelas gonflable.

— Qu'en dis-tu ? demanda-t-il.

— C'est parfait…

Ils s'assirent tous les deux, jambes repliées, l'un en face de l'autre. Philippe remarqua que Sy avait l'air mélancolique et lui demanda ce qui n'allait pas.

— Je ne sais pas ce que j'ai ces temps-ci. J'ai l'impression que la moindre petite chose m'exaspère. Je me demande si c'est moi qui suis incorrecte ou si ce sont les autres qui le sont.

Philippe posa sur elle un regard attendri.

— Tu sais, Sy, les gens qui s'opposent à nos idées ne sont pas tous des idiots. Rappelle-toi que c'est à travers les yeux des autres que nous apprenons à mieux nous connaître.

— L'autre jour, tu m'as dit qu'il fallait savoir quelles sont nos forces et nos faiblesses pour découvrir qui nous sommes. Le problème, c'est que je ne sais pas comment faire pour savoir quelles sont les miennes, mes forces et mes faiblesses.

— Je vais te donner un petit truc, d'accord !

— D'accord…

— À l'avenir, lorsque tu observeras une force chez une personne, dis-toi que si tu as remarqué cette force, c'est parce qu'elle ne fait pas partie de *tes* forces. Et si tu remarques une de ses faiblesses, cela voudra dire que cette faiblesse ne fait pas partie de *tes* faiblesses.

Sy soupira et lui dit innocemment :

— Je me demande comment il se fait que tu sois aussi nul à l'école et aussi intéressant lorsque tu réponds à nos questions.

— Heu… j'aimerais bien le savoir moi aussi.

Elle pouffa de rire.

— Tu ne cesseras jamais de m'étonner.

— J'aspire au jour où je pourrai parler sans que l'on me prenne pour un fou, dit Philippe, s'étendant sur le matelas gonflable.

Après avoir fait le tour de la maison, Jessianne les trouva finalement dans la tente.

— Je vous ai cherchés partout ! Roxanne veut te parler, dit-elle, tendant le téléphone sans fil à Philippe.

— Salut Roxanne…

— Une de mes connaissances, Robert Bastien, m'a téléphoné ce matin pour me dire que tu l'avais véritablement impressionné à l'assemblée. Il demande si tu acceptes de le rencontrer avec quatre ou cinq autres personnes dans un restaurant la semaine prochaine.

— Tu m'en poses toute une question. Qui est ce Robert Bastien ?

— Un psychothérapeute.

— Je me demande à quoi vous servent tous ces titres, vous, les gens dans la médecine *holis… trique*.

— Holistique Philippe, reprit Roxanne.

— Est-ce que tu sais pourquoi ils veulent me voir ?

— J'imagine que c'est pour mieux te connaître. Je ne peux t'en dire plus.

— J'accepte de les rencontrer, mais pas dans n'importe quel restaurant.

— Ne t'inquiète pas. Je vais mentionner qu'il est préférable de t'inviter dans une rôtisserie.

— Parfait. Rappelle-moi pour me dire le jour et l'heure de la rencontre.

— Entendu. À bientôt.

— Encore une invitation ! dit Sy.

— Des psychothérapeutes veulent me rencontrer dans un restaurant.

— C'est le monde à l'envers. Voilà que les adultes ont des choses à apprendre des ados maintenant.

— Il faut bien que je commence quelque part si je veux que le Verbe se répande autour de moi.

— Ne me dis pas que tu vas leur conjuguer des verbes ! dit Sy croyant qu'il venait de faire une plaisanterie.

Philippe éclata de rire.

— Tu serais certainement meilleure que moi dans ce domaine.

— Qu'est-ce que vous avez l'intention de faire ce soir ? s'informa Jessianne.

— Nous allons à *La Tanière*, répondit Philippe.

— Avertissez-moi avant de partir.

— D'accord.

Jessianne retourna à l'intérieur et monta immédiatement à l'étage se changer et se maquiller.

— C'est terrible ce qui est arrivé à Guillaume! s'exclama Amélie lorsque Sy, Jessianne et Philippe arrivèrent à la maison des jeunes.

— Il paraît qu'il est dans un état critique, ajouta Nadya.

— Comment le sais-tu ? s'informa Dan.

— Je le sais parce que c'est ma mère qui fait la comptabilité de l'entreprise du père de Guillaume. Elle a entendu dire qu'il était dans un état grave et qu'on l'avait amené dans la section des soins intensifs.

— Ouais, ça ne va vraiment pas bien pour lui, dit Dan.

— J'espère qu'il ne gardera pas de séquelles de son accident, ajouta Amélie qui affectionnait secrètement la belle gueule de Vandal.

Une tristesse régnait à la maison des jeunes. Malgré que Vandal n'ait pas une très forte popularité auprès des membres de l'équipe de Philippe, ceux-ci étaient véritablement peinés de le savoir aussi mal en point.

Jessianne était la seule à ne pas se préoccuper du sort de Vandal. Elle surveillait assidûment la porte d'entrée. À chaque fois qu'elle s'ouvrait, elle se retournait pour voir qui arrivait.

Amélie et Meggie suggérèrent à leurs amis une soirée « Poèmes, musique et chandelles ». L'animatrice s'opposa à cette idée au début, à cause du danger que représentait le feu, mais accepta finalement après que les ados lui eurent promis d'être prudents.

Sy, Nadya et les jumelles cherchèrent des livres de poèmes parmi ceux se trouvant sur les tablettes de l'étagère, pendant que les garçons placèrent des coussins sur le plancher de façon à former un cercle. Ensuite, ils allumèrent les chandelles, choisirent une musique d'ambiance et éteignirent toutes les lumières.

Cet élément rassembleur créa quelque chose de magique entre eux. Plus d'une vingtaine d'ados habitués à fréquenter la maison des jeunes s'assirent en cercle dans la salle de jeux pour lire un poème chacun leur tour.

« Quelle belle soirée j'aurais pu passer en compagnie de David », se dit Jessianne.

Une heure plus tard, le téléphone portable de Meggie interrompit Catherine durant la lecture de son poème.

— Vas-y, dit-elle. Répond.

Elle regarda l'afficheur.

— C'est maman…

— Dis-lui de ne pas venir nous chercher avant 22 heures, dit Amélie, frustrée de ne pas se sentir libre de partir quand elle le voulait.

Sa frustration s'amplifia lorsque Meggie lui apprit que leur mère les attendait dans sa voiture en face de la maison.

— Ce foutu téléphone nous oblige toujours à partir de bonne heure. Si tu oubliais de l'emporter avec toi comme je le fais, nous pourrions veiller plus tard, se plaignit-elle à sa jumelle.

La lecture des poèmes se termina peu de temps après le départ des jumelles, au grand plaisir de Philippe et Dan qui commençaient à avoir des fourmis dans les jambes. Après avoir remis les livres sur l'étagère et replacé le mobilier, Sy et Jessianne manifestèrent le désir de retourner à la maison.

En arrivant, Philippe sortit son sac de couchage de la tente et l'étendit dans l'herbe. Il invita Sy à s'allonger à ses côtés pour contempler le ciel étoilé.

— Tu sembles aimer beaucoup la poésie…

— Je ne peux en dire autant de toi.

— Disons que ce n'est pas mon divertissement favori.

— Je l'avais remarqué.

Philippe siffla Maya pour qu'elle revienne.

— Jessianne avait l'air déçue ce soir.

— Ma sœur a le comportement d'une chatte en chaleur ces temps-ci.

— Quelle façon de parler d'elle ! s'offusqua Sy.

— Excuse-moi. Je reconnais que ce n'est pas un langage très raffiné.

Sy colla sa tête contre l'épaule de Philippe.

— Crois-tu que nous pourrons voyager dans l'espace un jour ?

Philippe mâchouillait un brin d'herbe pensivement et prit du temps à répondre.

— Je le crois, oui, lorsque la nouvelle génération de Femmes et d'Hommes-Esprit fera son apparition sur la Terre. Ces êtres ne seront pas affectés par la limite humaine. Ils se serviront de leur créativité pour concevoir des engins spatiaux capables de les transporter dans les endroits les plus éloignés de l'espace en un temps record.

— Si tu dis que les Femmes et les Hommes-Esprit ne seront pas affectés par la limite humaine, cela veut dire qu'ils pourront faire des choses fabuleuses.

— En effet… Ils ne connaîtront ni la souffrance physique ni la souffrance morale. Ces souffrances s'élimineront de leurs cellules parce qu'elles ne seront plus alimentées par d'anciens courants de pensées. Et comme ils ne seront plus affectés par des maladies créées par un désordre émotionnel, ou par le stress, ils pourront concentrer leur créativité au développement des énergies libres qui se trouveront à leur portée. Ce qui va permettre une révolution extraordinaire de toutes les ressources de leur planète. Cette nouvelle génération n'aura aucun intérêt à mettre à exécution des plans de guerre. Ainsi, les peuples qui refuseront de suivre l'exemple des pays ayant établi une paix durable chez eux se retrouveront en quarantaine et seront privés de tout contact avec leurs voisins.

— Tu parles d'eux comme s'ils étaient les futurs sauveurs de l'humanité.

— Non, Sy, ce ne seront pas des sauveurs. Ce seront des êtres parfaits pour eux-mêmes, qui sauront utiliser un pourcentage beaucoup plus élevé des facultés de leur Esprit que les êtres humains actuels. Cette nouvelle génération saura recréer, à certains endroits du globe, ce que j'appellerais des paradis terrestres dont on ne saurait imaginer la beauté et la fécondité.

— Comment sais-tu toutes ces choses ? Tu peux me le dire. Je n'ai pas peur de l'entendre.

— Il se peut que ce soit une simple prémonition ? Je ne sais pas…

— Et la vision de David, qu'est-ce que tu en penses ?

— Je crois que le vaisseau qu'il a décrit existe vraiment.

— C'est presque de la science-fiction cette histoire… Depuis qu'il a dit que tu avais un lien avec les occupants du vaisseau, chaque soir, avant de m'endormir, je me demande qui tu es vraiment.

Philippe enveloppa Sy de ses longs bras et la serra contre lui.

— Sy, promets-moi de ne jamais te laisser dominer par la peur. La peur est une véritable calamité. Elle engendre la division partout sur son passage et elle crée des raz de marée dans nos cœurs.

— Je regrette de t'avoir offensé, dit Sy. Excuse-moi, je ne voulais pas. Tes intentions sont pures et honnêtes. Et cela, je le sens profondément au fond de moi.

18
Tragédie dans la nuit

Les lumières étaient éteintes depuis déjà plusieurs heures chez les Prince lorsque Isabelle entendit résonner le carillon de la porte d'entrée. Elle jeta un coup d'œil sur l'horloge au mouvement perpétuel se trouvant sur le meuble antique : elle indiquait trois heures et demie.

— Frédéric, réveille-toi, murmura-t-elle, lui secouant l'épaule. On vient de sonner à la porte.

À moitié somnolent, il enfila son peignoir et descendit l'escalier. Il regarda à travers le carreau de la porte d'entrée principale et aperçut une policière.

— Je suis désolée de vous déranger à cette heure de la nuit, Monsieur Prince, dit-elle, lorsqu'il lui ouvrit. Il vient de se produire un accident sur l'autoroute et quatre chevaux sont dans un état critique. Je suis venue vous demander votre aide, car nous ne savons vraiment pas quoi faire pour ces pauvres bêtes.

— Laissez-moi cinq minutes pour me préparer…

— Merci de votre collaboration, Monsieur Prince.

Frédéric remonta à l'étage en vitesse et réveilla son fils.

— Habille-toi, Philippe ! On s'en va !

— Où ça ?

— Ne pose pas de questions et habille-toi.

Frédéric traversa à l'hôpital et prépara tout ce dont il aurait besoin pour administrer les premiers soins aux chevaux blessés. Sans perdre une seconde, il déposa tout son matériel dans sa trousse et courut vers le véhicule dans lequel l'attendaient son fils et la policière. Celle-ci démarra si vite qu'Isabelle entendit le crissement des pneus sur l'asphalte humide lorsqu'elle s'engagea sur le Chemin de la Montagne.

Durant le trajet, la policière leur raconta que le conducteur du véhicule impliqué dans l'accident était décédé quelques minutes après avoir percuté un train routier. De l'huile sur la chaussée mouillée aurait provoqué le spectaculaire dérapage dont il avait été victime en transportant ses chevaux de course.

Avant même de descendre de voiture, Frédéric et Philippe furent confrontés à la dure réalité qui les attendait : deux chevaux gisaient sur l'asphalte sous les regards désemparés des curieux qui s'étaient arrêtés pour observer la scène. Un peu plus loin, pompiers et policiers s'affairaient autour d'une remorque renversée au milieu de l'autoroute.

Frédéric ouvrit la portière et fonça vers l'un des deux chevaux avec sa trousse à la main. Éclairé par les jets de lumière que diffusaient les phares des auto-patrouilles, il s'agenouilla près de la bête pour regarder ses blessures.

— Quelle horreur ! soupira Philippe qui s'agenouilla à son tour près de son père.

— C'est une jument, constata Frédéric. Elle doit avoir environ cinq ou six ans.

À première vue, elle semblait avoir de multiples corps étrangers insérés dans les pieds. En la palpant avec douceur, il décela une fracture du fémur et de nombreux étirements dans toutes les articulations de ses jambes. Elle avait également plusieurs fourbures aux membres postérieurs.

— Je vais lui administrer une solution antidouleur, dit-il, sortant une seringue et une ampoule de sa trousse.

Philippe plongea son regard dans celui de la jument.

« Qu'est-ce que je peux faire pour toi ? », lui demanda-t-il par télépathie.

La jument gémit.

« C'est étrange… On dirait qu'elle essaie de me faire comprendre sa détresse… »

Philippe avait vu juste. La jument lui fit savoir, par transmission télépathique, qu'elle préférait mourir plutôt que de persister dans son combat pour survivre.

— Si c'est ici que doit s'arrêter ta vie, alors pars sans craindre la mort, lui murmura-t-il tout en la caressant tendrement.

Frédéric eut à peine le temps de terminer son injection, que déjà la jument s'abandonnait dans un dernier râlement. Le cœur de Philippe se serra et il continua de la réconforter, comme s'il voulait s'assurer qu'elle fût réellement morte.

Sans perdre de temps, Frédéric avait ramassé sa trousse et courait déjà vers l'autre cheval pour constater avec désarroi qu'il n'y avait plus grand-chose à faire pour lui.

— Venez nous aider, cria l'un des pompiers. Il faut absolument que nous arrivions à dégager ces chevaux, sinon, ils vont mourir tous les deux d'asphyxie.

C'est sous une pluie intermittente que policiers et pompiers se succédèrent pour tenter de libérer les bêtes prisonnières de la remorque qui devait les transporter jusqu'en Ontario. Frédéric réussit tout de même à pénétrer à l'intérieur de la carcasse métallique et injecta aux chevaux des solutions antidouleur. Malgré tous les efforts qu'il déploya pour les soigner, un seul parvint à survivre à ses blessures.

Deux policiers ramenèrent Frédéric et son fils à la maison.

— Vous avez vraiment fait votre possible, Monsieur Prince, dit l'un d'eux, lorsqu'ils quittèrent l'autoroute.

— Je suis navré de n'avoir pu faire mieux, ajouta-t-il mélancoliquement.

— Tu as fait preuve de beaucoup de sang-froid papa, dit Philippe. Je suis fier de toi.

Le jour faisait peu à peu son apparition. On pouvait distinguer l'épaisse grisaille qui entourait presque entièrement la montagne. Aucune parole ne pouvait décrire les moments intenses que venaient de vivre Frédéric et Philippe.

***

Assise dans la berceuse de la véranda, Isabelle attendait le retour de ses hommes avec une certaine appréhension.

« S'ils ne sont pas encore revenus, c'est que les choses ont dû mal tourner », se disait-elle.

Quelques minutes plus tard, elle fut heureuse d'entendre une voiture s'immobiliser dans l'entrée du garage. Elle accourut à la rencontre de son mari et de son fils.

Frédéric avait l'air terriblement fatigué.

— Tu as l'air épuisé mon chéri, dit-elle en l'apercevant. Heureusement que nous sommes samedi et qu'il y aura assez de personnel à l'hôpital pour fournir à la demande.

— Tu sais ce qui me ferait le plus grand bien, après une bonne douche, murmura Frédéric en passant son bras autour de son épaule.

— Je sais, chéri. Un bon café noir et une omelette.

Lorsqu'il contourna la tente, Philippe jeta un coup d'œil à la petite ouverture que les filles avaient laissée à la fenêtre pour respirer de l'air frais durant la nuit.

« Elles ont l'air de dormir comme des marmottes », constata-t-il.

Transi de fatigue, Frédéric monta à l'étage se doucher. Pendant ce temps, Isabelle prépara un percolateur de café et sortit du réfrigérateur, lait, œufs, fromage et champignons. En un rien de temps, elle concocta une délicieuse omelette et dressa le couvert dans la véranda. Il ne restait plus qu'à faire griller des tranches de pain et se mettre à table.

De son côté, Philippe avait troqué ses vêtements humides contre son peignoir en ratine de velours. Allongé sur son lit, il regardait oisivement par la fenêtre de sa mansarde en attendant que la salle de bains se libère.

« Il s'en est passé des changements dans ma vie depuis ma rencontre avec Océane. Vivre une expérience télépathique comme celle que j'ai vécue cette nuit avec la jument est nouveau pour moi. Elle m'a fait comprendre qu'elle préférait mourir, plutôt que de survivre à ses blessures et poursuivre sa vie infirme. Les chevaux sont des animaux d'une incroyable fierté... »

Lorsque la salle de bains fut libre, il alla prendre une douche et enfila un pyjama de coton. Ensuite, il descendit au rez-de-chaussée prendre son petit-déjeuner.

— Hummm... ça sent le bon pain grillé ici, dit-il.

— J'aime autant te dire que si tu refuses de goûter à mon omelette, tu devras te faire cuire tes œufs toi-même, l'avertit Isabelle.

— Ne t'en fais pas pour moi, maman. Du pain grillé et de la confiture vont me suffire, dit-il, s'installant à la table.

Frédéric raconta à sa femme que les policiers, les pompiers et lui-même avaient tout tenté pour libérer les chevaux de la remorque.

— Et le conducteur ?

— Il n'a pas eu de chance. On m'a dit qu'il était décédé avant l'arrivée de l'ambulance.

— Pauvre homme, balbutia-t-elle, remplissant sa tasse de café.

— Je savais que cet accident arriverait, mais je ne connaissais pas le moment où il allait se produire, dévoila Philippe.

Frédéric fronça les sourcils et regarda son fils.

— Tu veux dire que tu as eu un genre de prémonition…

— J'ai rêvé à ces chevaux. Je les ai vus étendus au milieu de la route; il y avait des gens regroupés autour d'eux qui les regardaient. J'en ai même parlé à Dan.

— Disons que c'est le genre de tragédie à laquelle on ne s'attend pas jusqu'à ce qu'elle nous frappe en plein visage, commenta Frédéric. Pourquoi ne nous as-tu jamais mis au courant de tes rêves prémonitoires ?

— Parce que c'est la première fois que cela m'arrive.

Ce ne fut pas long que Frédéric et Philippe annoncèrent qu'ils allaient se coucher, car ils avaient quelques heures de sommeil à rattraper.

19
Confidences

Le soleil émergeait lentement des nuages et la tente se réchauffait de plus en plus.

« Quelle chaleur ! », se dit Sy lorsqu'elle se réveilla.

Jessianne ouvrit les yeux quelques secondes plus tard.

— Salut ! As-tu bien dormi ?

— Comme un bébé, répondit Sy, s'extirpant de son sac de couchage.

Après avoir tout remis en place dans la tente, elles ouvrirent les fenêtres et sortirent.

— J'adore sentir la rosée du matin sous mes pieds, dit Sy. C'est tellement agréable.

En entrant dans la véranda, elles aperçurent Jade et Féli qui ronronnaient allongés sur des chaises. Il régnait un silence absolu dans la maison.

— C'est presque trop calme ici ce matin ! commenta Jessianne.

— Je ferais mieux d'aller réveiller PeP. Nous n'arriverons jamais à temps pour ouvrir la boutique, s'inquiéta Sy.

Elles montèrent toutes les deux à l'étage et s'immobilisèrent devant la porte de la mansarde. Jessianne colla son oreille contre la porte, mais n'entendit aucun bruit.

— Il dort encore.

— Il a mal choisi sa journée pour faire la grasse matinée, chuchota Sy.

Jessianne tourna doucement la poignée… Philippe avait l'air de dormir aussi profondément qu'un ours en hibernation. Un ronflement venant de la chambre principale attira leur attention.

— Tiens… papa dort encore lui aussi, murmura Jessianne.

Sy semblait de plus en plus nerveuse.

— Habillons-nous et allons voir maman à l'hôpital. Il se passe quelque chose d'anormal dans cette maison.

Isabelle leur expliqua qu'un grave accident s'était produit sur l'autoroute au cours de la nuit, et que Philippe avait accompagné son père sur les lieux de la tragédie.

— Ils sont couchés depuis à peine une heure, ajouta-t-elle.

— Dans ce cas, je vais être obligée de me rendre à la ferme sans PeP, dit Sy.

— Je vais t'y conduire lorsque tu seras prête, la rassura Isabelle.

— Vous êtes vraiment gentille de faire ça pour moi, Madame Prince, dit Sy.

Vers midi, Jessianne monta à l'étage et entra dans la mansarde de Philippe sans frapper. Elle tira sur ses couvertures jusqu'à ce qu'il soit complètement découvert. Celui-ci émit un grognement pour manifester son mécontentement.

— Quelqu'un veut te parler !

— Prends le message, s'il te plaît.

— C'est David, dit-elle malicieusement.

— Ça ne peut pas être David…

— Espèce de contrôleur ! Si je te dis que c'est lui, c'est parce que c'est lui, insista-t-elle.

Elle lui présenta le récepteur et quitta la pièce en claquant la porte.

— Salut David !

— Je regrette de t'avoir réveillé. Jessianne aurait dû me dire que tu dormais.

— Ce n'est pas grave. De toute manière, il est temps que je me lève. On doit avoir besoin de moi à la boutique. Est-ce ma sœur qui t'a téléphoné ?

— Si, elle m'a parlé du terrible accident qui s'est produit sur l'autoroute cette nuit.

— Mon père a fait tout ce qu'il a pu pour les chevaux. Malheureusement, les conditions dans lesquelles il essayait de les soigner n'avaient rien pour lui faciliter la tâche.

Il y eut un moment de silence, puis David lui posa une question.

— Est-ce que vous m'accepteriez dans votre équipe ?

— Tu veux faire partie de l'équipe...

— Si, j'aimerais beaucoup.

— Je sais ce que nous allons faire, dit Philippe. Viens me rejoindre en vélo à la maison dans environ trente minutes et nous irons ensemble à la ferme.

— Merci de ta gentillesse...

— Avant que tu te fasses des idées, David, j'aime autant te dire que la venue d'un nouveau membre dans l'équipe ne dépend pas uniquement de moi.

— J'y avais songé. J'accepterai votre décision, quelle qu'elle soit.

Philippe attendit David devant la maison en s'amusant à lancer la balle à Maya. Aussitôt qu'il arriva, il se dépêcha d'enfourcher son vélo et ils disparurent tous les deux sur le Chemin de la Montagne.

« Heureusement que ma sœur n'a pas eu le temps de voir David... », pensa-t-il.

Ils longèrent les collines jusqu'au croisement de la Grande-Allée. Puis Philippe profita du fait qu'il se trouvait seul avec son nouvel ami pour lui proposer de s'arrêter *Chez Ben* quelques instants.

— Je te croyais en retard...

— Il faut apprendre à ne pas toujours se laisser bousculer par le temps.

— C'est une sage philosophie.

Ils s'engagèrent dans le stationnement du restaurant et descendirent de leur vélo.

— Qu'est-ce que tu veux boire ? demanda Philippe.

— Une eau minérale.

— Je ne suis pas certain d'en trouver ici.

— Dans ce cas, de l'eau ordinaire fera l'affaire, reprit-il.

— D'accord.

David lui tendit une pièce de deux dollars et se dirigea vers le verger en poussant les vélos de chaque côté de lui. Il les appuya contre une table et attendit Philippe en rêvassant. Pas un seul instant, depuis son arrivée, il n'avait regretté la décision de ses parents d'être venus s'établir au Québec. À ses yeux, le moyen idéal pour s'intégrer à son nouveau milieu était sans contredit de faire partie de l'équipe de son ami.

Philippe revint avec deux bouteilles d'eau et les déposa sur la table.

— L'humidité est insoutenable aujourd'hui ! haleta-t-il, s'asseyant face à David.

— Mon père dit que suer abondamment est une excellente façon de nettoyer nos corps subtils, commenta David.

— Je suis de son avis.

— Jessianne m'a dit que tu avais été invité à une assemblée à Montréal et que tu t'étais très bien tiré d'affaire.

— En fait, c'est une amie de ma mère qui m'a fait cette proposition. J'ai oublié de réfléchir avant d'accepter, plaisanta-t-il.

— Depuis que j'ai regardé les lignes de tes mains, je me suis posé beaucoup de questions à ton sujet. Tu es vraiment quelqu'un d'exceptionnel PeP.

— Tu sais, il y a certaines choses concernant ma vie que je n'ai révélé à personne jusqu'ici, déclara Philippe.

— Est-ce que c'est par peur de paraître ridicule ?

— C'est beaucoup plus que cela…

Philippe se dit qu'il serait peut-être plus prudent de prendre un chemin détourné pour parler de lui.

— Il y a quelques jours, une dame est venue à la boutique. Elle a trouvé un jeu de cartes sur nos étalages et m'a dit qu'elle le voulait. Je lui ai demandé si elle jouait souvent aux cartes, et elle m'a répondu : « Les cartes, je m'en sers seulement avec ceux qui désirent en savoir plus long sur leur avenir. » J'ai profité de cette occasion inespérée pour lui demander de me parler du mien.

— Et elle a accepté !

— Oui…

— Qu'est-ce qu'elle t'a dit ?

— Elle a dit que j'étais en avance sur mon temps. Elle a dit aussi que les gens autour de moi avaient de la difficulté à comprendre mon langage parce qu'il dérangeait leurs habitudes. Selon elle, il va se produire un avènement précurseur de la venue d'une nouvelle race d'hommes et de femmes sur la Terre.

Il y eut un silence.

— Ta parole va parfois à l'encontre des enseignements que j'ai reçus de mon père, déclara David. Par contre, je me dis qu'il existe d'autres croyances que celles qu'il m'a enseignées depuis mon enfance.

Il y eut un autre silence.

— Même si je semble parfois réticent à adhérer à tes opinions personnelles, j'ai à l'intérieur de moi une profonde conviction que ce que tu dis est plein de sens. Tu te rappelles lorsque nous nous sommes rencontrés la première fois, j'ai tout de suite ressenti quelque chose au plexus solaire. De plus, j'ai un fort pressentiment que nous nous sommes connus dans une autre vie.

— Qui peut savoir ?

David avait une question qui lui trottait dans la tête depuis sa vision et profita de l'occasion pour la lui poser.

— Est-ce que tu l'as vu ?

— Vu quoi ?

— Le vaisseau, dis-moi si tu l'as déjà vu ?

Philippe prit du temps à répondre.

— Non… mais j'aimerais bien le voir un jour.

En arrivant à la boutique, les deux amis s'aperçurent que ça grouillait d'activité, autant à l'intérieur qu'à l'extérieur. Il faut dire que le reportage avait éveillé la curiosité de la population qui répondait avec succès à l'invitation des ados.

— Il était temps qu'on arrive ! lança Philippe.

Il calcula le nombre de voitures qui attendaient au lave-auto.

— Waooh… ! s'exclama-t-il. J'ai l'impression que ton aide va être fort appréciée David.

— J'en suis ravi, déclara celui-ci.

Après avoir appuyé leurs vélos contre le bâtiment, ils s'approchèrent de Yann et d'Élie qui savonnaient copieusement une voiture.

— Il va falloir que quelqu'un change l'eau de nos chaudières, s'impatienta Élie. On ne fournit pas à la demande.

David sauta sur l'occasion.

— Je peux le faire si vous me le permettez, proposa David.

— Tu n'as pas les vêtements qu'il faut, dit Philippe avec hésitation.

Sans attendre, David se déchaussa, retroussa le bas de son pantalon et enleva sa chemise.

— Maintenant, je suis à l'aise pour exécuter ce travail.

— Eh citron ! lança Élie. On n'a pas de temps à perdre. Viens nous aider David…

Il ne se le fit pas dire deux fois, et se mit au travail sur-le-champ.

Dan avait déposé un gros caillou contre la lourde porte de bois pour la maintenir ouverte. Philippe entra et attendit que Sy termine avec sa cliente pour lui parler.

— Comment ça se passe ?

— Nous n'avons pas arrêté une seconde depuis que nous sommes entrés ce matin ! s'exclama-t-elle.

— Vous vous êtes bien débrouillés à ce que je vois.

— Oui… mais il était temps que tu arrives.

— David veut faire partie de l'équipe. Il est avec Yann et Élie au lave-auto.

— Tu sais bien que nous ne devions accepter aucun nouveau sans le consentement des membres de l'équipe !

— Je sais, mais ils avaient un urgent besoin de quelqu'un au lave-auto.

— Excuse-moi PeP. Je me demande pourquoi je suis aussi stressée ? Ça doit être parce que j'ai faim.

— Pourquoi ne manges-tu pas une petite bouchée?

Sy parut embarrassée.

— C'est que… j'étais mal à l'aise de demander à Jessianne si je pouvais me préparer un lunch ce matin.

— Regarde dans mon sac à dos, dit Nadya. J'ai des sandwichs au jambon.

Sy se pencha et regarda sous la table pour trouver le sac à dos de Nadya. Elle prit un sandwich et sortit une bouteille de jus de pomme de la caisse rangée à côté. Ensuite, elle s'installa un peu à l'écart pour manger.

Élie apparut sur le seuil de la porte et fit des signes à Philippe. Celui-ci lui indiqua du regard qu'il était occupé et que ce n'était pas le bon moment de le déranger. Élie continua quand même à lui faire des signes.

— Ça va faire quarante-cinq dollars, monsieur, dit Philippe à son client.

L'homme lui remit la somme exacte et se dirigea ensuite vers la sortie en traînant derrière lui une tondeuse à gazon.

— Qu'est-ce que tu veux Élie ? dit-il, s'approchant de lui.

— Il y a des gens qui s'en vont parce que l'attente est trop longue, rapporta-t-il.

— Faites de votre mieux. On ne pouvait pas prévoir ce qui arriverait aujourd'hui.

— Mais nous perdons des clients à cause de cela !

— Cesse de t'en faire Élie. Nous ne perdons jamais rien dans la vie. Si tu as peur de perdre quelque chose, c'est parce que tu vis dans l'illusion que tu vas perdre cette chose.

— Eh citron ! maugréa Élie qui regardait la file de voitures s'allonger.

Philippe dut retourner derrière la table, car il y avait des clients qui attendaient pour régler leurs achats.

L'achalandage alla bon train jusqu'à 16 heures. Ensuite, il y eut une légère accalmie qui permit aux ados de reprendre leur souffle. Philippe et Sy commencèrent à préparer le rapport des ventes et furent heureux de constater que c'était une journée record.

— Ce sont nos meilleurs chiffres, commenta Sy.

— En effet, acquiesça-t-il.

— Qu'est-ce que tu vas faire de tout cet argent ? demanda-t-elle, une inquiétude dans le regard.

— Je vais le mettre en lieu sûr.

— Où ça ?

— Sous mon lit.

Avant la fermeture, les ados décidèrent à l'unanimité que David pouvait faire partie de l'équipe si c'était là son désir. Celui-ci fut réjoui de la nouvelle et les remercia chaleureusement de lui avoir permis de faire équipe avec eux.

***

Voici vingt dollars pour commander de la pizza, dit Isabelle, remettant le billet à Philippe. Jessianne est partie se baigner à la piscine municipale, alors soyez assez gentils d'attendre qu'elle revienne avant de téléphoner au restaurant.

— Tu sais bien que je ne mange pas de ces trucs-là maman ! commenta Philippe.

— Choisissez un restaurant où il y a du poulet, dit Frédéric, pour clore la discussion.

— Où allez-vous ? s'informa Philippe, étonné de voir ses parents si bien mis.

— Au théâtre d'été avec Roxanne, répondit Isabelle.

Durant la saison estivale, une entreprise de la région offrait des forfaits souper théâtre sur un bateau amarré à un quai longeant le Richelieu. Désireuse de faire plaisir à ses amis, Roxanne s'était procuré des billets et les avait invités pour ce samedi soir. C'était la raison pour laquelle Isabelle avait revêtu son élégante robe de lin noire qui laissait entrevoir ses chevilles.

— Je vous trouve très belle dans votre robe, Madame Prince, dit Sy. Vous devriez remonter vos cheveux plus souvent. Cela vous va à merveille.

Frédéric avait l'air reposé. Le personnel de l'hôpital s'était très bien débrouillé sans lui. D'ailleurs, Isabelle les avait prévenus qu'elle ne réveillerait pas son mari avant le milieu de l'après-midi.

— Chérie, il va falloir qu'on déroule le tapis rouge à tes pieds, plaisanta-t-il, déposant un baiser sur son cou.

Elle se mit à rougir et lui appliqua une petite tape sur une fesse. Ce qui fit sourire Philippe et Sy.

— Avons-nous le temps de prendre un apéro avant de partir ?

— Je ne sais pas. Roxanne sera ici dans dix minutes.

— Dix minutes… cela veut dire que nous avons vingt minutes devant nous, calcula Frédéric. Alors, qu'est-ce que je te sers ?

— Un martini blanc sur glace.

Isabelle s'installa dans la berceuse et déposa son sac à main et ses chaussures sur le plancher.

— Roxanne m'a dit qu'une de ses connaissances souhaitait beaucoup te rencontrer.

— Ça ne m'enchante pas vraiment d'aller à ce souper, trancha Philippe, mais j'ai quand même accepté l'invitation.

— Je ne vois pas pourquoi tu sembles réticent à y aller, répliqua Sy. Après tout, si les gens ne sont pas satisfaits de tes réponses, ce sera leur problème, non le tien.

— Elle a raison, l'appuya Isabelle.

— Tu m'as dit je ne sais combien de fois qu'il était important de se poser des questions dans la vie, déclara Sy. Tu as même ajouté que la question était plus importante que la réponse. Alors, c'est quoi ton problème ?

Philippe la regarda les yeux écarquillés.

— Qu'est-ce qui t'arrive Sy ? Tu t'exprimes avec des mots plus vivants, remarqua Philippe.

— Voilà, c'est reparti, dit Isabelle qui prit la coupe que Frédéric lui tendait. Nous nageons encore une fois en pleine intrigue.

— Dans mon livre à moi, un mot vivant doit signifier un mot réfléchi, interpella Frédéric.

— Ce n'est pas du tout ça papa ! s'exclama Philippe.

— Dans ce cas, je vais être obligé de retourner à l'université compléter mes cours de français, plaisanta celui-ci.

— Un mot vivant est un mot qui nous est inspiré par notre ajusteur de la pensée. Cela veut dire qu'il n'a pas été interféré et coloré par les astrales.

— Voudrais-tu t'expliquer un peu plus clairement ? demanda Frédéric.

— Les mots qui nous sont transmis par notre ajusteur de la pensée sont des mots d'une remarquable précision et tout à fait adaptés à notre réalité. C'est par le biais de leur ajusteur de la pensée que les gens découvriront, dans un avenir rapproché, la face cachée de leur constitution.

Frédéric avala sa consommation d'un seul trait. Quant à Isabelle, elle se répéta mentalement ce que son fils venait de dire pour en déchiffrer le sens.

— Lorsqu'une personne emploie des mots vivants pour s'exprimer, il devient très difficile d'argumenter ses paroles. Je vais aller plus loin en vous disant que si les hommes permettaient à leur ajusteur de la pensée de s'exprimer librement à travers eux, les guerres d'ego n'existeraient plus. Ce mode de communication annihilerait les altercations entre les peuples de la Terre et libérerait les âmes de leur déchéance et de leur souffrance.

— Je me demande comment il se fait que tu ne réussisses pas mieux à l'école ! clama Sy.

— Je ne suis pas de nature intellectuelle. D'ailleurs, je ne vois pas pourquoi je me remplirais le crâne avec des tas de philosophies désuètes quand je peux vivre des expériences de vie qui me font grandir intérieurement.

— J'aimerais bien savoir à quoi servent les livres qui garnissent les étagères de nos bibliothèques, interpella Frédéric.

— Je ne dis pas que les livres sont mauvais, papa. Je dis simplement que le moment présent doit toujours être la page la plus importante du livre de notre vie.

Roxanne klaxonna deux petits coups.

— Ce que tu dis porte à réflexion, mon fils, commenta Frédéric. Allons-y chérie.

Isabelle se leva et passa devant lui.

— Isabelle !

— Quoi ?

— Tu n'aurais pas oublié quelque chose par hasard ? demanda Frédéric.

Elle constata qu'elle avait oublié de mettre ses chaussures et qu'elle avait laissé son sac à main près de la berceuse.

— J'ai faim…

— Ta mère a dit qu'il fallait attendre Jessianne avant de commander, sermonna Sy.

— On ne va pas attendre madame la marquise toute la soirée, riposta Philippe qui fouillait dans tous les tiroirs de la cuisine pour trouver l'annuaire téléphonique régional. Si elle n'est pas assez responsable pour nous avertir de son retard, elle se contentera de manger froid.

Maya aboya pour signaler qu'elle voulait entrer.

— Je ne sais pas ce qu'elle a ce soir, commenta Philippe. Elle n'arrête pas d'entrer et sortir.

Philippe regarda partout pour trouver l'annuaire, mais ne le vit nulle part.

— Ça doit être Bibi qui l'a rangé quelque part! s'impatienta-t-il.

— Il est ici, annonça Sy qui le tenait fièrement entre ses mains.

— Où l'as-tu trouvé ?

— Sur la desserte.

Ils allèrent s'asseoir sur le canapé dans le séjour et passèrent en revue toute la diversité des restaurants de la région. Après quinze minutes de pourparlers, Philippe réussit à convaincre Sy que la meilleure chose à faire était de téléphoner à la rôtisserie.

— Encore du poulet, soupira-t-elle.

Philippe composa le numéro du restaurant et passa la commande, mais il fut terriblement contrarié en apprenant qu'il y avait une bonne heure d'attente.

— C'est normal, rapporta Sy. Aurais-tu oublié que nous sommes samedi soir ?

— Quand j'ai faim, l'heure et le jour ne comptent pas. J'ai faim, un point c'est tout.

— Tu sais, je suis contente d'être un peu seule avec toi, dit-elle, se rapprochant de lui. Ça ne nous arrive pas souvent des occasions comme celle-ci.

Philippe passa son bras autour de son épaule et lui caressa la joue.

— Pourquoi n'irions-nous pas passer une journée à Montréal la semaine prochaine pour faire changement ?

— Je ne dis pas non, répondit-il. Mercredi, est-ce que ça te va ?

— D'accord pour mercredi. Il y a un bus qui passe devant le centre commercial toutes les heures. Nous n'aurons qu'à nous faire conduire à l'arrêt par ta mère ou la mienne.

— Tu as pensé à tout on dirait.

— Que dirais-tu si nous allions manger une soupe tonkinoise dans le quartier chinois ? proposa Sy.

— Si tu me parlais d'une soupe poulet et nouilles, je comprendrais. Mais là, tu me parles d'une soupe qui m'est aussi étrangère que la Chine elle-même !

— Espèce d'idiot ! Tu vois bien que je te taquine !

La porte-moustiquaire se referma en claquant.

— Salut, c'est moi ! s'écria Jessianne.

— On s'en est rendu compte, tonna Philippe qui était sur le point d'embrasser Sy.

— Ce n'est pas facile d'avoir un peu d'intimité, soupira celle-ci.

En traversant la cuisine, Jessianne surprit Jade rôdant autour de la boîte à pain.

— Tu es chanceuse que Bibi ne soit pas ici, sermonna-t-elle.

La chatte se donna un élan et atterrit sur le dessus du frigo.

— J'ai commandé de la pizza pour toi et Sy, dit Philippe, lorsqu'elle entra dans le séjour.

— Ça tombe bien, parce que j'ai terriblement faim. Mais qu'est-ce que vous faisiez tous les deux? Vous n'écoutiez certainement pas la télé, elle est fermée.

— Jessianne, vivre et laisser vivre, est-ce que ça te dit quelque chose ? répliqua Philippe.

— C'est le slogan de ceux qui ne veulent pas être dérangés quand ils se *minouchent*, commenta-t-elle.

Une petite voiture jaune ralentit devant la maison. Le chauffeur vérifia s'il était à la bonne adresse avant de se garer dans l'entrée du garage.

— Ce n'est pas trop tôt ! s'exclama Philippe qui se leva pour aller lui ouvrir.

— N'oublie pas le pourboire, lui rappela Sy.

Il régla la note et s'en alla tout droit dans la véranda avec les boîtes contenant la pizza et le poulet. Ils se régalèrent si bien qu'il ne leur resta plus d'appétit pour le moindre petit dessert. La fatigue de la journée commença à se faire sentir chez Philippe et Sy qui se mirent à bâiller à tour de rôle.

— Je suis crevée, déclara celle-ci.

— Nous ferions mieux d'aller nous coucher si nous voulons être en forme demain, approuva Philippe.

— Ne vous en faites surtout pas pour moi ! s'exclama Jessianne. Je peux très bien passer le reste de la soirée en compagnie de mes chats.

Allongé dans son lit, Philippe observa le ciel par la fenêtre de sa mansarde jusqu'à ce que sa respiration ralentisse et qu'il sombre dans la première phase du sommeil.

Au milieu de la nuit, il se réveilla en se demandant ce qui lui arrivait, car il avait l'impression que son lit avait chancelé. Une horrible puanteur lui assaillit les narines. Il sursauta à la vue des petits êtres ressemblant à des lézards, et mesurant à peine un mètre, qui l'observaient.

Il demeura figé dans son lit, sans bouger.

« Est-ce qu'ils seraient les lacertiliens dont Océane m'a parlé ? », se demanda-t-il, en proie à l'inquiétude.

Les lézards continuèrent à branler le lit de Philippe, pendant qu'il les regardait sans savoir que faire. Désemparé, il demanda à Océane de lui venir en aider. Il se produisit alors quelque chose d'incroyable : des boules de feu de la grosseur d'une balle de golf apparurent dans la pièce. Ils entourèrent son lit et se mirent à dégager des étincelles de tous les côtés à la fois. Les lézards, apeurés par la luminosité qui émanait des boules de feu, se mirent à émettre des sons aigus et disparurent par la porte entrouverte de son placard. Philippe repoussa sa couette et descendit de son lit. Puis il se s'approcha à petits pas de son placard et s'étira le cou pour regarder à l'intérieur. Rien… Il n'y avait rien d'autre que ses vêtements.

« Mais où sont-ils passés ? », se demanda-t-il.

Il dut se rendre à l'évidence que son placard était vraisemblablement l'accès qui avait permis à ces affreux lézards de se rendre jusqu'à lui. L'odeur qu'ils avaient laissée derrière eux était si dégueulasse qu'il en eût la nausée.

Les boules de feu se rapprochèrent de Philippe en pivotant sur elles-mêmes et se positionnèrent dans un ordre parfait devant chacune de ses pompes d'énergie. Il en compta sept. C'est à ce moment précis que tout devint clair pour lui. Pendant son sommeil, les lacertiliens étaient venus flairer son énergie et les boules de feu avaient été le moyen utilisé par Océane pour le protéger. Lorsque son énergie vitale fut renouvelée, les boules de feu se retirèrent par la fenêtre de sa mansarde en laissant derrière elles une traînée d'étincelles scintiller dans la nuit.

« Jamais je n'aurais cru que la négativité des hommes pouvait créer des êtres aussi hideux », se dit-il.

Philippe se recoucha et ne cessa de tourner nerveusement sur lui-même, car trop de questions zigzaguaient dans sa tête.

20
Des voix oppressantes

Le lendemain matin, Philippe se réveilla frais et dispos malgré la nuit turbulente qu'il venait de passer. Son seul hic fut la mémoire des lacertiliens qui lui donna envie de vomir.

« Jamais je n'oublierai cette odeur nauséabonde », se dit-il en grimaçant. Un démêlé entre Maya et les chats le ramena à sa vie normale.

« Je suis mieux d'aller voir ce qui se passe avant qu'il arrive malheur aux éléphants en cristal de roche à maman. »

Il descendit dans le séjour et aperçut Jade et Féli, juchés sur la tablette du foyer, qui adressaient de longs *pichhhh* à Maya pour lui faire comprendre que la situation était grave et qu'ils n'entendaient pas à rire.

— Veux-tu bien laisser les chats tranquilles ! tonna-t-il, lui indiquant la véranda.

— Allez, va t'émoustiller dehors ! ordonna-t-il, ouvrant grand la porte-moustiquaire.

En entendant la voix de Philippe, Sy se glissa hors de son sac de couchage et le rejoignit.

— Est-ce que je t'ai réveillée ? demanda-t-il, pendant qu'il sortait le jus d'orange du frigo.

— Non… J'étais déjà réveillée.

— Tu en veux ?

— Seulement la moitié d'un verre.

Philippe la trouva mignonne dans son pyjama rayé rose et bleu.

— Allons dans la véranda, proposa-t-il, emportant les verres de jus. Nous serons plus tranquilles.

Maya geignit pour attirer l'attention et se faire pardonner sa mauvaise conduite, mais Philippe demeura indifférent à ses plaintes.

— Pourquoi ne la laisses-tu pas entrer ? dit Sy, s'asseyant à la table patio.

— Je ne veux pas qu'elle provoque un autre chaos dans la maison.

Sy observa un merle sur la pelouse à la recherche de vers de terre.

— Hier soir, avant de m'endormir, je me suis demandé si nous avions la liberté de choisir ce que nous voulons faire dans la vie ou si notre chemin est entièrement tracé à l'avance.

— Est-ce que tu as reçu une réponse ?

— Non…

— Repose-toi la question et attends la réponse.

— D'accord…

Sy ferma les yeux et attendit.

— Je n'entends rien.

— Si tu n'entends rien, c'est parce qu'il y a de l'interférence entre toi et ton ajusteur de la pensée.

— Toi, est-ce que tu te sens libre de tes choix ?

— Pour se sentir libre de nos choix, il faut savoir comment fonctionne le monde de la pensée. C'est parce qu'il leur manque cette référence que les gens souffrent physiquement et moralement, et qu'ils en viennent parfois à souhaiter la mort pour se libérer de leur enveloppe charnelle. Il existe trois éléments importants dont tu dois être consciente chaque jour de ta vie Sy ; la pensée, la parole et l'action. Rappelle-toi toujours que ces trois éléments forment un triangle parfait. Lorsque ces trois éléments ne sont pas en harmonie les uns avec les autres, c'est là qu'apparaissent tous nos maux et que la vie devient un fardeau.

— J'ai une sensation bizarre au plexus, dit Sy qui mit sa main dessus comme pour en refermer l'ouverture.

Philippe réalisait de plus en plus que son Verbe était l'expression de sa Source à travers lui, et que la résonance vibratoire qu'Il projetait était d'une telle intensité qu'elle touchait directement la région du plexus solaire de ceux à qui il s'adressait.

— Je pourrais t'écouter des heures durant, mais nous avons du boulot qui nous attend.

— Tu as raison. Allons nous habiller…

Sy retourna dans la tente prendre des vêtements propres dans son sac à dos. Même si elle fit très attention de ne pas réveiller Jessianne, celle-ci l'entendit.

— Salut Sy ! Tu es bien matinale.

— Il faut partir tôt aujourd'hui. Quand je pense à tout le travail qui nous attend, cela me stresse, confia-t-elle. Heureusement que David sera là pour aider au lave-auto.

Sy avait à peine terminé sa phrase que Jessianne s'était extirpée de son sac de couchage et avait filé à l'extérieur de la tente. Elle entra en catastrophe dans la véranda et laissa la porte-moustiquaire claquer derrière elle.

Isabelle s'apprêtait à descendre au rez-de-chaussée, lorsqu'elle vit sa fille enjamber deux par deux les marches de l'escalier.

— Pourquoi es-tu si pressée ?

— Parce que… parce que je suis en retard.

— Jessianne, il est seulement sept heures et demie.

— Je sais maman, mais je dois prendre ma douche avant qu'il ne reste plus d'eau chaude, dit-elle, s'enfermant dans la salle de bains.

Isabelle descendit à la cuisine préparer son habituel percolateur de café et alla chercher son journal sur le balcon.

— Bonjour Madame Prince, dit Sy, lorsqu'elle retourna dans la véranda après s'être habillée. Avez-vous aimé la pièce de théâtre hier soir ?

— Nous avons beaucoup ri. Cette soirée nous a fait énormément de bien.

— Vous avez une très bonne amie, commenta Sy. Elle trouve moyen de vous faire plaisir.

— Il est vrai que Roxanne a cette particularité, admit Isabelle.

— Ma mère n'a pas beaucoup d'amies et je trouve cela regrettable.

— Quand l'occasion s'y prêtera, j'aimerais faire plus ample connaissance avec elle.

— Je crois que c'est sa timidité qui l'empêche de se faire de nouvelles amies.

— Ce n'est pas une situation irréparable, la rassura Isabelle. Je vais vous conduire à la ferme lorsque Jessianne sera prête.

— Je ne savais pas que Jessianne venait à la boutique aujourd'hui.

— C'est ce qu'elle m'a dit lorsque je l'ai croisée en haut de l'escalier.

— Me permettez-vous de préparer un lunch pour trois, Madame Prince ?

— Bien sûr… Est-ce que tu connais suffisamment la cuisine pour t'y retrouver ?

— Ne vous en faites pas, je suis une débrouillarde.

Trente minutes plus tard, Jessianne, Sy et Philippe s'entassèrent dans le Mitsubishi. Durant le trajet, Isabelle décela un sillage parfumé dans la voiture.

— Depuis quand utilises-tu mon parfum ? demanda-t-elle, se retournant vers sa fille.

— Heu… ça n'arrive pas souvent. C'est seulement la deuxième fois que je m'en sers.

— Tu aurais dû le demander au lieu de t'en servir sans me le dire. Est-ce que je peux connaître la raison pour laquelle tu avais besoin de te parfumer ce matin ?

— Je voulais juste sentir bon. C'est tout.

— Jessianne, qu'est-ce que tu me caches ?

— Maman, cesse de me traiter comme si j'étais une ado.

— Mais tu es une ado !

Isabelle constata que sa fille devenait de plus en plus habile à utiliser l'art de la manipulation pour se sortir d'une mauvaise posture.

— Est-ce que les garçons seraient pour quelque chose dans le fait que tu te parfumes ?

— PeP t'a parlé de moi… c'est ça !

— Eh bien… il dit que tu t'intéresses aux garçons ces temps-ci.

— Le problème avec mon frère c'est qu'il saute trop vite aux conclusions.

— J'ai remarqué qu'en plus de mon parfum, tu utilises également mes produits cosmétiques.

— J'essaie de mettre mes yeux en valeur.

— Tu peux les mettre en valeur d'une façon plus discrète.

— Maman, pourquoi démolis-tu mon désir d'être féminine ?

Isabelle eut l'impression qu'elle venait de recevoir un verre d'eau glacée en plein visage. Elle demeura muette le reste du trajet.

— Bonne journée, mes trésors ! lança-t-elle, lorsque les ados descendirent de la voiture. Je viendrai vous chercher vers 17 heures.

— Disons 17 heures 30, rectifia Philippe.

— D'accord…

Pendant qu'Isabelle reprenait le chemin de la Grande-Allée, Sy déverrouilla le cadenas.

— Voilà les jumelles qui arrivent, dit Jessianne.

Monsieur Deslandres avait envoyé Bryan conduire ses jumelles à la boutique. Celui-ci recula le camion de la compagnie devant la porte du bâtiment pour faciliter le déchargement des caisses de jus de pomme qui se trouvaient à l'arrière du véhicule.

— Papa a mis en marché un nouveau jus « pomme et canneberge » cette semaine, annonça Meggie, et il nous en a offert cinq caisses en commandite.

— Il est vraiment gentil de penser à nous, dit Sy.

— Où voulez-vous que je les dépose ? demanda Bryan.

— Vous pouvez les mettre sous la table, indiqua Sy.

— Attendez… je vais vous aider à les transporter, dit Philippe.

Après le départ de Bryan, les membres de l'équipe de Philippe arrivèrent les uns après les autres à la boutique. La journée s'annonçait bien et ils se sentaient tous d'attaque. Il ne manquait plus que David.

Philippe laissa le choix à Jessianne de travailler dans la boutique ou au lave-auto. Sachant où travaillerait David ce jour-là, elle choisit évidemment le lave-auto.

Durant la première heure, ce fut tranquille, mais par la suite, les clients commencèrent à défiler devant les étalages. Il faut dire que le reportage y était pour quelque chose.

Comme convenu, Gilbert Voyer vint porter ses chaises de jardin au milieu de l'avant-midi.

— Avancez par ici monsieur si vous voulez faire laver votre camion, lui dit Élie, croyant que c'était un client.

— Peut-être une autre fois mon garçon, répondit-il. Est-ce que tu pourrais avertir Philippe Prince que je suis venu porrrrter mes chaises ?

— Tout de suite, monsieur.

Élie alla sur le seuil de la porte et regarda partout.

— Où est PeP ? demanda-t-il à Dan.

Dan regarda à son tour et ne le vit nulle part.

— Je ne sais pas, dit-il, haussant les épaules.

Élie longea le bâtiment jusqu'en arrière et trouva Philippe face au mur.

— Le monsieur des chaises veut te voir…

Philippe avait complètement oublié Gilbert Voyer. Il remonta sa fermeture éclair en vitesse et alla le voir.

— Bonjour ! Comment allez-vous ?

— Ça pourrait aller mieux, déclara-t-il. J'ai apporté deux chaises comme convenu. Où est-ce que tu veux les zzzexposer ?

— Ici, de chaque côté de la porte d'entrée, lui indiqua-t-il.

L'homme sauta dans la benne de son camion et souleva une des chaises pour la remettre à Philippe.

— Allez-vous suffire à la demande si elle va en augmentant ?

— J'ai un beau-frère à la retraite qui ne rrrrefusera pas un peu d'argent pour arrondir ses fins de mois.

— Excellent…

— J'espère que les prix que nous zzzavions négociés tiennent toujours, s'informa l'homme.

— Soyez sans crainte, le rassura-t-il. Notre entente restera effective jusqu'à la fin de l'été.

Philippe l'invita à marcher dans la cour avec lui. Il parut tout d'abord hésitant, mais il emboîta finalement le pas avec lui.

— Est-ce que je me trompe en disant que vous entendez des voix dans votre tête depuis environ deux ans ? demanda Philippe.

Il le regarda, stupéfait.

— Comment peux-tu savoir cela ? Je n'en ai jamais parlé à qui que ce soit. J'avais bien trop peur de passer pour un vvvvieux fou. Ma vie est devenue un véritable enfer depuis que j'entends ces maudites voix.

— Si vous croyez être la seule personne sur Terre à qui cela arrive, détrompez-vous, car ce phénomène est beaucoup plus répandu que ce qu'on peut imaginer. Le problème, c'est que les gens qui en sont affectés préfèrent garder le silence, parce qu'ils ont peur des conséquences qui pourraient en découler s'ils se confiaient à d'autres. Je vous assure que les voix que vous entendez dans votre tête ne sont pas le fruit de votre imagination.

Pris d'assaut par un gamin de treize ans qui semblait connaître les secrets les plus intimes de sa vie, Gilbert Voyer ne résista pas à l'envie de se confier à lui.

— Tu sembles bien informé à propos des voix que j'entends. Est-ce parce que tu en entends, toi aussi, des voix dans ta tête ?

— Non, mais je connais leur provenance. Que vous disent-elles, Monsieur Voyer ?

L'homme s'essuya les yeux avec le rebord de sa veste en denim.

— Elles disent que c'est à cause de moi si ma femme est morte d'un cancer. Elles disent aussi que je ne suis plus zzzutile à personne et que je serais bien plus heureux dans l'autre monde.

Ils s'assirent tous les deux sur de vieux barils de bois qui traînaient le long du champ de soya.

— La dernière fois que je les ai entendues, cccc'était il y a trois semaines, déclara l'homme. Elles m'ont répété pendant plusieurs heures que la meilleure chose à faire était d'en finir avec la vie. Alors, je suis allé dans mon garage avec l'intention de mourir en respirant des vvvvapeurs de gaz. J'ai tout organisé, et puis j'ai démarré mon camion. Tout à coup, Gaspard s'est mis à hhhhurler comme un loup autour de la maison. C'est lui qui m'a obligé à mettre fin à mon plan. Le pauvre, il ne m'a pas quitté d'une sssse-melle depuis cette nuit-là.

Philippe ressentit de la compassion vis-à-vis la douleur morale de Gilbert Voyer et se dit qu'il devait absolument lui parler.

— Monsieur Voyer, n'essayez pas de comprendre ce que je vais vous dire. Écoutez seulement mes paroles sans émettre de résistance et je vous assure qu'elles vont faire un travail à l'intérieur de vous.

— D'accord, soupira-t-il. Je ne sais pas pourquoi je me llllivre comme ça aujourd'hui… Ça doit être parce que tu m'inspires confiance.

— Monsieur Voyer, les voix que vous entendez dans votre tête essaient de vous mêler en se servant de votre sensibilité. Elles veulent vous faire croire que vous êtes responsable de la mort de votre femme, alors que vous n'êtes responsable de rien. Au lieu de vous laisser impressionner par ces voix, retournez la situation dans l'autre sens et n'ayez pas peur de leur dire que leur monde est un monde de fausse lumière et qu'il n'est pas supérieur au monde matériel dans lequel vous vivez. Et si elles reviennent encore vous importuner, gardez la tête froide et rappelez-vous que tout ce qu'elles espèrent, c'est se jouer de vous. Vous verrez qu'à la longue, elles perdront du pouvoir sur vous et finiront par lâcher prise.

— Je n'ai jjjjamais rien entendu de semblable de toute ma vie, déclara-t-il.

— J'ai une question qui va peut-être vous choquer, mais je vais la poser quand même. Est-il possible que vous soyez la résultante des croyances que l'on vous a inculquées depuis votre enfance ?

— C'est envisageable, dit-il. Pourquoi ?

— Parce qu'à l'intérieur de ces croyances, il y a de la fausseté.

— Qu'est-ce que tu vvvveux dire ?

— Je veux dire que les gens qui vivent sur Terre sont totalement ignorants de ce qui se passe dans le monde invisible. On leur a fait croire bien des choses à propos de ce monde.

— Es-tu ccccertain de ce que tu avances ?

— Je peux vous assurer que ce n'est pas en vous enlevant la vie que vous vous libérerez de votre mal de vivre… Si vous aviez mis votre plan à exécution, vous auriez vécu une souffrance pire que celle que vous vivez actuellement, et votre âme serait restée prisonnière de la noirceur durant de longues décennies avant de pouvoir se réincarner. Dites-vous bien que les voix que vous entendez dans votre tête ne vous avertiront jamais de ce qui vous attend, si vous passez à l'acte.

— Ce que tu me dis n'est pas très rrrréjouissant, soupira Gilbert Voyer.

— Un rapprochement avec notre Source ne peut s'accomplir sans une compréhension du monde de la pensée.

— Ce que tu dis me paraît complexe…

— Ça peut paraître complexe, mais c'est d'une simplicité inouïe. Pour atteindre un certain degré de tranquillité à l'intérieur de vous, il suffit de ne plus vous laisser ébranler émotionnellement par des pensées négatives. Répétez-vous souvent qu'il n'y a pas de plus grande satisfaction que l'exploration de son propre Univers, et ressentez la force qui vous habite. Si les hommes se sont retrouvés si bas dans l'échelle universelle, c'est parce qu'on leur a fait croire qu'ils n'avaient plus de lumière en eux. C'est la raison pour laquelle ils ont perdu contact avec leur Source.

Sy commençait à trouver que Philippe mettait du temps à revenir et partit à sa recherche. Elle demanda à Élie s'il savait où il était. Il lui répondit qu'il était en discussion avec le monsieur des chaises.

— Où ça ?

— Juste là, dit-il, les pointant du doigt.

Elle s'avança vers eux d'un pas saccadé.

— Excuse-moi de te déranger PeP, mais nous avons besoin de toi à la caisse !

— Laisse-moi cinq minutes encore…

— D'accord, dit-elle, tournant les talons.

« C'est toujours pareil avec lui. Dès qu'il se met à parler avec des gens, il oublie tout le reste. »

— Excusez-moi, je dois y aller, Monsieur Voyer, dit Philippe, soulevant les épaules.

— Jamais personne n'avait pris le temps de me parler comme tu l'as fait. Je te suis rrrreconnaissant pour cela.

***

Madame Lu Chan se présenta chez les Prince à 19 heures pile et attendit sa fille sans descendre de sa voiture.

— Qu'est-ce que tu as l'intention de faire de ta soirée ? demanda Philippe, pendant que Sy entassait ses affaires dans son sac à dos.

— Je vais prendre un bain et lire un peu. J'ai un livre à terminer… Tu n'as pas oublié notre sortie de mercredi, j'espère.

— Heu… j'avais oublié, mais là, tu viens de me le rappeler.

Philippe transporta le sac à dos de Sy et le déposa sur le siège arrière. Il en profita pour saluer Madame Lu Chan pendant que Sy s'asseyait dans la voiture. Après leur départ, il se dit que ce serait une bonne idée de ramasser son matériel de camping et de le ranger dans le placard de cèdre. Tout alla bien jusqu'à ce que Jessianne sorte dans le jardin et pique une colère.

— Tu aurais pu m'avertir quand même !

— Qu'est-ce qui te prend ?

— Je ne croyais pas que tu démonterais la tente si vite ! tonna-t-elle.

— Je regrette, mais c'est trop tard. Tu n'avais qu'à le dire avant si tu voulais la garder plus longtemps, rétorqua Philippe.

— J'aurais eu au moins un endroit pour discuter avec David.

— D'abord, tu ne sais même pas quand tu le verras, ensuite, il y a beaucoup d'autres endroits où tu peux discuter avec lui. Enlève tes pieds sur la toile, s'il te plaît…

— Espèce de contrôleur ! maugréa-t-elle avant de retourner dans la maison.

***

Philippe sortit son vélo du garage à l'insu de Jessianne et s'en alla à la maison des jeunes en profitant de ce moment de solitude pour regarder sa vie. À son arrivée, Jeanno était assis à la table de jardin près de la haie de cèdres.

— Salut PeP ! cria-t-il.

Philippe appuya son vélo contre l'immense érable qui ornait la façade de la maison et alla le rejoindre.

— Ça fait longtemps que tu es là ? demanda-t-il, s'asseyant face à lui.

— Environ vingt minutes.

Philippe se dit que ce n'était pas un hasard s'ils se trouvaient seuls ce soir-là.

— Comment ça va ?

— Tu veux dire, comment ça va avec la mari ?

— Oui.

— La bonne nouvelle, c'est que je n'y ai pas retouché depuis que nous en avons parlé ensemble. La mauvaise, c'est que mon père n'est plus seulement un mécanicien, mais un détective qui vérifie mes moindres gestes.

— C'est normal. Il s'inquiète pour toi. Il doit avoir peur que tu expérimentes des drogues encore plus fortes. Entre nous, il est beaucoup mieux d'avoir un père attentionné, qu'un père indifférent.

— Je déteste tellement me sentir surveillé, surtout par mon père.

— C'est le révolté en toi qui parle, dit Philippe. De toute manière, les drogues paralysent la volonté de ceux qui en deviennent des adeptes, alors je trouve qu'il n'a pas tort de veiller sur toi.

— À mon avis, il n'existe aucun danger à consommer de la marijuana. D'ailleurs, je trouve que c'est une excellente façon de connaître un moment de répit dans ce monde de merde !

— En parlant de cette façon, tu nourris des pensées qui te poussent à entrer en contradiction avec toi-même.

— Tu as raison, dit Jeanno qui agitait nerveusement son pied sous la table.

— Lorsqu'on est bien dans sa peau, on trouve toujours de la beauté chez les autres. Le problème avec les gens, c'est qu'ils s'imaginent que ce sont les grands événements de leurs vies qui sont les plus importants, alors que la sérénité se trouve dans les choses les plus simples. Ils n'ont pas encore compris qu'un geste qui vient du cœur vaut mille mots. N'oublie pas que c'est maintenant que tu prépares ton avenir. Il se peut que le jour où tu seras père, tes enfants agissent avec toi de la même façon que tu le fais en ce moment avec ton père.

La journée avait été épuisante à la liquidation, et le banc de la table leur sembla tout à coup très inconfortable.

— C'est curieux qu'il n'y ait personne de l'équipe ce soir, commenta Philippe.

— Je crois que Yann, Jonathan et Élie allaient voir un film... J'imagine que les autres étaient trop fatigués pour sortir.

La soirée était calme et suave. Seul le bruit de la porte se refermant au gré du va-et-vient des ados troublait l'obscurité. Philippe et Jeanno se mirent à bâiller chacun leur tour et décidèrent qu'il était temps d'aller dormir.

21
Le souper rencontre

— Il était temps que je revienne ! s'exclama Madame Bibi lorsqu'elle aperçut la montagne de linge dans la salle de lavage le lundi matin.

En plus de la lessive de la maisonnée, il y avait aussi celle de l'hôpital qui s'était accumulée durant son absence. Madame Bibi commença donc par séparer le blanc du foncé, mit les vêtements délicats à part et empila sur le plancher des monticules de serviettes, de draps, de chemises et de bas. Elle s'arrêta un instant pour aller ouvrir la radio, car elle avait l'habitude d'écouter une émission de ligne ouverte tous les matins. Les commentaires diffusés sur les ondes lui fournissaient de bons sujets de discussion le soir autour de la table.

Madame Bibi portait toujours des robes amples, parce qu'elle aimait se sentir libre de ses mouvements. En fait, elle s'en était confectionné cinq du même style, mais de couleurs différentes. Ce jour-là, elle portait sa jaune maïs.

— Bonjour Bibi, dit Jessianne, heureuse de te revoir après ce long congé.

— Vous en avez sali du linge pendant mon absence, souffla-t-elle.

— Rien n'est comme à l'habitude lorsque tu n'es pas là, Bibi...

Intimidée par la remarque de Jessianne, elle avoua que ça l'avait rendue nostalgique de rester plusieurs jours consécutifs sans voir personne.

— Tu n'as pas de parents qui vont te visiter ?

— J'ai bien une voisine qui vient me voir quand elle manque de sucre ou de lait. Mais à part cela, je n'ai personne.

— Au moins, ici, tu as une famille.

Elle remonta ses lunettes sur son nez et positionna le bouton de la laveuse au cycle délicat.

— J'ai pris soin de toi et de ton frère comme si vous étiez mes propres enfants, dit-elle, mélancoliquement. Je ne regrette rien.

— Je sais Bibi…

Jessianne s'approcha d'elle et lui entoura la taille de ses deux petits bras délicats.

— Tu es comme notre deuxième maman Bibi, dit-elle, la regardant dans les yeux.

Isabelle avait convenu une entente avec sa fille pour la durée des vacances. Celle-ci devait s'occuper du nettoyage de la *chatterie* et du chenil en échange d'un salaire hebdomadaire de cinquante dollars. Après avoir déjeuné, Jessianne monta à l'étage s'habiller et traversa à l'hôpital.

Dans la salle d'attente, un Yorkshire terrier jappait à tout rompre au bout de sa laisse, tandis qu'un énorme chat persan blanc le regardait d'un mauvais œil à travers le grillage de sa cage.

— Est-ce que je peux avoir mon argent ? murmura-t-elle à l'oreille d'Isabelle pour ne pas être entendue des gens dans la salle d'attente.

— Jessianne, ton salaire, c'est le vendredi que tu es supposée le recevoir, pas le lundi.

— C'est que j'ai besoin d'une avance pour m'acheter quelques articles à la pharmacie.

— Qu'est-ce qu'il te manque ?

— De la teinture pour les cheveux et de la cire pour épiler mes jambes.

Isabelle eut toute une surprise en entendant sa fille.

— Pourquoi veux-tu changer la couleur de tes cheveux ?

— J'ai besoin d'une transformation. C'est tout.

Le clignotant rouge de la console téléphonique rappela à Isabelle qu'elle avait laissé une cliente en attente.

— Nous en reparlerons plus tard, trésor…

— Maman, je veux mes cinquante dollars, insista-t-elle.

Isabelle décrocha le récepteur et lui indiqua de ne plus la déranger. Jessianne ne se découragea pas pour autant et alla du côté de Frédéric, qu'elle trouva dans la salle préopératoire.

— Tu es déjà rentrée au travail, lui dit-il.

— Papa, est-ce que tu peux me remettre mon salaire de la semaine ?

— Demande à ta mère, dit Frédéric, concentré sur une radiographie.

— Elle est au téléphone…

Frédéric fouilla dans les poches de son pantalon pour voir ce qu'il avait sur lui et sortit deux billets de dix dollars qu'il lui remit.

— Ce n'est pas suffisant, s'opposa-t-elle.

— C'est tout ce que j'ai sur moi.

— D'accord… Je vais m'en contenter, soupira-t-elle.

Elle embrassa Frédéric et se dépêcha de sortir par la porte du chenil, à l'arrière de l'hôpital, pour ne pas être vue d'Isabelle. Puis elle enfourcha son vélo de montagne et fila vers la pharmacie.

— SAINTE MISÈRE ! s'écria Madame Bibi, lorsque Jessianne revint à la maison à la fin de la journée. Qu'as-tu fait à tes cheveux ?

— Quoi ! Ils ne sont pas beaux ?

— Ces couleurs sont un peu exagérées…

— C'est ma nouvelle amie qui les a teints de cette façon. Elle dit que c'est très tendance d'avoir plusieurs couleurs dans les cheveux.

— Je me demande ce que vont dire tes parents lorsqu'ils vont te voir dans cet accoutrement ! Est-ce qu'ils savent que tu as une nouvelle amie ?

— Non… Je l'ai connue la semaine dernière à la piscine municipale. C'est elle qui m'a suggéré ce changement. Elle m'a dit : « Tu vas te sentir transformée après. » Elle avait raison. C'est comme ça que je me sens.

Madame Bibi leva les yeux au-dessus de ses lunettes en guise de désespoir, pendant que Jessianne se dépêcha d'attraper Jade sur le comptoir de la cuisine avant qu'elle pique une colère.

— Toi, est-ce que tu les aimes mes cheveux ? demanda-t-elle à la chatte.

En guise de réponse, la chatte se donna un élan et atterrit sur le plancher, puis elle disparut dans le séjour.

Comme c'était la soirée du souper rencontre, Philippe confia à Dan le soin de préparer le rapport de la journée et quitta la boutique une heure avant la fermeture. Une agréable brise s'était levée pendant l'après-midi et il trouva très agréable de retourner à la maison en vélo. Il pédala d'un bon rythme en s'emplissant les poumons de l'odeur de l'herbe fraîchement coupée dans les vergers le long du Chemin de la Montagne.

Il entra par la véranda et se dirigea tout droit vers l'escalier menant à l'étage. Madame Bibi qui était occupée à plier du linge dans la salle de lavage le vit passer à la sauvette.

— Roxanne a laissé un message pour toi; elle a dit qu'elle viendrait te chercher à 18 heures.

— Oui… D'accord.

— Tiens, prends une serviette propre, dit-elle. Je n'ai pas eu le temps de les ranger dans la lingerie.

— Tu es vraiment irremplaçable…

Il y avait de ces jours où Madame Bibi avait besoin de se sentir appréciée, et c'était un de ceux-là. Un sourire illumina son visage.

Philippe referma la porte de sa mansarde et se débarrassa de ses vêtements imprégnés de sueur qu'il lança sur une chaise. Il s'enveloppa ensuite dans son peignoir et s'étendit sur son lit quelques instants pour se détendre.

« Je me demande pourquoi j'accepte les invitations de Roxanne. Je risque de m'attirer des jugements encore une fois… »

Une réponse suivit sa réflexion.

« Rappelle-toi que ceux et celles qui viendront vers toi auront toujours la liberté d'utiliser la science de l'Esprit dont tu es porteur pour améliorer leur vie. Tu t'es fait chair pour partager cette science avec les hommes de la Terre, non pour faire front à la somme de toutes les peurs dont ils sont affligés. »

« Ça, c'est une réponse de mon ajusteur de la pensée ! » se dit-il. « Je serais mieux de prendre ma douche si je ne veux pas être en retard. »

— Est-ce que je peux te parler ? demanda Jessianne, le visage collé contre la porte.

— Oui… Entre…

Elle appuya sa main sur la poignée, mais hésita à la tourner. Philippe trouva cela curieux et alla lui ouvrir.

— Waoooh… ! Tu en as fait tout un changement à tes cheveux, s'exclama-t-il.

— Qu'est-ce que tu en dis ?

— Heu… disons que le rouge et l'orangé ne sont pas mes couleurs de cheveux préférées, avoua Philippe qui s'empara de sa serviette sur son lit.

— Dis-moi franchement, comment me trouves-tu ?

— Personnellement, je dirais que ces couleurs sont parfaites pour les plumes des perroquets, mais pour toi, ça ne convient pas tellement.

— J'aurais dû me douter que tu me dirais des conneries au lieu de me dire des choses intelligentes !

— Je ne suis pas convaincu que ton nouveau look impressionne David, dit Philippe, espérant lui faire entendre raison avec sa tactique.

Jessianne fronça les sourcils.

— Je ne t'ai pas demandé de te mêler de ma vie privée, je t'ai demandé ton avis !

— Nous en reparlerons demain. Tu es trop émotive…

Philippe fonça vers la salle de bains, car il lui restait très peu de temps pour se préparer.

— Tu aurais pu au moins te forcer pour me donner une opinion *constructive*, s'écria-t-elle avant de retourner se terrer dans sa chambre.

Lorsque Madame Bibi vit la Volkswagen de Roxanne s'immobiliser devant la maison, elle courut vers l'escalier.

— Elle est arrivée, cria-t-elle.

Comme le placard de Philippe ne contenait pas une grande variété de vêtements chics, il n'eut d'autre choix que de remettre ceux qu'il avait portés à l'assemblée. Il ne manquait plus que ses souliers. Il les trouva sous son lit et les emporta avec lui.

Roxanne discutait avec Isabelle lorsqu'il sortit de la maison pieds nus avec ses chaussures à la main.

— Tu as oublié de mettre des chaussettes, dit Isabelle.

— Je n'en ai pas trouvé dans mes tiroirs. Bibi n'a pas terminé le lavage.

— Monte, indiqua Roxanne en tournant la clé dans le démarreur. Je préfère partir avant que vous vous lanciez dans un débat aussi élémentaire que les chaussettes.

— Pourrais-tu rabattre ton toit ?

— On dirait que tu prends goût à ma décapotable.

— C'est l'effet du vent sur ma peau que je trouve agréable.

Isabelle demanda à Roxanne de ne pas ramener son *indigo de fils* trop tard à la maison, et les regarda s'éloigner pensivement.

— Tu ne m'as pas encore dit où nous allons.

— Nous allons à Dorval, pas très loin de l'aéroport.

— J'aurais dû souper avant de partir.

— Je te promets que tu ne seras pas déçu.

Philippe essaya en vain de convaincre Roxanne afin qu'elle s'arrête *Chez Ben*, car il voulait commander un hot-dog au chou et le manger durant le trajet. Celle-ci refusa catégoriquement; il dut donc se résigner à attendre.

— Tu te rappelles ce dont nous avons parlé à la rôtisserie la semaine dernière…

— À propos de ton ex-amoureux ?

— Oui…

— Eh bien… le lendemain, je me suis rendue à son bureau et je lui ai déclaré qu'il était l'homme de ma vie.

— Tu as fait ça !

— Oui… Et nous avons recommencé à nous voir depuis ce temps.

— Bravo ! s'exclama-t-il. Tu vois combien il est important d'écouter son cœur au lieu de se laisser influencer par nos pensées.

— Je t'assure que ce jour-là, aucune pensée n'aurait pu me faire reculer. Tout ce que je voulais, c'était revoir Jean-Luc.

— Et le projet de l'enfant…

— Pour l'instant, il est sur la glace.

Roxanne s'engagea dans la bretelle d'accès menant à l'autoroute en tenant le volant à deux mains.

— Tu ne m'as pas dit combien il y aura de personnes à ton souper.

— D'abord, ce n'est pas *mon souper*. Et ensuite, je ne sais pas combien nous serons, répondit Roxanne qui accéléra bien au-delà de la vitesse permise.

Trois quarts d'heure plus tard, sur le stationnement du restaurant…

— Est-ce que tu viens souvent à Dorval ?

— Les seules fois où je viens à Dorval, c'est pour prendre l'avion. Robert m'a suggéré ce restaurant pour respecter les critères que t'impose ton guide alimentaire, dit-elle pour le taquiner.

— Est-ce que tu peux me faire une description de Robert Bastien ?

— Il est dans la cinquantaine, pas très grand; il a le visage mince, les joues creuses et les cheveux sel et poivre. Ses vêtements sont si démodés que je me demande s'ils ne datent pas des années quatre-vingt.

Les périodes de canicule étant souvent accompagnées d'orages violents, Roxanne remonta son toit pour éviter que sa voiture soit abîmée par la fureur de Dame Nature.

Une élégante hôtesse les accueillit dans le hall du restaurant.

— Est-ce que vous avez une réservation, madame?

— Oui, au nom de Robert Bastien.

— Monsieur Bastien est déjà arrivé. Suivez-moi, je vous prie.

Ils la suivirent jusqu'à un petit salon intime.

— Une serveuse viendra prendre vos commandes dans quelques instants, dit courtoisement l'hôtesse.

— Merci, répondit Roxanne.

Robert se leva pour saluer ses invités.

— Je suis heureux de vous revoir, dit-il, tendant la main à Philippe.

Philippe le scruta du regard sans rien dire. Intimidé, celui-ci reprit sa place pendant que Roxanne et Philippe s'assoyaient à leur tour.

— Je vous présente Barbara, Jean-François et Louis, ajouta-t-il.

— Salut, dit Philippe.

— Bonsoir, répondirent-ils.

Philippe fit une observation rapide de leur personnalité : Jean-François était le plus analyste des trois; Barbara possédait une belle ouverture, mais gardait le pied appuyé sur le frein; Louis manquait d'assurance malgré son apparente détermination.

— Est-ce que tu me permets de te prendre en photo ? demanda Barbara.

— Si vous y tenez, madame.

Une serveuse entra dans le petit salon avec son calepin à la main.

— Est-ce que je fais des factures séparées ? dit-elle, les regardant à tour de rôle.

— Nous serons deux sur la mienne, dit Roxanne.

— Alors je commencerai par vous…

Roxanne y alla d'une salade Teriyaki, accompagnée d'un verre de vin blanc, tandis que Philippe fixa son choix sur les languettes de poulet et une boisson gazeuse. La serveuse continua de prendre les commandes de tous ses clients et remit son calepin dans la poche de son pantalon.

— N'oubliez pas le miel, demanda Philippe, avant qu'elle retourne vers la cuisine.

Elle hocha la tête en guise de réponse.

— Robert nous a beaucoup parlé de toi cette semaine au bureau ! lança Barbara. Il dit que ton langage est assez inhabituel.

Celui-ci parut contrarié par cette déclaration qu'il jugeait exagérée.

— Je ne réalise pas toujours quelle est la répercussion de ce que je dis sur mon environnement. Je sais seulement que mon langage éveille les gens dans la mesure où ils sont prêts à se départir de leurs croyances du passé.

Barbara, Jean-François, Louis et Robert avaient fait l'acquisition d'une résidence sur une rue achalandée de Dorval qu'ils avaient transformée en clinique de consultations. Louis représentait le plus jeune d'entre eux, avec ses trente-quatre ans bien comptés, alors que les autres avaient atteint la quarantaine.

Même s'ils avaient été avertis que Philippe était d'une originalité exceptionnelle, Barbara, Jean-François et Louis furent tout de même étonnés par la maturité dont il faisait preuve.

Barbara fut la première à s'adresser à lui.

— Tu dis que nous devons nous départir de nos croyances du passé. De quelles croyances fais-tu allusion ?

— Le grand problème des gens est d'ignorer ce qu'est leur véritable constitution.

— J'avoue que je suis un peu sceptique quant à cette affirmation, dit Jean-François.

— Vous savez monsieur, il vaut mieux faire des petits pas dans la bonne direction, que de grandes enjambées qui ne mènent nulle part, précisa Philippe.

Il se dit qu'il avait bien cerné Jean-François; il était de ceux qui ne ratent jamais une occasion d'analyser les autres dans tous les sens du mot.

— Continue, dit-il.

— L'humanité s'en va à contresens depuis des siècles, parce qu'elle est ignorante des lois qui gouvernent sa planète.

— Sur quoi te bases-tu pour affirmer cela ? demanda Jean-François.

— Je n'ai aucune preuve tangible de ce que j'avance. Votre seule assurance est de vérifier à partir de vous-même si mes paroles ont du sens ou non.

— Excuse-moi, mais avec tous les livres qui existent sur le marché, et toute l'information à laquelle on peut accéder avec Internet, je ne vois pas pourquoi je me fierais à ta parole, répliqua-t-il.

Cette remarque n'arrêta pas Philippe pour autant.

— Un des grands mensonges à démystifier est celui de la pensée. Rappelez-vous ce qui est arrivé à Ève après qu'elle eût croqué une pomme cueillie dans l'arbre de la connaissance… Vous trouvez peut-être cet exemple rocambolesque, mais si les êtres humains se sont mis à croire un jour qu'ils étaient les penseurs de leurs pensées, il a bien fallu que cet épisode de leur histoire débute quelque part.

— Tu es en train de dire qu'avant Ève, la race humaine ne pensait pas ! s'exclama Louis.

— Laissez-moi vous raconter ma version de ce qui est arrivé aux habitants de cette planète. Après le passage de certaines civilisations plus avancées du point de vue de l'atome, l'ego de l'être humain s'est fortifié à un point tel qu'il a fini par prendre toute la place en lui. Cette situation a fait en sorte que le contact qu'il entretenait avec sa Source s'est estompé pour disparaître complètement. C'est la raison pour laquelle le lien entre les êtres humains et leur Source est pratiquement inexistant. Et le pire est que cette coupure est la cause d'une bonne partie des problèmes personnels et des problèmes de société qu'ils doivent affronter aujourd'hui.

La serveuse entra dans le salon avec des assiettes et les déposa devant Roxanne et Philippe.

— Avez-vous oublié le miel ? demanda Philippe.

— Oui… Excuse-moi.

Elle revint quelques minutes plus tard avec d'autres assiettes et le miel.

— Qui t'enseigne toutes ces choses ? demanda Louis.

— Je n'ai pas besoin de suivre des enseignements pour parler, dit-il, trempant sa languette de poulet dans le miel.

Une indéfinissable ambiance flottait dans le petit salon au moment où la serveuse se présenta pour prendre la commande des desserts. Après s'être rendu compte du regard de Philippe posé sur elle, celle-ci devint nerveuse et laissa tomber son plateau vide sans raison apparente. Comme il était tombé juste à côté de Philippe, il se pencha en même temps qu'elle pour le ramasser et leurs yeux se croisèrent.

— Ton regard me donne la chair de poule, murmura-t-elle, accroupie devant lui. Je ne sais pas ce qui m'arrive. Je ressens un déchirement à l'intérieur de moi depuis ton arrivée ici.

Il lui tendit son plateau et se redressa.

— Vous avez vécu plusieurs déceptions amoureuses depuis les cinq dernières années, je crois.

Les yeux noisette de la serveuse s'attristèrent. Il était exact qu'elle cherchait désespérément à refaire sa vie, mais les rencontres qu'elle faisait aboutissaient inévitablement sur des aventures sans lendemain.

— Oui… répondit-elle, soutenant son regard.

Philippe remarqua qu'une épinglette sur sa blouse mentionnait son prénom.

— C'est votre peur de déplaire qui vous empêche de prendre position Marise.

— Jamais personne ne m'avait parlé de cette façon avant aujourd'hui, murmura-t-elle fébrilement.

— Cessez de regarder à l'extérieur de vous.

Elle souleva les sourcils.

— Ce ne sont pas les hommes que vous rencontrez qui sont la cause de votre mal de vivre. Ce sont les pensées que vous recevez à leur égard qui grugent votre énergie.

— Excuse-moi, coupa-t-elle, gênée de la tournure que prenait la conversation. J'ai des clients qui attendent d'être servis dans ma section. Alors, j'aimerais connaître votre choix de dessert.

Elle se dépêcha d'en finir avec les commandes et quitta le petit salon, une main sur le plexus.

— Comment fais-tu pour entrer à l'intérieur des gens en étant si sûr de toi ? demanda Louis.

— Si vous êtes impressionné par mon assurance, c'est parce que vous en manquez, sinon vous ne m'en auriez pas fait la remarque.

Il y eut un silence.

— En ce moment, je sais que vous vous demandez s'il est convenable d'accorder de la crédibilité à ce que dit un ado de treize ans.

Les sourires s'estompèrent.

— Je ne sais pas si l'expression ado est appropriée dans ton cas, commenta Barbara. Je te donnerais facilement dix-huit ou vingt ans.

— Si nous revenions au sujet qui nous intéresse, interpella Louis. J'aimerais que tu parles encore de notre contact avec la Source.

— Eh bien, tout d'abord, je vous dirais que ce qui permet d'éveiller votre feu intérieur, et celui de ceux à qui vous vous adressez, est l'utilisation des mots vivants. C'est la façon de reprendre peu à peu contact avec votre Source afin qu'Elle puisse s'exprimer à travers vous.

— Comment sait-on si l'on utilise des mots vivants lorsqu'on parle ? demanda sarcastiquement Jean-François.

— Vous n'avez qu'à écouter les intellectuels lorsque leur ego se laisse impressionner par leur vocabulaire pour comprendre ce que je veux dire.

— Es-tu en train de dire que les intellectuels sont des imbéciles ? rétorqua Jean-François.

— Pas du tout, monsieur… J'essaie simplement de vous dire que nous ne pouvons transmettre le feu de la vie autour de nous lorsque nous utilisons des mots sans résonances vibratoires.

— Je ne l'avais jamais envisagé de cette façon, signala Barbara. On dirait vraiment que tu sors d'un autre monde.

Robert avait versé distraitement quatre cuillérées de sucre dans son café et fit une grimace en buvant sa première gorgée.

— Si je m'empêchais de vous dévoiler certains secrets de votre constitution, cela signifierait que la Terre n'est plus ma place, affirma Philippe.

— Pour en revenir aux intellectuels, dit Jean-François, que voulais-tu insinuer en parlant de leur ego ?

— L'ego d'un homme est capable de s'emparer des connaissances qu'il a acquises et de s'en gonfler d'orgueil. C'est la raison pour laquelle il arrive que certains grands intellectuels dans nos sociétés démontrent des attitudes dans leurs comportements. Que voulez-vous ? Quand nous cédons trop de place à notre ego, il en profite pour se valoriser aux yeux des autres ego. Et la scène se répète à l'infini.

— Qu'est-ce qu'on peut faire pour le calmer ? demanda Barbara.

— Adressez-vous à lui comme vous vous adresseriez à une autre personne.

— Elle est bonne celle-là ! s'exclama Jean-François. A-t-on déjà vu quelqu'un s'adresser à son ego ?

— Oui, moi. Je le fais régulièrement, affirma Philippe.

Robert oublia qu'il avait un surplus de sucre dans son café et y alla d'une autre bonne gorgée.

— Le plus gros défaut de l'ego est de vouloir s'emparer de tout, poursuivit Philippe. Il aime se faire valoriser par son entourage ou tout simplement se glorifier lui-même. Regardez-le agir lorsque vous traversez une épreuve ou subissez une perte; il gémit et se lamente au monde entier. Regardez-le agir lorsque vous entrez dans la maison de votre voisin; il cible instantanément ce que celui-ci a de plus que vous. Regardez-le agir lorsque vous conversez avec les autres et vous verrez combien il se démène pour avoir raison à tout prix. Bref, il ne manque aucune occasion de se faire voir.

— Ce que tu dis a du sens, approuva Roxanne. J'ai remarqué que lorsque je traite un patient qui a de l'humilité et qui est capable d'écoute, j'obtiens beaucoup plus de résultat qu'avec celui qui croit tout savoir et tout connaître.

La serveuse entra dans le petit salon avec les desserts. Elle commença par servir Roxanne et Philippe en déposant devant chacun d'eux un beau gros morceau de gâteau au chocolat.

— On dirait que sa portion est plus grosse que la mienne, plaisanta Roxanne.

— C'est parce qu'il le mérite, dit la serveuse, un sourire en coin.

Elle continua son service en écoutant avec intérêt la discussion autour de la table. Une phrase de Philippe attira particulièrement son attention. En retournant à la cuisine, elle se la répéta mentalement :

« C'est votre ego qui s'oppose à ce que vous alliez au bout de vos rêves, pas vous… Cela arrive parce que vous le laissez s'emparer de vos pensées négatives, ce qui lui permet d'alimenter vos peurs et vos faiblesses… »

Pendant qu'ils dégustaient leur dessert, Barbara fit un commentaire.

— Avec ce que j'ai entendu ce soir sur l'ego, je me demande s'il est utile d'en avoir un ?

Cette réflexion fit sourire tout le monde.

— Ce que vous devez savoir de votre ego, répondit Philippe, c'est qu'il est relié à votre Petit moi : cette partie de vous qui sert à vous distinguer des autres. Il est votre « Je pense, donc je suis ». Mais viendra un jour où les hommes se raccorderont à leur Grand moi. Et ce jour-là, nous ne parlerons plus le même langage, car le Grand moi est la représentation intégrale d'une personne unifiée à sa Source.

— Commençons par décoder le Petit moi si tu veux bien, insista Barbara.

— Le Petit moi est facile à reconnaître. Remarquez où vous vous sentez limités, et vous le verrez apparaître. Rassemblez ce que vous avez appris de zéro à sept ans, et vous découvrirez de quoi est constitué votre Petit moi.

— Est-il possible d'accéder au Grand moi dans notre vie actuelle, s'informa Roxanne, ou s'il vaut mieux ne pas croire au miracle ?

— C'est possible, reprit Philippe, avec hésitation. Mais il y a un prix à payer pour y arriver.

— Lequel ? demanda-t-elle.

— Le Grand moi est enfoui sous un amas de décombres au plus profond de vous-mêmes. Pour le libérer, ça prend de la détermination et une fouille archéologique à travers vos mémoires cellulaires. C'est la seule façon de lui rendre sa liberté, sinon, vous continuerez d'évoluer au niveau de votre Petit moi : c'est-à-dire dans l'immaturité de votre ego. Sachez qu'un être qui a renoué avec sa Source est un être qui fonctionne selon un processus de vie tout à fait personnel à lui-même.

Il y eut un long silence autour de la table.

— Pourquoi dis-tu que si nous rassemblons ce que nous avons appris de zéro à sept ans, nous découvrirons qui est le Petit moi ? demanda tout à coup Barbara.

— Parce que le Petit moi se bâtit une fondation en béton armé à partir de ce qu'il apprend durant cette période marquante de votre vie.

— Petit moi… Grand moi… Il faudrait vérifier auprès de ceux qui font avancer les sciences humaines si tout ceci a du sens, commenta sèchement Jean-François.

Philippe but une gorgée d'eau et continua de s'expliquer.

— Votre plus grande erreur est de trop regarder à l'extérieur de vous-mêmes pour comprendre vos vies. Saviez-vous que la première mémoire à avoir été insérée dans vos cellules est la mémoire du mystère ? Et que cela a été voulu ainsi ?

— Et pourquoi donc ? demanda Jean-François.

— Pour vous faire oublier votre grandeur et la force extraordinaire qui sommeille en vous.

— Que peut-on faire alors ? demanda Barbara.

— Première chose : vous sentir bien avec vous-mêmes. Deuxième chose : ne pas laisser de pensées négatives vous dominer et vous rendre la vie insupportable.

— Et qu'advient-il de nos sentiments ? répliqua Jean-François.

Philippe porta à sa bouche la dernière bouchée de son gâteau au chocolat avant de répondre.

— Le malheur de la civilisation actuelle est de confondre le Principe de l'Amour avec les émotions et les sentiments.

— Va plus loin, insista Roxanne.

— L'amour vécu actuellement sur Terre est un amour abstrait. Il ne ressemble en rien au Principe de l'Amour faisant partie des grands Principes Cosmiques. Il a été réduit à de la possession, de l'appartenance et de la domination. C'est pour cette raison que les gens souffrent dans l'amour au lieu de vivre sa plénitude.

— Je suis obligée d'admettre que ton raisonnement a un certain sens, avoua Barbara. Comment expliques-tu les sentiments que nous vivons?

— Les sentiments sont des traces laissées par les chocs émotionnels que subissent les êtres humains et qui finissent par se loger en permanence dans leurs cellules.

Louis se gratta pensivement la nuque.

— Pourquoi croyez-vous que les femmes se font jouer aussi facilement par leurs émotions ? lança Philippe à son auditoire.

Personne n'osa avancer une réponse.

— La raison est bien simple, poursuivit-il. Si l'ego d'une femme s'affole souvent pour des riens, c'est parce qu'elle est un être extrêmement sensible à son intuition.

— J'ai toujours pensé que les femmes vivaient de la frustration, parce qu'elles étaient trop sentimentales, lança Robert Bastien.

Roxanne et Barbara lui jetèrent un regard désapprobateur.

— Je vais vous dire une chose qui va vous surprendre, poursuivit Philippe. Chez certains peuples de l'espace, les femmes confient les nouveaux-nés à des spécialistes en éducation qui les élèvent et les instruisent jusqu'à ce qu'ils atteignent un degré de maturité élevé. Sur Terre, cela serait considéré absurde, mais pour ces femmes, ce processus est tout à fait naturel et sain. Si je vous ai raconté cette anecdote, c'est pour vous faire réaliser jusqu'à quel point le sentiment maternel est fort chez les femmes. Et ceci n'est qu'un exemple parmi bien d'autres.

Philippe s'arrêta et but une gorgée d'eau.

— Quel message pourrais-tu nous livrer avant de terminer la soirée, demanda Roxanne après avoir jeté un coup d'œil à sa montre.

— Répétez-vous très souvent que votre énergie est le bien le plus précieux que vous possédiez. Donc, vérifiez régulièrement s'il n'y a pas de fuites dans votre personne par lesquelles elle peut s'échapper, afin d'éviter qu'elle ne devienne la nourriture par excellence de certains ego autour de vous. Et surtout, ne cherchez jamais votre ennemi ailleurs qu'à l'intérieur de vous, car c'est là qu'il se trouve jusqu'au jour où vous le débusquerez.

— Merci pour cette belle soirée Philippe, dit Barbara. J'espère que nous aurons le plaisir de nous revoir bientôt…

Vers 23 heures, dans l'entrée des Prince…

— J'ai passé une très belle soirée, dit Roxanne avant que Philippe descende de sa voiture. Je tiens à ce que tu saches que ton âge m'importe peu. J'ai cessé de me préoccuper de ce détail. À mes yeux, tu représentes une personne exceptionnelle et c'est tout ce qui compte.

Le regard perçant de Philippe traversa Roxanne jusqu'au plus profond d'elle-même. Elle ressentit un vertige l'envahir de la tête aux pieds.

— Tu sais Roxanne, ça prenait une femme d'exception pour me convaincre de parler à des inconnus comme je l'ai fait, dit-il, refermant la portière.

— Salue Isabelle pour moi.

— Je n'y manquerai pas.

Philippe longea le trottoir jusqu'à la véranda et fut accueilli par Maya qui l'attendait de l'autre côté de la porte-moustiquaire, la queue branlante.

— Pousse-toi un peu que j'entre.

La maison était plongée dans l'obscurité. Seule une faible lueur éclairait la cuisine. Par la tranquillité qui régnait au rez-de-chaussée, Philippe devina que tout le monde était déjà au lit.

Maya s'approcha du placard où se trouvait sa nourriture et geignit.

— Quoi... tu n'as pas mangé !

Elle continua de se lamenter jusqu'à ce que Philippe se décide enfin à sortir son sac de croquettes. Il se rappela qu'il avait complètement oublié de la nourrir avant de partir, et Jessianne ne semblait pas s'être préoccupée de le faire non plus.

— Pauvre Maya, excuse-moi...

Il eut à peine le temps de remplir son bol qu'elle était déjà dedans tête première et s'empiffrait de croquettes.

« J'ai faim moi aussi... »

Il ouvrit la porte du frigo et souleva les couvercles des contenants à réfrigération pour trouver quelque chose à se mettre sous la dent. Il y avait bien un potage aux poireaux, un reste de lasagne, du riz au poulet et un tas de légumes prêts à manger, mais rien pour lui faire monter l'eau à la bouche.

— Ça peut attendre à demain, décida-t-il.

Il sortit dans le jardin et alla s'asseoir sur une chaise longue pour contempler les étoiles. Un doux frisson lui parcourut le corps.

« Il faut absolument que j'aille passer une autre nuit sur le rocher ... », se dit-il.

***

Un violent orage réveilla Philippe le lendemain matin et l'obligea à fermer sa fenêtre en vitesse afin d'éviter que des gouttelettes se déposent sur l'écran de son ordinateur. Comme sa vessie était pleine, il se dépêcha d'aller à la salle de bains et trouva Jessianne en train de se brosser les dents.

— Peux-tu sortir un instant, demanda-t-il. Je ne peux pas attendre plus longtemps.

— D'accord, d'accord, dit-elle, les lèvres couvertes de pâte dentifrice.

Elle sortit et s'appuya contre le mur en continuant son brossage.

— Qu'est-ce que maman a dit quand elle a vu tes cheveux ? dit-il.

— Elle ne les a pas encore vus.

— Ne me dis pas que tu es restée enfermée toute la soirée dans ta chambre, commenta Philippe.

— Je me suis organisée avec Bibi pour qu'elle raconte à maman que j'avais soupé plus tôt qu'à l'habitude et que je m'étais retirée dans ma chambre pour lire un bon livre.

— Elle n'a donc pas encore vu tes cheveux…

— J'ai fait promettre à Bibi de ne rien lui dire.

— Et aujourd'hui, comment vas-tu faire pour éviter qu'elle te voie ?

— J'ai parlé à mon amie hier soir. Elle a dit qu'elle me ferait une nouvelle couleur cet après-midi.

Philippe s'aperçut qu'elle hésitait sur quelque chose.

— J'ai une faveur à te demander…

— Laquelle ?

— Est-ce que tu pourrais me prêter un peu d'argent ?

— Hummm… tu tombes mal. J'ai une sortie de prévue avec Sy demain.

— Et si je jure de te le rendre demain matin !

— D'accord, soupira Philippe. Mais dis-moi ce qui t'a fait changer d'idée pour ta couleur de cheveux ?

— C'est toi !

— Moi ?

— Oui, toi… Tu m'as dit que je ressemblais à un perroquet et que David n'aimerait pas cela.

Philippe trouva choquant de voir sa sœur se laisser si facilement influencer par son entourage, mais se retint tout de même de lui en parler. Il tourna les talons et alla dans sa mansarde chercher un vingt dollars dissimulé sous le clavier de son ordinateur.

— Tiens, dit-il, lui tendant le billet.

Elle le prit et le glissa dans la poche de son peignoir.

— Je te le rendrai demain matin sans faute, promit-elle.

Philippe ouvrit la porte de son placard, sortit son jean délavé et le lança sur son lit. Puis il enfila un tee-shirt affichant le logo :

« Hôpital Vétérinaire Montagnaise ».

« Je me demande pourquoi je ne le porte pas plus souvent. Après tout, c'est une bonne publicité», se dit-il.

Pendant qu'il glissait ses longues jambes dans son jean, l'horloge comtoise sonna neuf heures. Ceci lui rappela qu'il devait téléphoner à Dan pour organiser la journée. En voyant la pluie marteler le carreau de sa fenêtre, il se dit que le vélo ne lui serait pas d'une grande utilité pour se déplacer ce jour-là.

— Quelqu'un veut te parler, cria Madame Bibi du vestibule.

Philippe s'empressa d'aller décrocher le récepteur dans la chambre de ses parents.

— Bonjour PeP…

— Salut David ! Comment vas-tu ?

— Merveilleusement bien…

— Voilà de bonnes nouvelles.

— Je suis impatient de retourner travailler à la ferme. Quand aurez-vous besoin de moi ?

— Laisse-moi vérifier avec Sy. C'est elle qui doit préparer l'horaire de la semaine. Je te rappellerai pour te le dire.

— D'accord. Est-ce qu'on se voit ce soir à *La Tanière* ?

— Je ne sais pas si j'y serai. J'ai quelque chose de prévu…

— Je te souhaite une bonne journée, dit David.

— Bonne journée à toi aussi.

Philippe descendit dans le vestibule et enfila son imperméable. Puis il alla demander à sa mère de le conduire à la ferme pour onze heures. Elle accepta, malgré qu'elle soit débordée de travail.

***

— Où est ton lunch ? demanda Isabelle, avant de démarrer.

— Je l'ai oublié sur le comptoir de la cuisine. Attends-moi, je vais le chercher.

Il retourna sur ses pas et entendit la porte-moustiquaire se refermer.

— Tu as oublié ton sac, dit Madame Bibi qui venait vers lui.

Il le prit et la remercia.

— Est-ce que tu as pris une décision au sujet de ta fille ? demanda-t-il à brûle-pourpoint.

Les yeux de la femme s'emplirent de tristesse.

— Pas encore, répondit-elle.

— Elle est tellement belle… Vas-y… fonce Bibi. Tu ne le regretteras pas.

— J'en suis certaine, dit-elle, essayant de feindre son émotion.

— Tu en as mis du temps, chiala Dan lorsqu'il remonta à bord du

Mitsubishi.

— La patience n'est pas ta vertu prépondérante, dit Philippe.

Isabelle en profita pour demander à son fils s'il était satisfait de sa soirée avec Roxanne. Ce fut le sujet qui anima leur conversation durant le trajet jusqu'à la ferme.

Avant de descendre de la voiture, Philippe laissa sous-entendre à Isabelle qu'il irait peut-être dormir dans la montagne cette nuit-là.

— Tu ne peux pas dormir dehors dans cette humidité ! s'exclama-t-elle.

— Maman, cesse de t'inquiéter pour moi, d'accord ! Je ne suis plus un gamin.

Le ton autoritaire de Philippe laissa Isabelle perplexe. Elle reprit le chemin du retour en se demandant pourquoi il avait fallu que ce soit précisément sur elle que le phénomène de *l'enfant indigo* se jette.

— Je peux t'accompagner si tu vas passer la nuit à la montagne, dit Dan, pendant que Philippe déverrouillait le cadenas.

— Je ne suis sûr de rien.

— Nous n'avons jamais eu de secrets l'un pour l'autre. Tu peux me le dire si tu préfères y aller seul avec Sy. Je comprendrai.

— Ce n'est pas ça.

— Si ce n'est pas ça, alors c'est quoi !

— J'ai juste besoin d'être seul.

— Tu préfères jouer à l'ermite plutôt que de profiter de la compagnie de ton meilleur ami.

— Dan…

— Ça va. J'ai compris.

***

Ce soir-là, après le souper, Philippe descendit au sous-sol chercher les articles dont il avait besoin pour faire une excursion en montagne et les camoufla dans le placard du vestibule. Il se fit le plus discret possible pour ne pas avoir à justifier son acte à quiconque dans la maison.

Vers vingt heures, il monta dans sa mansarde mettre un pantalon noir et un tee-shirt noir pour éviter d'être aperçu par les gardiens de la brigade verte et descendit au rez-de-chaussée. Il profita du fait qu'il était seul dans la maison pour afficher un message sur la porte du frigo. On pouvait y lire en grosses lettres :

Papa, maman, ne vous inquiétez pas pour moi.
Je suis parti à la montagne.
Reviendrai demain matin.
Philippe

Il sortit par la porte d'entrée principale et marcha d'un pas rapide vers le gîte touristique des Rosenthal pour s'apercevoir que Maya n'était pas très loin derrière lui.

— Retourne immédiatement à la maison, lui indiqua-t-il.

La pauvre dut se résigner à ne pas suivre celui à qui elle vouait tant de fidélité.

Philippe fit très attention de ne pas se faire voir en enjambant les plates-bandes ornant le domaine des Rosenthal. Il ne comprenait pas pourquoi l'appel de la montagne était si fort ce jour-là. La seule chose importante pour lui était d'y aller. Il pénétra dans la forêt et déambula jusqu'au sentier de deux kilomètres et demi qui le séparait du rocher. Ses bottines de montagne lui tenaient les chevilles solides et il amorça sa longue escalade sans faire un seul arrêt pour reprendre son souffle.

Lorsqu'il arriva sur le pain de sucre, une agréable sensation de liberté le fit frissonner. C'était la seconde fois en deux semaines qu'il avait le plaisir de contempler la vallée du Richelieu dans sa splendeur nocturne.

Il déposa son sac sur le rocher et alla s'asseoir à l'endroit exact où Océane lui était apparue quelques jours auparavant.

« Comme c'est bon de se retrouver ici », se dit-il.

Adossé à une roche, Philippe contempla le ciel en essayant d'identifier les formes que dessinaient certains groupes d'étoiles, jusqu'à ce qu'il entende des voix se rapprocher. Sa première réaction fut de se recroqueviller en espérant que les gardiens de la brigade verte n'iraient pas plus loin. Malheureusement, son désir ne fut pas exaucé.

« Protège-moi, je t'en prie, Océane... », demanda-t-il à trois reprises.

Un des gardiens n'était plus qu'à quelques centimètres de lui et mit le pied sur une des sangles de son sac.

— Hé... il y a quelque chose ici, marmonna-t-il.

Il sortit sa lampe diffusante et pressa le bouton pour l'allumer, mais elle ne produisit aucun éclairage.

— J'ai changé la pile il y a à peine deux jours et elle est déjà...

Il n'avait pas terminé sa phrase que des boules de feu apparurent sur le rocher et se mirent à tournoyer autour de lui. Elles étaient de la même dimension que celles que Philippe avait vues la nuit où des lacertiliens s'étaient introduits dans sa mansarde.

Son confrère observa la scène sans bouger, comme s'il avait été métamorphosé en statue de sel.

— Allons-nous-en d'ici ! tonna-t-il.

— Comment veux-tu que je m'en aille ? Je suis encerclé…

Ni l'un ni l'autre ne s'attendaient à voir un jour un phénomène de ce genre. Ils avaient toujours cru que les histoires bizarres que racontent les gens de la région à propos du mysticisme de la montagne étaient des légendes urbaines.

Les boules de feu se déplacèrent et créèrent un mur entre Philippe et les gardiens, le temps que ceux-ci déguerpissent à toutes jambes dans le sentier menant vers le lac. Après quelques secondes, il ne restait que des étincelles qui se dispersèrent dans l'air humide de la nuit.

« Ils ne sont pas près de revenir ici ces deux-là », se dit Philippe en détachant les sangles qui retenaient son sac de couchage à l'armature de son sac à dos.

L'air était froid sur le toit de la montagne et Philippe se glissa à l'intérieur de son sac de couchage pour se réchauffer. Longtemps, il fixa le ciel dans l'espoir qu'une lueur ou un signe quelconque vienne le surprendre, mais ses yeux se fermèrent et le sommeil le rattrapa.

Sauf que, lorsqu'il entra chez lui au petit matin, sa tête était entièrement dénudée…

TABLE DES MATIÈRES